# 面白い恋人事件（104 頁）

図 1 白い恋人

図 2 面白い恋人 （発売当初のデザイン）

## マウスくん事件（125 頁）

図 7 ミッキーマウス登録商標
（商標登録 982917 号、1972 年）

図 8 DOB 君

図 2 マウス君

## さかなクンの帽子事件（163 頁）

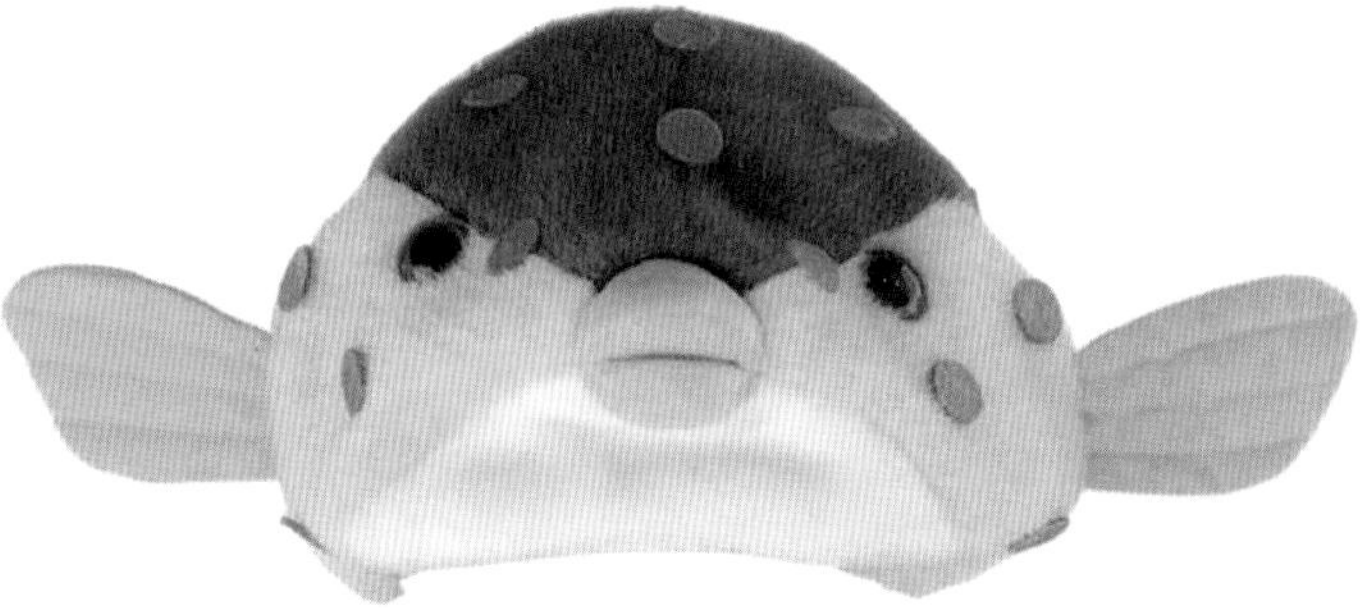

図 3 さかなクンの帽子（立体商標登録 5169970 号）

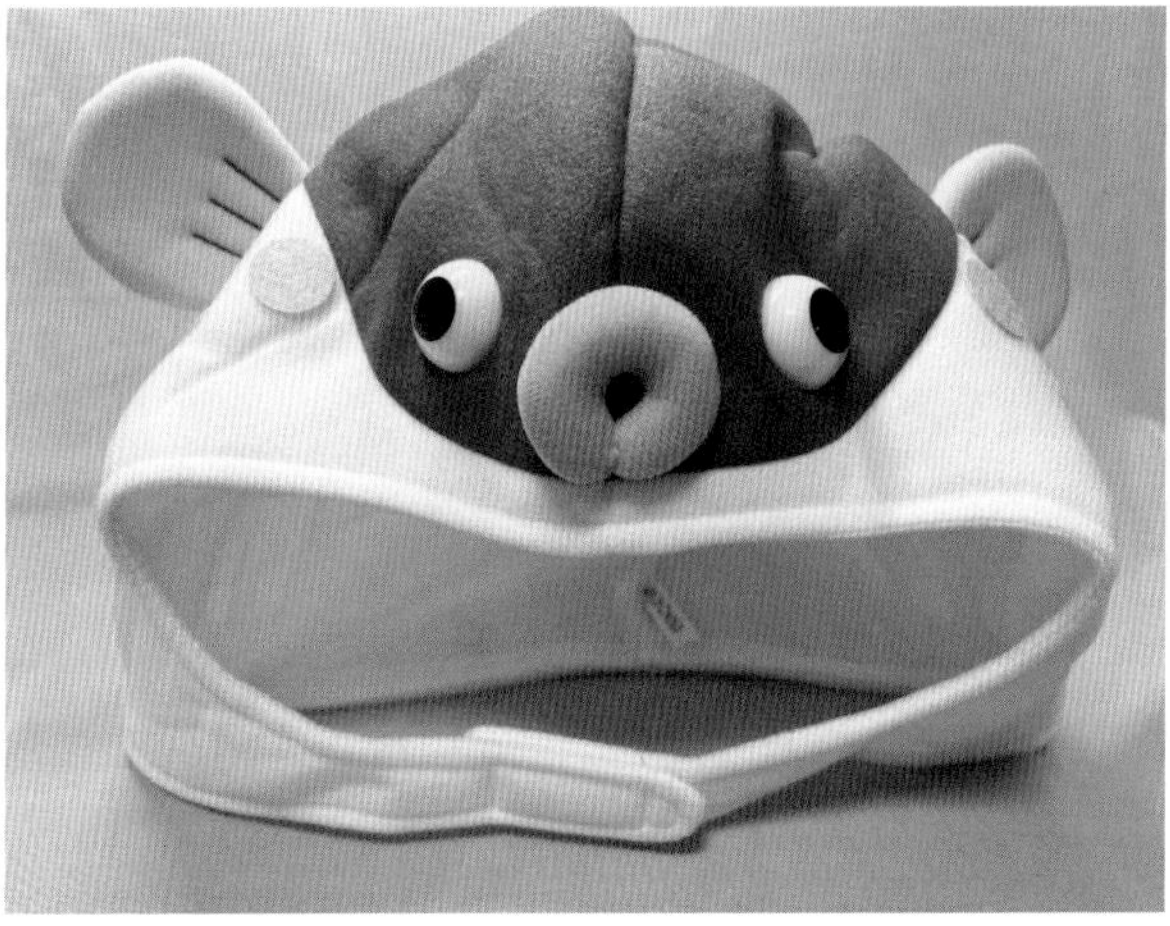

図 2 ふぐキャップ

## やせるおかずの作りおき事件（213 頁）

図 2 やせるおかずの作りおき かんたん 177 レシピ（新星出版社）

図 1 やせるおかず 作りおき（小学館）

図 12 レンチンおかず作りおき おいしい 188 レシピ（新星出版社）

図 11 簡単おかず作りおき おいしい 230 レシピ（新星出版社）

図 10 野菜おかず作りおき かんたん 217 レシピ（新星出版社）

## バターはどこへ溶けた？事件（245 頁）

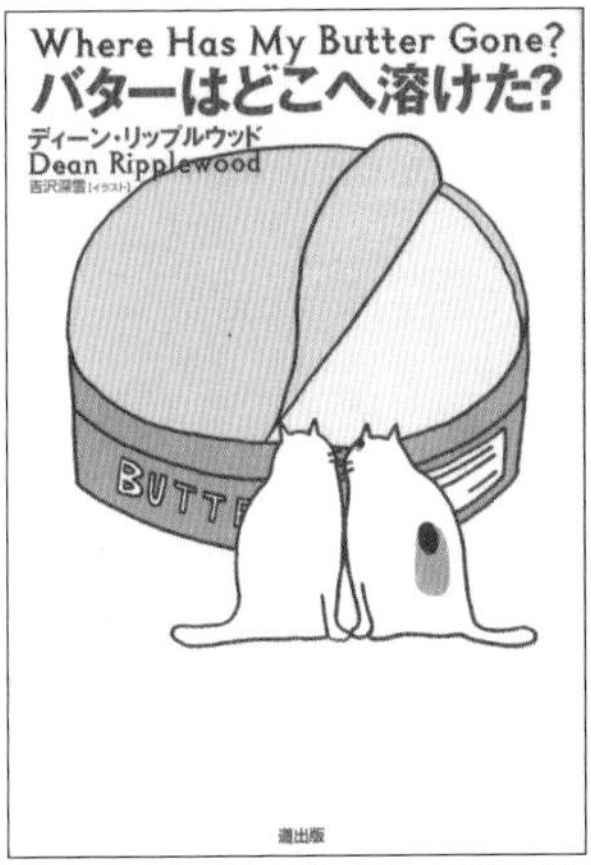


図 2 バターはどこへ溶けた？（道出版）

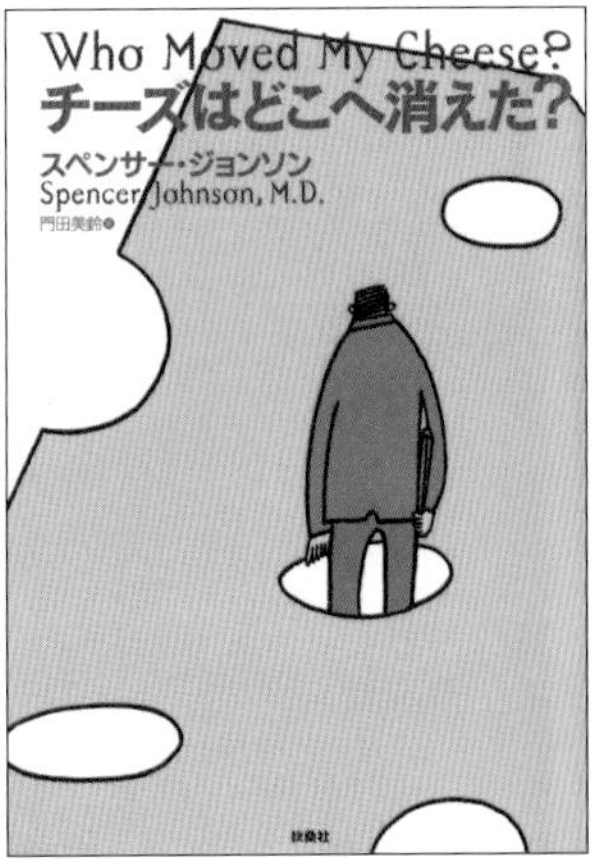


図 1 チーズはどこへ消えた？（扶桑社）

## お酒によく合うポテトサラダ事件（340 頁）

図 2 お酒に合うアンチョビポテト（カネハツ食品）

図 1 お酒によく合うポテトサラダ（ケンコーマヨネーズ）

# 市松模様の数珠袋事件（354 頁）

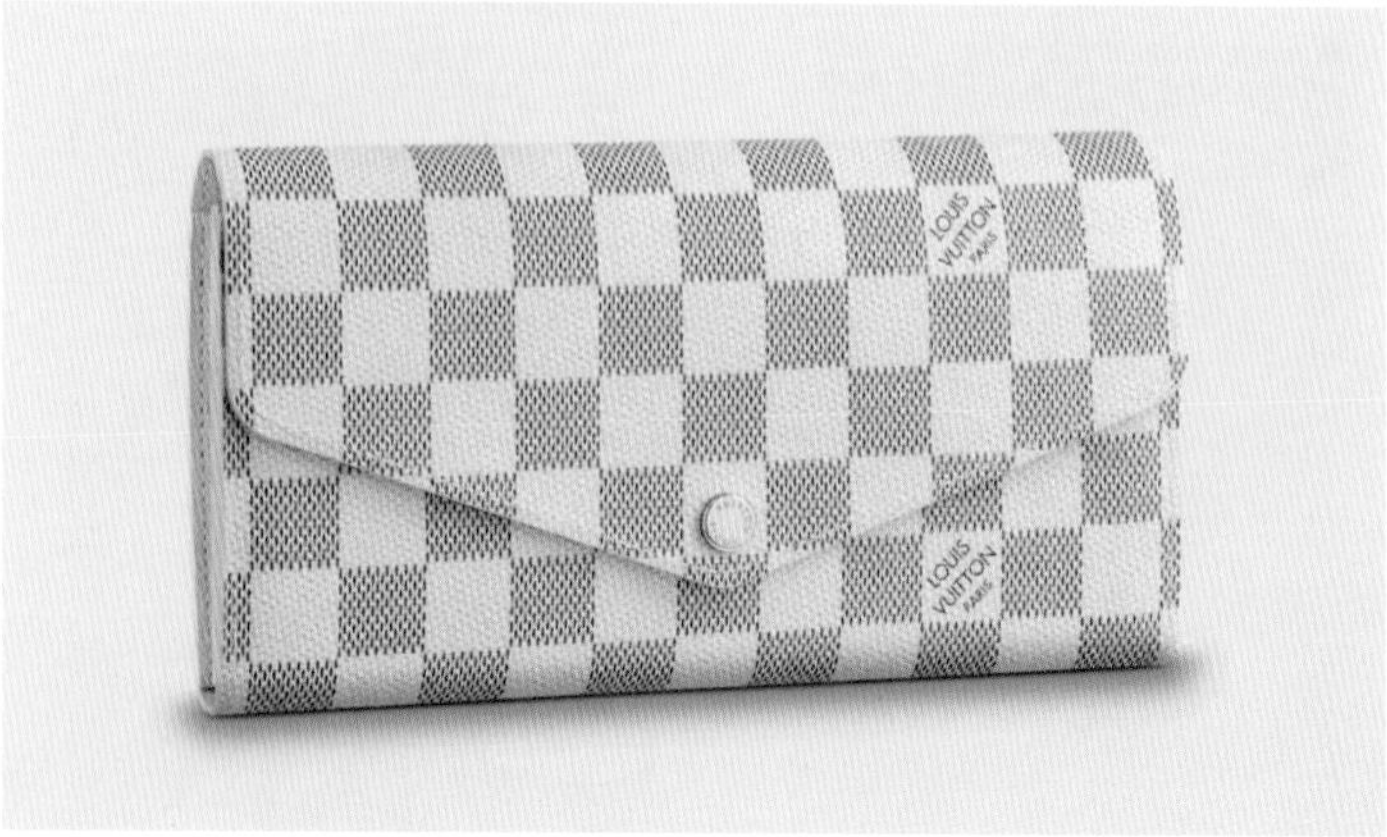


図 1 ポルトフォイユ・サラ ダミエ・アズール（ルイ・ヴィトン）

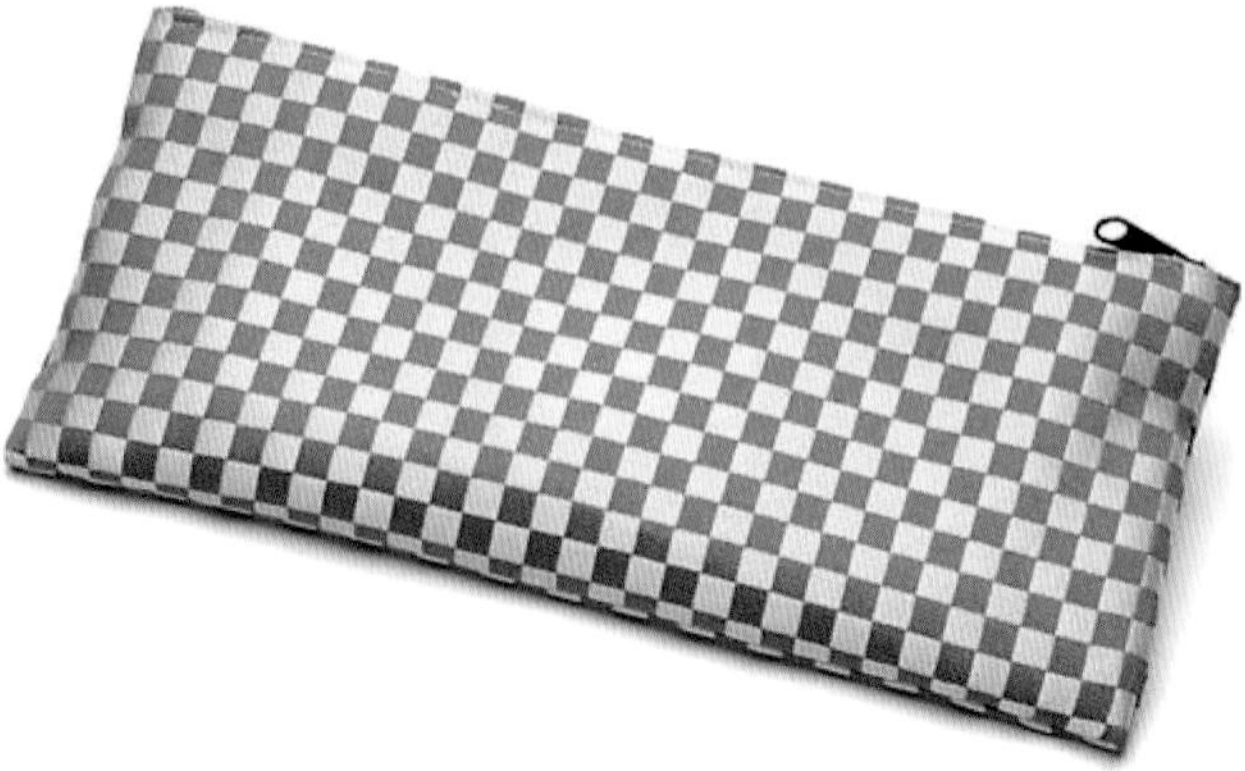

図 2 市松数珠袋（神戸数珠店）

図 3 ポルトフォイユ・サラ（ルイ・ヴィトン）

図 4 紫檀木画槽琵琶

# ザ・ローリング・ストーンズ ベロマーク事件（376 頁）

図 1 ザ・ローリング・ストーンズ

図 2 Acid Black Cherry

# クリスチャン・ルブタン事件（382 頁）

図 1 クリスチャン・ルブタン

図 2 イヴ・サンローラン

図3 映画『オズの魔法使い』で
使用された赤い靴

図4 イアサント・リゴー「ルイ14世の肖像」

## 第二・クリスチャン・ルブタン事件（387頁）

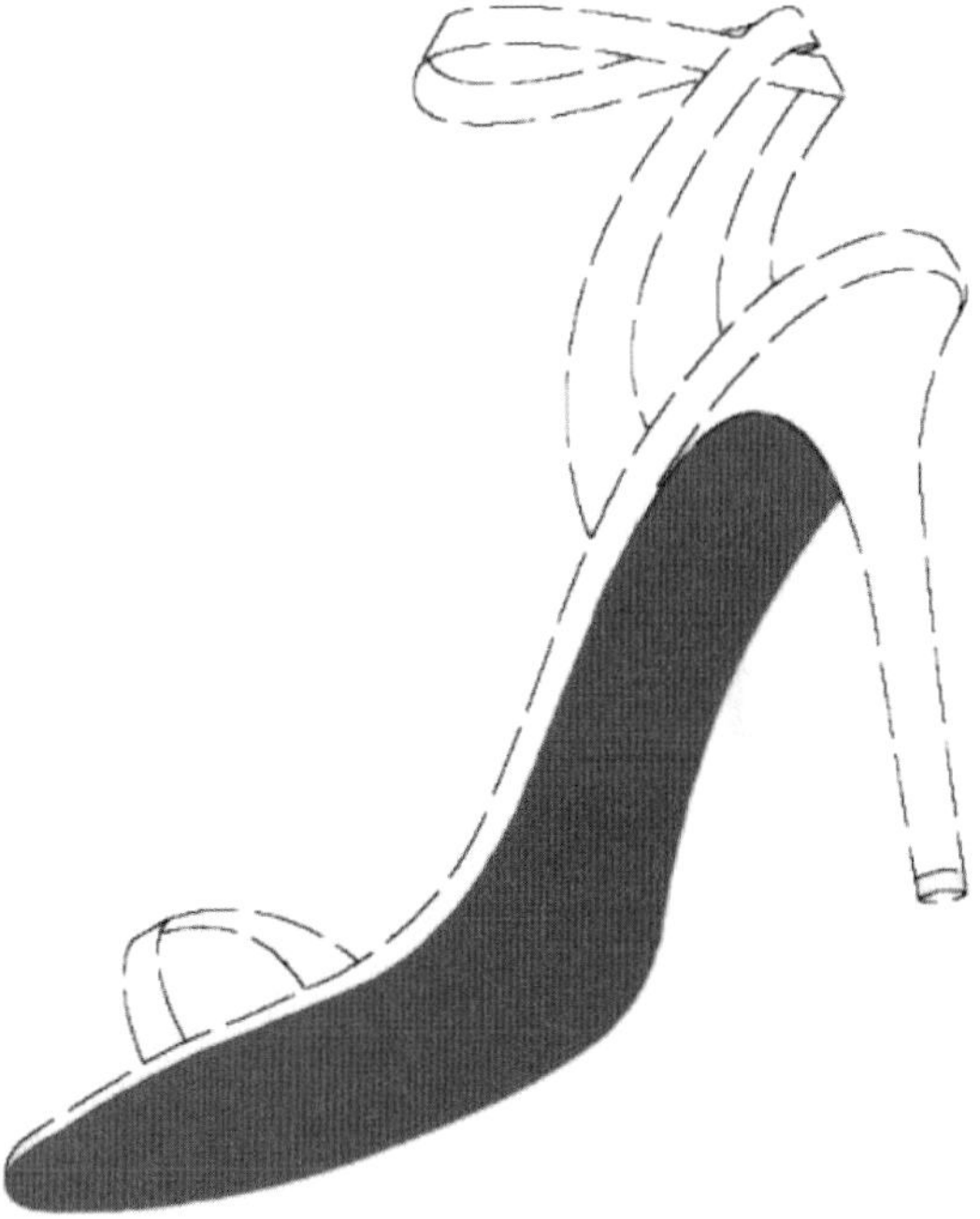

図 1 クリスチャン・ルブタン商標出願
（商願 2015-029921 号）

図 3 DIANA

図 2 EIZO

ジュエリーリングのような
大粒ビジューを
11cm ヒールにグリッターラメと
大粒ビジューをあしらい
後ろ姿からキュートさ溢れる
プラットフォームパンプス
履くと気分が上がる1足

図 5 Metal Rouge

図 4 SEVENTY TWELVE

図8フェラガモ

図7シャネル

図9高田喜佐／ KISSA

# 正露丸事件（417 頁）

図 2 和泉薬品工業（2005 年）

図 1 大幸薬品

図 6 キョクトウ

図 5 三和薬品工業

図 7 松田薬品工業

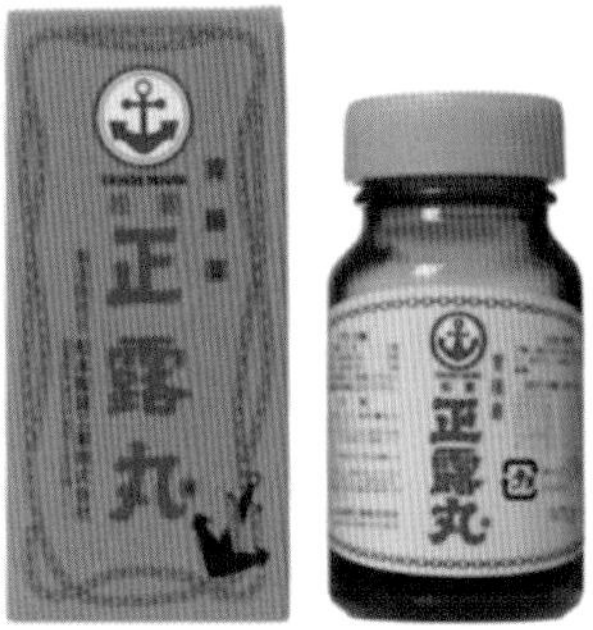


図 8 松本薬品工業

図 9 本草製薬

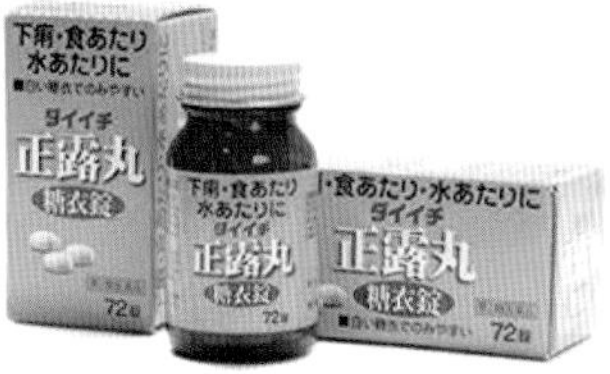


図 10 渡邊薬品

# 0.02 コンドーム事件（425 頁）

図 1 オカモトゼロワン 0.01（オカモト）

図 2 うすぴた 0.02（ジャパンメディカル）

# エセ商標権事件簿

# 《まえがき》

〈過剰権利主張ケーススタディーズ〉の第一作として上梓した『エセ著作権事件簿』は、おかげさまで望外な反響をいただくことができた。「著作権は大切」という常識やコンプライアンス意識を逆手に取った過剰要求や逆恨み、それらがもたらした騒動の数々は、たとえ「権利」であっても、ひとたび振りかざし方や受け止め方を間違えれば、社会に不利益を与え、秩序を乱すことを教えてくれた。

さて、今回のテーマは商標——すなわち言葉、名前、マークなどの独占所有に執着した人々が引き起こした事件簿である。

言葉や名前それそのものは誰も独占することができない。「おはよう」という言葉が誰かに独占されれば挨拶もできない。「商標」という言葉が独占されれば商標権の解説もできない。「鈴木一朗」という名前が独占されれば、鈴木家に長男が生まれても「一朗」と名付けることができなくなる。そんな社会は誰も望まない。

一方、商取引の場面における、商品名やブランド名は別である。取引上の信頼が宿った商品名を、他人が類似商品につけ放題だとすれば、元の商品は売れなくなり、商品名に宿った信頼も裏切られる。それが常態化すれば商秩序が乱れ、産業の発展が成り立たない。実際、商標制度が存在せず、評判の銘柄を合法に無断使用できた江戸時代には、当時の主要産業だった酒や醤油、薬などの業界が、常に模倣品やコピー商品に悩まされてきた。

明治時代に成立した商標登録制度は、こうした商秩序を乱す紛らわしい類似品の規制を念頭に、商品名などについて、一定の条件下で、一定の範囲内に限り、例外的に言葉などの独占を認める法制度である。

一方で、商標制度に対する無知、無理解や思い込み、あるいは単なる強欲から、商標登録されていることをいいことに、言葉や名前、単なる模様やデザインの独占を、法律が認める範囲を大幅に逸脱して過剰主張し、社会に迷惑をかける「エセ商標権者」も少なくない。むしろ、露骨な模倣品がほとんど日陰に追いやられている今日の成熟した日本社会においては、エセ商標権を振りかざす輩の方が多いのではないか、という気さえする。

本書は、そんなエセ商標権者たちが巻き起こした事件、裁判例の数々を取り上げ、その盛大なカン違いや独占欲の発露がどのような結末に至ったかを解説、検証、分析した本である。

中小企業にムチャクチャな異議申立や警告書を送りつけ、泣き寝入りさせること目論む一流企業、一般名称や流行語を商標登録してメディアや個人に使用料を要求し総スカンを喰らう個人、古来ある伝統模様や単なる色彩を独占しようと中小企業をいじめるラグジュアリーブランド、不正な登録商標をネタに大企業にユスリタカリを行う自称超能力者、脱退した元メンバーがバンド名を名乗ることを絶対に許せないバンドマン……。ことごとく敗訴している彼らを駆り立てる独占欲とはいったい何なのか。そして彼らの主張は、どのようにして突き崩されていったのか。ぜひ、本文を読んで味わってほしい。

本来誰もが自由に使えるはずの言葉などを特定人や一企業が不当独占しようと目論むエセ商標権の問題は、社会全体の不利益に直結し得る。いつ誰が「言葉狩り」の被害にあるか分からない。誰もが当事者になる可能性があるのだ。

大企業の行き過ぎたブランド保護から、一般名称を独占しようとした個人の暴走まで、エセ商標権者の巻き起こした大騒動の数々を、ここにつまびらかにしよう。

《目次》

目次

目次

## 《凡例》

- 本書で紹介する事件、裁判例は、日本及び各国の裁判所ウェブサイト、主要な判例データベース、新聞記事データベースなどによって確認した。なお公開されている判決や解決後に、当事者間による非公開の和解などにより、別の解決がなされている可能性があることに留意されたい。
- 裁判例の紹介において、裁判所の判断は事件当時の法律に基づく。その後の法改正等によって解釈に変更が生じている場合は、必要に応じ、文中や注釈で補足解説しているが、それらは二〇二三年一一月現在の法律に基づく。
- 本書で紹介する商標権の情報（権利者名義や権利の存続状況）は、原則として事件当時のステータスによる。その後に権利の存否や名義などに異動が生じている場合は、必要に応じ、文中や注釈で補足説明しているが、それらは二〇二三年一一月現在の情報に基づく。
- 引用文中、〔〕で括った箇所は、引用者による補足・注記。

# 第１章

## 困惑！ 商標モンスターの大暴走

2021年（令和3年）

1月21日（木曜日）

ポケモンにも容赦なし！ 稀代のモンスタークレーマーは今日も連敗中

# モンスターエナジー事件

**モンスターエナジー・カンパニー vs MIXI、任天堂、カプコンほか**(注1)

## エナドリの覇者が大暴走

ありふれた既成語を独り占めしようと、周囲にメチャクチャな言いがかりをふっかける企業がいる。商標法などの法律は、ごく限られた範囲で言葉などの独占を認めており、その範囲内の権利行使であれば正当行為である。だが、その「範囲」は、意外と狭い。これを逸脱し、権利の効力を無視し、法の趣旨をはき違えて、過剰な言葉狩り、表現狩りを試みるのがエセ商標権者である。その代表選手を紹介しよう。

それがモンスターエナジー・カンパニーである。日本でも売られているエナジードリンク**「モンスターエナジー」**（図1）を製造販売する米国企業だ。

図1

「モンスターエナジー」という商品名を、競合メーカーに無断使用されたくないというのであれば理解はできる。だがこの会社が異常なのは、「モンスター」を一部に含む、しかもエナジードリンクとはまったく関係のないさまざまな業種の企業に対して、執拗にケチをつけているところなのだ。

イチャモンの対象にされたのは、例えば精力剤の「モンスターデラックス」、アイスバーの「カロリーモンスター」、台湾かき氷店の「アイスモンスター」、タピオカドリンク店の「タピオカモンスター」などである。**全然似てねー!**と思うが、精力剤や飲食店名は、事業領域としてはエナジードリンクとは近くはないが遠からずといったところだ。一万歩譲って、気にするのも分からないではない。

## ポケモン、ディズニーも標的!?

しかし、彼らの独占欲はこんなものではないのだ。「モンスター」という言葉は、その名の通り「怪物」をモチーフにしたゲームやアニメ、イベントなどに広く用いられるが、彼らは、このようなエンタテインメント作品にも牙をむいているのである。

標的にされたのは、例えばディズニー／ピクサーのアニメ映画『モンスターズ・ユニバーシティ』、ネットフリックスの子供向け番組『スーパーモンスターズ』、マテルの人形シリーズ「モンスター・ハイ」、カプコンのテレビゲーム「モンスターハンタークロス」、ＭＩＸＩのスマホゲームアプリ「モンスターストライク」、漫画家・オカヤドの『モンスター娘のいる日常』（徳間書店）、さがみ湖リゾートプレジャーフォレストのアトラクション「マッスルモンスター」と、まったく脈絡がない。

果ては、日本が世界に誇る任

図２

天堂の**「ポケットモンスター」**のロゴ（図2）に対してまで、「モンスターエナジーのブランドに対するフリーライド（便乗）である」とのたまった。ちなみにモンスターエナジーの発売は二〇〇二年、**ポケモンの最初のゲームソフトの発売は一九九六年である。**

おまけに、一九五二年から続くフランスの有名なダウンジャケットのブランド「MONCLER」（図3）も標的にされている。**念のために書くと、読みは「モンクレール」である。**もはや、モンスターですらない！

いずれもまったく似ていないうえに、エナジードリンクともまったく関係がない。どっちが先に存在したブランドであるかの前後関係すら無視している。ここまでくると、何らかの戦略的な判断に基づく行動というより、何も考えずに「モンスター」っぽいものが目に入ったら反射的に殴りかかっているだけにしか思えない。まさに狂気の**モンスタークレーマー**である。いくら名は体を表すといっても、ヒドすぎる。

図3

## トンデモクレームの根拠は？

クレームと書いたが、その具体的なアプローチは、他社が「モンスター」を含む商標を登録したら、これに対して異議申立を提起し、商標登録の取り消しを求めるというものだ。その言い分は以下の通り定型化している。

**1.「モンスター」はモンスターエナジーブランドの総称として有名である。**

**2.「〇〇モンスター」（例えばポケットモンスター）の商品が販売されると、モンスターエナジーと関係があると混同されるおそれがある。**

**3.「〇〇モンスター」（例えばポケットモンスター）は、モン**

**スターエナジーに便乗しており、モンスターエナジー社に経済的、精神的苦痛を与えるので公序良俗に反する。**

1も2も3も、あり得ない主張である。

商標法上、「他者の商品と混同されるおそれがある」や「公序良俗に反する」などの条件に当てはまる商標は、商標登録できないことになっている。その条件に、どうにかして「ポケットモンスター」や「モンスターストライク」などをこじつけようと腐心した結果、**誇大妄想狂の戯れ言**のような主張になってしまった。

ポケモンやモンストの商標が、いったいどうやってエナジードリンクの会社に経済的、精神的苦痛を与えるというのだろうか。

## 全否定されるモンエナ理論

このような主張が認められることはあるのだろうか。もちろんない。商標登録の適否を判断する特許庁は、こうしたモンスターエナジー社の主張を、以下のように**ことごとく一蹴**している。

1については、モンスターエナジーのロゴは、確かに**図1**の通り「MONSTER」のロゴが目立つように表示されているものの、商取引上は「モンスターエナジー」と称され、宣伝、販売されているため、「モンスター」自体がモンスターエナジー社のブランドとして有名とはいえない。

2については、モンスターエナジー社の「モンスター」は有名でないうえに、ありふれた既成語であり、「○○モンスター」とは似ていないから、関係性を誤解されることはない。

3については、「○○モンスター」がモンスターエナジーに便乗・剽窃したものとは到底考えられず、公序良俗を害するという理由も見出すことはできない。

妄想レベルの主張を、丁寧かつ全面的に否定しているといえよう。筆者なら「アホか！」ですべての話を終わらせたくなるところだ。

## ミクシィに何の恨みが……

モンスターエナジー社が、特に親の仇のごとく執拗につけ狙うのが、スマホゲーム「モンスターストライク」（図4）を運営するＭＩＸＩである。いったい同社に何の恨みがあるのか、執筆時現在までに、ＭＩＸＩの商標に対して実に**一八回もの異議申立**を仕掛けている。そしてそれらに**全敗しているにもかかわらず、**二〇二〇年には、「モンスターストライク」の商標権の無効化を求めて、裁判所にまで提訴しているのだ。

その裁判においても、モンスターエナジー社は壊れたレコードのように従来と同じような主張を繰り返したが、もちろん、敗訴した。

図4

## ムダな証拠のオンパレード！

知財高裁は、「モンスターエナジー」のブランド自体についても、エナジードリンクの市場が小さく、ターゲットが限られていることなどを理由に、「一般需要者に周知著名であると認めることはできない」と断言したうえに、「モンスターストライク」との類似性もまったく認めなかったのである。

なおこの裁判では、モンスターエナジー社は、「モンスターエナジー」の著名性を立証するために、実に四〇〇点以上もの大量の証拠を提出している。ところが、日本の裁判では考慮されない海外での売上に関する資料や、時期が不明瞭な資料、客観的な裏付けを欠く資料が多数を占めており、裁判所から「**このようなものについては、判断の根拠とすべき事実として認定することはできない**」と叱られている。まったく、紙資源のムダ遣いである。やる気があるんだかないんだか分からんな、この会社。

　ともあれ、こうしてモンスターエナジー社は、「モンスター○○」との対決に負け続けている。そして負け続けているのに、ほぼ同じ主張で、また別の「モンスター○○」に異議申立を繰り返しているのである。その結果は、都度、裁判所や特許庁などのウェブサイトなどで公表されるので、**いい笑いもの**になっている。

## 米国では不買運動も

　なお、日本でモンスターエナジー社が仕掛けているのは、「モンスター」を含む商標登録に対する無差別的な異議や無効請求であって、実際にMIXIや任天堂、カプコンなどが、直接、モンスターエナジー社に「モンスター○○」の使用中止を求められたという話は聞かれない（少なくとも表沙汰にはなっていない）。

　しかし、モンスターエナジーの本拠地、米国では、商標への異議申立だけでなく、使用中止を求める直接的な警告に至ることもあり、そのあまりに無理筋な行動が非難の的にさらされている。

　やり口としては、日本同様、「MONSTER ○○」の商標出願を確認したら、これに対して異議申立を行うというものだが、同時に商標出願人に警告書を送り、使用中止と商標出願の取り下げを要求することもあるようである。これが当事者同士のやり取りに留まれば、普通は表沙汰にはならないが、あまりにムチャクチャな警告を受けた側が、**怒りのあまりネットなどで公表することもある。**

## 中小企業の反撃！

　例えば、バーモント州で「バーモンスター」（VERMONSTER）」（図5）というクラフトビールを製造販売する社員七名の小さな醸造所ロック・アート・ブルワリーは、二〇〇九年にモンスターエナジー社（当時

図5

ハンセン・ビバレッジ）から、販売中止と弁護士費用の支払いを求める警告書を受けたことを地元紙に明かしている。この地元紙の報道をきっかけに、SNSやブログなどでモンスターエナジー社に対する非難が殺到し、ニューヨーク・タイムズなどの全国紙も取り上げる事態となった。

　SNSではモンスターエナジーのボイコットを呼びかける投稿が集まり、実際にバーモント州ではモンスターエナジーの取り扱いを中止する業者も出た。最終的に、モンスターエナジー社は警告を取り下げ、VERMONSTERの販売継続を認める合意書をロック・アート・ブルワリーと締結している。

## まったく懲りないモンエナ

　二〇二三年には、インディーズゲームメーカーのグロウスティック・エンタテインメント社のCEOが、SNS上でモンスターエナジー社とのトラブルを暴露。同社から、ゲーム「Dark Deception:Monsters&Mortals」(図6)について、商標出願の取り下げやロゴデザインの変更、**今後制作するゲーム作品における「MONSTER」という単語の使用禁止**など、ムチャクチャな要求を受けたやり取りが公表され、世界中のゲーマーからひんしゅくを買っている。

　商標権を濫用して、競合や中小企業を排除し、競争の秩序を歪める行為は、米国では「Trademark bullying」(商標いじめ)と呼ばれ問題視されている。その筆頭がモンスターエナジーなのであ

図6

る。

## これはブランド戦略ではない

それにしても、客観的に見て、モンスターエナジーに不利益をもたらすとは思えない、まったく似ていない「モンスター○○」や、無関係の分野の事業者にまでクレームをつけ、全方位に敵を増やすことを今後も続けるのであれば、守りたいはずのブランドイメージを悪化させることにしかならないだろう。**ブランド戦略として明らかに幼稚で悪手**である。早晩、みんながモンスターエナジーのことを嫌いになるだろう。それが「モンスター」としての本望だというのなら、別に止めはしないが、もしこんな輩から異議申立や警告を受けても、臆さずに無視するのが一番である。

無意味過ぎる！高性能CPUがやらかす盛大なリソースのムダ使い！

# インテル・インサイド事件

**インテル vs KDDI、シャープ、花王、ワコールほか（注1）**

## 著名半導体企業のご乱心

「ムダな努力」。その言葉の意味を強く実感させてくれる事件である。

皆さんも、**「Intel inside」**と書かれた図1のようなロゴマークを、一度は目にしたことがあるのではないだろうか。半導体メーカーのインテル社が製造するマイクロプロセッサが搭載されているパソコンにはこのシールが貼られている。パソコンのCMでも、メーカーを問わずエンドカットにこのロゴが表示されることが多い。

図1

日本では「インテル、入ってる」とも訳されるこの「インテル・インサイド」の表示は、「このパソコンにはインテルの製品が入っていますよ」ということを端的に伝えるメッセージなのである。この広告戦略のおかげで、「インテル」のブランド認知度はかなり高い。普通はパソコンの部品メーカーの名前など誰も知らないことを考えると、驚異的なことだ。

## 副詞の方を独占したい⁉

　ブランド認知度が高ければ、「インテル」にあやかろうとする不届きな輩もいるだろうが、これに対するインテル社の対抗策は興味深いものだった。なんと、「インサイド（ｉｎｓｉｄｅ）」という言葉を使うさまざまな事業者に対し、「インテル**への便乗行為で、誤認混同を招き、国際信義と公序良俗に反する**」などというクレームを乱発しているのだ。

　そ、そっち⁉ **「インサイド」の方？** 「インテル」の無断使用を取り締まれよ！

　いや、おそらく「インテル」の無断使用も取り締まっているのだろうが、そんな露骨な便乗犯よりも、何の悪気もなく「インサイド」を採用する善良なメーカーの方がよっぽど多いので、「インサイドを使えるのはオレだけだ！」というムチャクチャなクレームの方が圧倒的に目立つのだ。

## インテル社の主張の中身とは？

　「インサイド」の語を含む商標を登録して、インテルから異議申立を受けた事業者は数多い。ＫＤＤＩ、シャープ、パナソニック電工、安川電機、スパイシーソフトなど、インテルと業界が近しい電子機器メーカーやテック系企業が多いが、花王の「ビューティインサイド」や、ワコールの「ＢＯＤＹ ＳＣＩＥＮＣＥ ＩＮＳＩＤＥ」など、**まったく競合しない分野の大手メーカーまで、**多岐にわたってターゲットにされている。

　インテル社の言い分を聞こう。簡単にいえば「○○○インサイド」という「表現形式」は、インテル社の商品を示すブランドとして広く認識されているため、他社が同様の形式を使用すれば、「インテル社の商標が連想され、インテル社の商品であると誤認されるおそれがある」ということである。

　これは苦しすぎる主張だ。「インサイド」は「内部、中に」という**副詞でしかない**し、「インテル・インサイド」の「インサイド」自体、まさにその副詞のニュアンスで使用されているものだ。そうである以上、「インテル・インサイド」のシールを何億枚貼ろうが、ＣＭを何千万回放送しようが、そこからは「インテルが中に入っている」というメッセージしか受け取れないし、「中に入っている」の方をブランドだと思えるはずがない。

まるで「札束を束ねていた輪ゴムを盗まれました！　札束？　それは無事です！　でも、輪ゴムが!!」などと大騒ぎしている**バカ富豪**である。どうだっていいだろそっちは！　高性能を謳うマイクロプロセッサのくせに、つくづく、ムダなことにリソースを使っていると思う。

## 単なるアイデアへの独占欲か

おそらく、インテル社の本音としては、真に「〇〇〇インサイド」をブランドとして独占したいというより、「〇〇〇インサイド」という形式のキャッチフレーズによって、「〇〇〇」の認知度を高めるという**アイデアを他社に使われるのが悔しいだけだろう。**

実際、異議対象とされた商標のうち、例えばＫＤＤＩの「ＫＤＤＩ Ｍｏｄｕｌｅ Ｉｎｓｉｄｅ」（**図2**）、安川電機の「ＧａＮ―Ｔｅｃｈ ＩＮＳＩＤＥ」（**図3**）、ＭＵＪＩＮの「ＭＵＪＩＮ Ｉｎｓｉｄｅ」（**図4**）などは、電子機器などにおいて「自社の部品やテクノロジーが搭載されている」ことを示すためのロゴだ。これらは確かに、「インテル・インサイド」をヒントにした手法ではあるだろう。

図2

## 自分の顧客に嫌われないのか!?

しかし、だからといって、これらのロゴを見た顧客が、「インテルが入っているんだな」「インテル社の商品かな」などと勘違いする可能性は皆無である。だって「インテル」って書いてないんだもの。そうである以上、インテル社にはなんの不

図3

図4

利益ももたらさないし、もちろん法的にも正当である。**当然、異議申立もことごとく退けられている。**

それにしても、インテル社は、パソコンを何千台、何万台と購入しているであろう大企業を含め、こんなにも全方位に対してワケの分からないケンカを仕掛けて大丈夫なのだろうか？ このような姿勢を続けるならば、「失礼な会社だ！これからはインテル入ってないパソコンを調達しろ！」なんて話になる日も遠くないだろう。

ロボットの股下にもクレーム⁉ 地元企業にケンカを売る暴走タワー！

# 東京スカイツリー事件

**東武鉄道、東武タワースカイツリー vs ペッパーフードサービスほか**（注1）

## まやかしの商標ビジネス

日本を代表するランドマークのひとつ、東京スカイツリー（**図1**）は、その形状や名称の使用に「うるさい」といわれている。

図1

東京スカイツリーは、二〇一二年の開業以来、東武鉄道と東武タワースカイツリーが管理・運営している。スカイツリーのウェブサイトによると、東武タワースカイツリーには「東京スカイツリーライセンス事務局」なる部局があり、ここが「東京スカイツリーに関する知的財産（名称・ロゴマーク・シルエットデザイン・完成予想CG等）」を管理しており、「これら知的財産は事務局の許諾なしには使用する事はできません」というのである（注2）。

だがこの宣言自体、かなりのまやかしが含まれている。**知的財産権を侵害せずに、スカイツリーの名称や写真を利用することは十分に可能**だからだ。法律上、スカイツリーのような建築の著作物の著作権は大幅に制限されており、例えば自分で撮った写真などをポスターやパンフレットなどのイメージカットに利用することには何の問題もない。商標権も無関係である。

一方、スカイツリー開業当時、東武タワースカイツリーの社長・鈴木道明は、スカイツリーに関する商標権を活用して「スカイツリーのライセンスを収益の柱の一つと考えている(注3)」と気炎を吐いている。

具体的には、さまざまな企業のグッズなどにスカイツリーを活用させて、その販売価格の五%をライセンス料として徴収しているほか、本来、商標権や著作権などでは独占できないはずの、スカイツリーの外観を撮影した旅行会社のパンフレットについても、使用料は取らないまでも事前にチェックして「意見はする」のだという。こうした同社の「商標ビジネス」の進め方について、「旅行会社の冊子まで事前チェックするのは珍しい」「東武の商標権管理は厳しい」と評す声がある(注4)。

## 他人の商標に執拗にケチつけ

だが、同社の商標権管理は、**厳しいどころかハッキリ言ってムチャクチャ**である。東京スカイツリーを少しでも連想させるような他社の商品やサービスに関する商標登録を見つけては、執拗にケチをつけて登録を取り消そうとしているのだ。

観光名所である以上、周辺からそれにあやかった商品やサービスが出てくるのは自然の理である。中には、あからさまなニセモノや非公認グッズも少なくないだろうから、そうした悪質な商売を排除するというなら分かるのだが、東武タワースカイツリーらの対応は、そのレベルを遥かに超えている。

彼らが異議を申し立てた他者の商標は**表1**の通りだが、ご覧になって分かる通り、もう全然似ていないのである。似ていないのに、東武タワースカイツリーらは似ているなどと強弁して、商標登録を取り消そうと必死なのである。

## 634の数字はオレのもの⁉

例えば、「いきなり！ステーキ」などで知られるペッパーフードサービスが運営していたハンバーグレストランの店名

**「東京６３４バーグ」**に対して、同社は以下のようにこう主張している。

**「東京６３４」の文字は、６３４ｍの高さを誇る我が国において著名な「東京スカイツリー」を想起させるものである。**

だからこの店名は東京スカイツリーの著名性に便乗する意図があり、「**一般的道徳に反するとともに、競業秩序の維持という法目的からも是認できない**」とまで言うのである。なんという大げさな被害妄想だろうか。

まず、誰も東京スカイツリーのことを「東京６３４」なんて呼んでいないのだ。東京スカイツリーが六三四メートルという事実すら、知らない人も多いだろう。「東京６３４」といえば「東京スカイツリー」を想起するなど、空想の領域というほかない。

仮に想起する人間がいたからといって、「東京スカイツリー」と「東京６３４バーグ」とでは、地名の「東京」しか一致していないまったく別の言葉である。両者を間違えたり、関係を誤解したりする人がいるだろうか。スカイツリー建設よりも遥か以前に結成された「東京スカパラダイスオーケストラ」の方がまだ「東京スカイツリー」に近いぞ。もしスカイツリーが「東京６３４バーグ」を「一般的道徳に反する」などとイチャモンをつけることが許されるというなら、**スカパラもスカイツリーにクレームすべきだ。**

これに対して特許庁は、「東京」からも「６３４」からも「東京６３４」からも、**『東京スカイツリー』を想起させるような意味合いは生じない**」と全否定し、東武タワースカイツリーらが負けている。

## ロボットの股下にイチャモン

また、菓子やおみくじに使われている**「押上ロボ」**（図２）の商標に対しては、以下のように主張している。

**著名な「東京スカイツリー」の特徴的な外形形状を本件商標の一部（ロボットの股下部）に用いた巧妙な模倣〔であり…〕、一般的道徳観念に反して公正な**

**競業秩序を害するとともに、公の秩序又は善良の風俗を害するおそれがあ〔る〕。**

巧妙な模倣……って、巧妙過ぎてもはや似てないよ！これを以って「一般的道徳観念に反して公正な競業秩序を害する」「公の秩序又は善良の風俗を害する」と指摘するセンスもすごい。**思わず指摘する側の道徳観念を疑ってしまう。**ロボットの股下にこんなにも執着を見せたのは、『鉄腕アトム』以来の長いロボットキャラクターの歴史の中でも、東武タワースカイツリーらが初めてであろう。

この主張に対して特許庁は、**「ロボットの股下部分の輪郭線は、ロボットの脚の図として認識できるものであって、〔…〕この股下部分のみに着目して取引することはない」**と、ごく真っ当な認定で退け、東武タワースカイツリーらが負けている。

図2

## 相当拡大しないと分からない！

ロボットの股下どころでないのが、ホテルに使用されているロゴマーク**「Live Like a Local／Tokyo Hub」**（図10）に対する異議申立である。これのいったいどこが東京スカイツリーに似ているのかと疑問に

図11

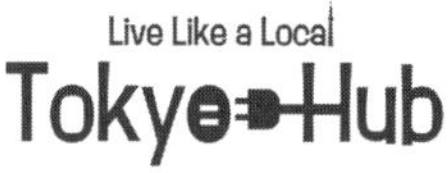


図10

思うが、ロゴを拡大して見ると（**図11**）、ＬｉｖｅＬｉｋｅａＬｏｃａｌの「Ｌｏｃａｌ」の語尾の「ｌ」が、タワー形状をモチーフにしており、これが東京スカイツリーのシルエットに似ているというのだ。

まったくとんでもないうぬぼれである。いったい誰がこのロゴを見て、デザイン全体のうちのほんのわずかな部分を占めているに過ぎない「Ｌｏｃａｌ」の「ｌ」に着目し、それがタワー形状をしていることに殊更に注目し、あまつさえ東京スカイツリーとの関連性を誤認するというのだろうか。もちろん、東武タワースカイツリーらが負けている。

## 細長い塔は全部オレのもの

極めつけは、音響機器メーカーのＪＶＣケンウッドが登録したカーナビの商標（**図7**）に対する主張である。図形中に描かれているタワーのイラストにやはり異様な執着を見せ、「本件商標に表されたタワーは、明らかに著名な『東京スカイツリー』である」と断言したのだ。その理由というのがすごい。

図7

**全体的に細身の形状をしている。**

**足元に広がるビルなどの約4倍もの高さを持ち、周りの風景から突出している。**

## タワーは、全部そうだろ！

いったい、世界のどこに、全体的にずんぐりむっくりした、周りのビルと高さが変わらない、周囲の風景に埋没したタワーがあるというのだ。タワーじゃねぇだろそれはもう。

むしろ**図1**の実際の東京スカイツリーと比べると、明らかに異なる点が多いが、これについてはこんな主張をしている。

**実際の東京スカイツリーの外形形状に関する特徴は、本件商標**

**〔のタワーのイラスト〕の特徴と比較すると〔…〕展望台の形状とその個数が異なる以外、特徴が同じである。**

おいおい、「特徴」という言葉の意味を分かっているのか⁉ タワーの建築デザインとして最も個性が表れやすい「展望台の形状」こそが「特徴」であり、そこが違えば全然違うデザインである。それを無視したうえに、逆にタワーとして共通して当たり前の要素をわざわざ取り上げて「特徴が同じ」などとうそぶくとは、「ホンダのステップワゴンとロールスロイスはそっくりだ。どちらも丸いタイヤが四つある」と言うかの如き詭弁である。

このような主張が認められるはずもなく、特許庁は、実際の東京スカイツリーと、**図7**の商標に描かれたタワー部分を比較すると「外観上の特徴において明らかな差異がある」と喝破して、東武タワースカイツリーらの訴えを退けている。当たり前である。紹介したもの以外でも、多くの異議申立で彼らは負け続けている（**表1**）。

## 白々しい「基本理念」

このような異議申立の傾向からは、東京スカイツリーを少しでも連想させ得る言葉やイメージを使われることすら許容しないという東武タワースカイツリーらの姿勢がよく分かる。東京、いや日本を代表する観光名所のくせに、**度量が狭いというか、図々しいまでの独占欲**である。

彼らがやっている異議申立は、地元企業が地元の観光名所にあやかった合法な事業を阻害する行為である。

なお東武鉄道と東武タワースカイツリー社は、東京スカイツリーの基本理念として、「**地域とともに東東京エリアの新たな交流、観光、産業拠点を形成し、地域社会の活性化を牽引するとともに、国際観光都市東京の実現に貢献します**（注5）」と謳っているが、白々しいといわざるを得ない。

こうした基本理念を掲げるのであれば、地元企業の合法なあやかりビジネスを排除するのではなく、受け入れるべきである。それこそが、観光名所が地域社会に溶け込むうえで必要な度量ではないだろうか。

## 地元企業に嫌われたくない？

なお、本稿で取り上げた異議申立のうち、「東京634バーグ」「押上ロボ」、**図5**の商標に対する異議申立は、正確に記すと、異議申立人は、東武タワースカイツリー並びに東武鉄道ではなく、柳川某または藁科《わらしな》某という個人である。

しかし、これらの商標に対して「東京スカイツリーへの便乗である」との理由で異議申立をする動機があるのは、東武タワースカイツリーら以外には考えられないため、彼らの**ダミー名義**であることが強く推測される（なお藁科某は、東武タワースカイツリーらの代理人を務める弁理士と同姓同名である）。このため、本稿では東武タワースカイツリーらによる異議申立と同視して記述したことをお断りしておく。

図5

ちなみに、柳川または藁科の名義が使われた異議申立は、すべて東京スカイツリーが所在する東京都墨田区の企業や事業者に対するものだった。異議は申し立てたいが、**地元住民には嫌われたくない**という、肝っ玉の小ささといやらしい心情がバレバレである。

| 商標 | 商標権者 | 異議申立年 |
|---|---|---|
|   図2 | 合資会社ヘッドライトファクトリー、有限会社ミヤココーポレーション | 2010年 |
|   図3 | 株式会社バンガード | 2010年 |
| スミダツリー | 株式会社ケイ・シー・エス | 2012年 |

| 商標 | 商標権者 | 異議申立年 |
|---|---|---|
|  図4 | 株式会社ケイ・シー・エス | 2012年 |
|  図5 | 株式会社森八本舗 | 2012年 |
| 東京ごまたまごツリー 図6 | 株式会社東京玉子本舗 | 2013年 |
| 愉快ツリー | 株式会社ギンビス | 2013年 |

| 商標 | 商標権者 | 異議申立年 |
|---|---|---|
| ソラカラポスト | 株式会社 GA INC | 2013 年 |
|  広感度地デジチューナー 図 7 | 株式会社 JVC ケンウッド | 2013 年 |
| 東京６３４バーグ | 株式会社ペッパーフードサービス | 2013 年 |
| Ｓｋｙ－３ スカイスリー | 旭化成ホームズ株式会社 | 2014 年 |

| 商標 | 商標権者 | 異議申立年 |
|---|---|---|
| 図 8 | 株式会社風雅プロモーション | 2015 年 |
| 図 9 | 株式会社ケイ・シー・エス | 2015 年 |
| 図 10 | 株式会社表屋商店 | 2021 年 |

疑心暗鬼で敗訴まで突っ走る！パチンコ嫌いのロック歌手が大暴走

# 矢沢永吉パチンコ事件

## 矢沢永吉 vs 平和、パチンコ店経営会社二三社（注1）

**あのカリスマがパチンコに？**

パチンコ・パチスロ機のモチーフに、アニメのキャラクターや芸能人が用いられていたり、芸能人がパチンコ店の開店イベントに登壇したりすることがある。**あれ、かなりギャラがいいらしいのだ。**筆者も、以前あるキャラクターをパチンコメーカーにライセンスする仕事に関わったことがあるが、ライセンス料がケタ違いで驚いたことがある。

その一方、不健全なギャンブルの印象があるせいか、どんなにギャラがよくても協力しないというスタンスのキャラクターや権利者や芸能人も少なくない。また、好きな芸能人がパチンコ店に営業に来ていて失望した、などというファンの声もしばしば聞かれるところである。

歌手・矢沢永吉もパチンコ嫌いな有名人の一人のようであ

る。確かに、こだわりの強いロックミュージシャンというイメージが強く、自身のポリシーに合致しない仕事は受けないことも知られている。ドラマやCMに出演したり、ＹｏｕＴｕｂｅチャンネルを開設したときには、そのこと自体が大きな話題となった。

**永ちゃん激怒案件に**

そんな矢沢のもとに、ある時、ファンから**「永ちゃんはパチンコ機への出演を承諾したの**

**か」**という失望のメールやファンレターが殺到したという。驚いたのは身に覚えのない矢沢だ。慌ててパチンコ雑誌やインターネットを手掛かりに調査すると、遊技機メーカーの平和が製造する「CRあっ命」というパチンコ機に、どうやら自分をモデルにしたらしいキャラクターが使用されていることが分かった。

これに激怒した矢沢は、平和および日本でパチンコ店を経営する二三社の企業に対し、パブリシティ権の侵害であるとして、パチンコ機の使用差止と謝罪広告の掲出を求めて訴訟を提起したのである。このとき矢沢は、パチンコ店に直接足を運ぶことはせず、雑誌とネット、ファンからのタレコミ情報のみに基づいて提訴しており、被告の中には、提訴時点ですでに「CRあっ命」を設置していないパチンコ店も含まれていたという。

## 矢沢永吉は登場するのか?

では「CRあっ命」は、本当に訴えられるような代物なのだろうか。

まず本機そのものは、お笑いコンビのTIMをモチーフとしたパチンコ機であって、**矢沢永吉は関係ない**（**図1**。なお「あっ命」とは、TIMの持ちネタのギャグである）。パチンコ盤面の入賞口に玉が入ると、盤面の液晶画面に特定の確率でTIMをモチーフにしたキャラクターが登場する各種の演出動画が流れ、当たりや外れになる、というゲームである。

では矢沢永吉はどこに登場するのか。演出動画のひとつに、TIMの二人が「舞台裏」と呼ばれる通路を疾走するシーンがある。この通路脇に、ほんの一瞬だけ、**首に赤いタオルを下げ、マイクスタンドを抱えた白い衣装の人物が映ることがある**（**図2**）。これが、矢沢永吉だというのだ。

## ヤザワ風が一瞬映るだけだ!

ここまで、便宜上このキャラクターを「矢沢永吉」と書いたが、動画中、これが矢沢だと説明されているわけではない。前記の見た目以外の情報は一切なく、矢沢永吉といわれればそう

図１

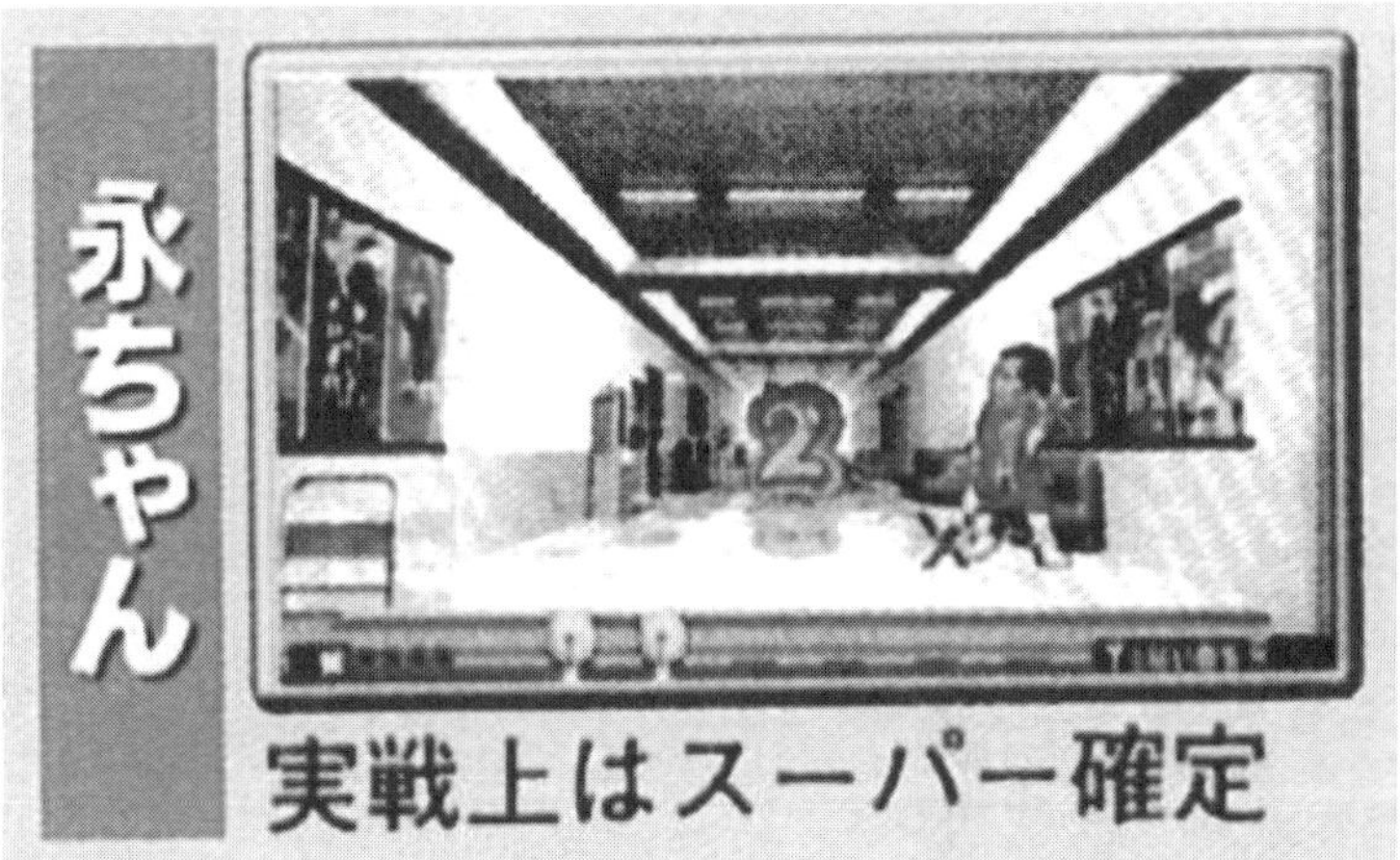


図２

とも見えるが、点滴を抱えたパジャマとマフラー姿の病人か、**モップを抱えた清掃員といわれればそうとも思える代物だ。**このキャラクターが映り込んだときは、「スーパーリーチ確定」という指標の役割が与えられているそうだが、どう考えてもモブキャラ、隠しキャラの扱いなのである。ちなみに、裁判で認定されたところによれば、このキャラクターが登場する確率は**八五六・四分の一**（パチンコ本体の入賞口に八五六個のパチンコ玉が入ったときに登場する）であり、登場したときでも、このキャラクターが映る時間は**〇・三秒**なのだという。

矢沢がこのキャラクターを自分だと思い込んだのは、**図2**に引用したパチンコ雑誌『パチンコ大攻略』が、キャラクター画像を「永ちゃん」というキャプションで紹介し、それを見たファンが矢沢に問い合わせたからである。それがなければ、一日中このパチンコ台の前に座っていても、このキャラクターを視認し、かつそれを矢沢永吉だと捉え、あまつさえ、「これは矢沢永吉のパチンコ台だ」などと認識するなんてことは、まったくもってあり得ないだろう。

## 引くに引けなくなったのでは？

**どう考えても矢沢の確認不足による勇み足なのである。**そんなことは裁判の途中でも気付きそうなものだが、訴えを取り下げなかったところを見ると、引くに引けなくなったか、よっぽどパチンコが嫌いだったとしか思えない。

だが、裁判では勝てるはずもなかった。裁判所は、以下の通り矢沢の訴えを退けている。

まず、キャラクターの見た目については、「**容貌が細かく描写されておらず、画像のサイズが小さいこともって、特定の人物を想起させるような特徴に乏しく（い）**」とし、そもそも「**白い服装でタオルを肩にかけ、スタンドマイクを傾けて持つポーズは、今日においては、ロック歌手のステージイメージとしては一般的なものであり、必ずしも原告（矢沢）に特有のものとは言えない**」と判断。いわばこれは**ロック歌手のステレオタイプ表**

**現**であり、矢沢永吉を表現したものとはいえないということだ。確かに、やや古典的なイメージなれど、沢田研二も忌野清志郎も氷室京介も稲葉浩志も、似たような衣装で似たようなポーズは取っていただろう。

## 視認することすら難しいのに

そのうえで、パチンコ機全体における使用態様についても丁寧に分析している。それによれば、キャラクターが登場する確率が八五六・四分の一に設定されていること、登場した場合でも、液晶画面の右端に画面の約一〇分の一の大きさで表示されるに過ぎず、さらにパチンコ盤面全体と比較すればその大きさは〇・三％であること、登場時間はわずか〇・三秒であり、しかも高速で動いているように見えることなどから、このキャラクターを矢沢永吉だと識別することは**「およそ不可能に近い」**と断じている。

結論として、平和がキャラクター制作において、仮に矢沢のイメージを取り入れていたとしても、結果としてできあがった映像や製品の内容に照らせば、矢沢に何らの利益侵害が生じているとは認められないとし、平和らには何らの責任はないとの判決で確定したのである。

## 永ちゃんの恨み節

この事件は、伝聞と断片情報だけで権利侵害されたと思い込み、訴訟にまで突っ走ってしまった矢沢のミスである。さすがの矢沢も後悔しているのではと思ったが、判決を受けてこんなコメントを残している。

**著作権や肖像権、パブリシティー権について日本においてはとかく軽く見られがちだけど、これじゃ何年たっても確立するにはほど遠いだろうね。もっとも控訴したら別の判決がでるかもしれないけど、かったるいからやめます。**(注2)

文字で読んでも矢沢節の肉声が聞こえるようだが、**まったく納得していないのであった。**だが、裁判所は矢沢のパブリシティ権の価値を軽んじたわけではなく、平和の表現の自由、経

2005年（平成17年）

6月14日（火曜日）

済活動の自由という対立利益とのバランスを見極めて判断を下したのである。矢沢のコメントは主観的な恨み節でしかないだろう。

まぁ「どんだけ良い大学入って、どんだけ良い会社に就職しても、お前が一生かかって稼ぐ額、矢沢の二秒」との名言を残したといわれる矢沢である。○・三秒の矢沢風キャラクターの使用にも、サラリーマンの生涯賃金の一五％くらいの価値はあると思っているのかもしれない!?

## 浅ましい！ あの文豪の息子たちがエセ商標権で世間から軽蔑される！

# 夏目漱石事件

### 夏目純一、夏目伸六 vs 岩波書店

**日本文学史上の汚点！**

古今東西、世襲議員や二世タレントは、親の偉大さと比較されるがゆえ、その落差からポンコツと思われがちな宿命を抱えている。だが日本文学史上、この二人ほど、世間から白眼視された「二世」もいないだろう。

『吾輩は猫である』『こゝろ』などの名作で知られる夏目漱石が一九一六年に亡くなってから三一年後の一九四七年、**文学界を揺るがすエセ商標権事件**が起こった。

当時の著作権法では、著作権は作家の死後三〇年で保護期間が満了することになっていた。漱石の著作権も一九四七年以降はフリーになったため、複数の出版社が漱石の著作の出版を計画していた時期である。

**親の作品を大量商標出願！**

そんな最中の同年八月、漱石の長男である夏目純一が、漱石の小説の題号や、関連用語を**大量に商標登録**していたことが発覚したのだ。

なお登録名義人は純一だが、主導したのは弟の夏目伸六《しんろく》である。その件数は実に六六件にものぼり、列挙すると以下の通りだ。

**「吾輩は猫である」「それから」「硝子戸の中」「門」「行人」「こころ」「漾虚集」「明暗」「道草」「三四郎」「虞美人草」「坊っち**

やん」「草枕」「鶉籠」「薤露行」「幻影の盾」「彼岸過迄」「切抜帖より」「永日小品」「琴の空音」「二百十日」「野分」「一夜」「満韓ところゞ」「夢十夜」「坑夫」「思ひ出す事など」「趣味の遺伝」「カーライル博物館」「倫敦塔」「自転車日記」「手紙」「変な音」「元日」「文鳥」「京に着ける夕」「初秋の一日」「夏目漱石小説集」「夏目漱石作品集」「夏目漱石著作集」「夏目漱石著作全集」「夏目漱石集」「夏目漱石全集」「漱石完集」「漱石文庫」「漱石叢書」「漱石小品集」「漱石小品選集」「漱石小説選集」「漱石作品全集」「漱石名作全集」「漱石遺作選集」「漱石遺作全集」「漱石著作集」「漱石文学全集」「漱石全集」「漱石漢詩」「漱石俳句集」「漱石文学論」「漱石小品」「漱石短辺」「漱石短辺集」「漱石」「嗽石」「夏目金之助」「夏目漱石」

小説や随筆の題号は、有名なものからほとんど知られていないものまで網羅し、さらに作品集に使われそうなキーワード、本人の氏名は異字表記や本名まで、一分の隙もなく商標登録している。とんでもない執念だ（図1）。

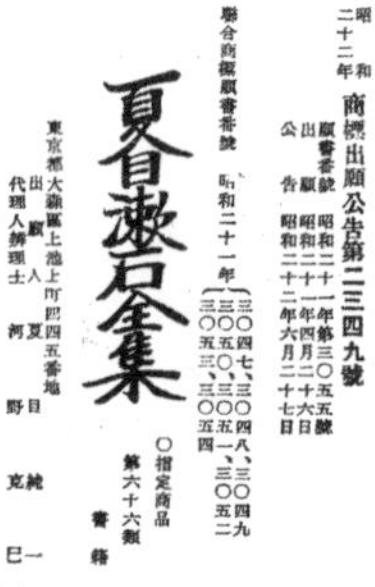
昭和二十二年 商標出願公告第二三四九號
出願番號 昭和二十一年第三〇五五號
出願 昭和二十一年四月二十六日
公告 昭和二十二年六月二十七日
聯合商標願番號 昭和二十一年〔三〇四七、三〇四八、三〇四九、三〇五〇、三〇五一、三〇五二、三〇五三、三〇五四〕
夏目漱石全集
〇指定商品 第六十六類 書籍
東京都大森區上池上町四四五番地
出願人 夏目純一
代理人辨理士 河野寛巳

図1

## 堂々の金銭目的宣言！

これらの商標出願は、漱石の著作権消滅が目前に迫った一九四六年からその翌年にかけて行われている。純一と伸六が、著作権消滅を見越して、その代わりに商標権を活用して親の資産の延命を図ろうとしたことは容易に予想できる。そしていかにも、その予想通りなのであった。

当時『朝日新聞』の取材に対して、伸六は以下の通り商標登録の動機を明かしている。

オヤジの著作権も今年一月から失《な》くなるので、私が〝商標権をとっておいたら幾らか生活の足しになるだろう〟と出した訳で、著作権〔使用料〕の代りに

これから商標権〔使用料〕を出版社からもらうわけです。〔…〕あくまで生活上の問題です(注1)

**ちょっとは悪びれろよ！**「もらうわけです」じゃないんだよ！

著作権は、一定の保護期間を経過したら、文化の発展と普及のために公の財産に帰すべきとされている。これが、著作権の保護期間に制限が設けられている理由である。

仮に商標権が著作権の代替になるとしたら、その制限の意味がなくなってしまう。商標権は、手数料さえ払えば永遠に権利を更新することができるからだ。

## カネに困ったうえでの愚行か

こんな奇策がうまくいくはずもなく、文豪の息子にしては浅ましい発想としかいいようがない。いったいなぜ、こんな手段に打って出ることになったのだろうか。

実はこの頃、夏目家は**金策に窮していた**ようである。事件前年には、夏目家は、右翼団体が母体の桜菊書院という無名の出版社に『夏目漱石全集』を出版させている（出版のノウハウがなかったため、伸六を編集者として雇い入れている）。どうも著作権が残っている最後の年のうちに、少しでも著作権料を回収しようと、やみくもに出版を許諾したようなのだ。

ところがこの軽はずみな行為は、旧知の出版社との間にトラブルを生じさせている。当時夏目家は、岩波書店と独占出版契約を結んでいた。つまり、桜菊書院との契約は二重契約になり、岩波書店との契約に違反していたのだ。貧すれば鈍するし、鈍すれば信用も失いますなぁ。

怒ったのは岩波書店だが、このときは最終的に同社が譲歩し、岩波が同時期に予定していた漱石の全集の刊行を、著作権が消滅する一九四七年以降にずらすことで矛を収めている。

## 岩波書店の堪忍袋が切れる

そんな経緯があったうえで、四七年になってみたら夏目家が今度は商標登録を持ち出してなおも出版を独占しようとしてきたのだから、岩波書店としてはたまったものではない。ついに堪忍袋の緒が切れたのか、この商標登録問題においては、同社は夏目家批判の急先鋒に立った。

岩波書店は、夏目家の商標登録について新聞社にリークし、日本出版協会にも告げ口した。このため、夏目家の行為は文学界のみならず、世間から大いにバッシングを受けることになったのである。

## 情けないこゝろの表れ

例えば、前文部大臣だった安倍能成《よししげ》は、朝日新聞に発表した談話で、「**わたしは漱石先生は尊敬しているがその家族は尊敬していない**」と夏目家をあからさまに軽蔑し、「**いつまでも漱石先生の力にしがみついていたいと思う情けないこゝろの現れ**」「**老い先の短い未亡人が要求するならともかくこれから自分の力で生活を開拓すべき純一、仲六君などがこんどのような処置に出たことは実に遺憾**」「**漱石を食い物にする遺族の人々の心事をわたしは悲しむ**（注2）」などと痛烈に批判している。

続いて、漱石の弟子で『三四郎』のモデルといわれる文学者の小宮豊隆は、「〔**著作権は**〕**死後三十年は遺族をうるおすがあとは人類共有の文化遺産とするという考え方から見れば道義と常識の問題になって今度のやり方は非常識**」と喝破。同じく文学者の中島健蔵も「**商標登録を思いついた遺族の常識を疑いたくなる**」と、切り捨てている。

なお、これらの登録商標に対しては、岩波書店と日本出版協会が「**著作権の失くなった故人の遺作を個人的に独占しようとすることは、わが国の普遍的文化財を私せんものとする反文化的行為である**」との旨で異議申立を行い、商標登録の取り消しを特許庁に請求している。

**反文化的行為……。**

日本文化の良心そのものともいえる文豪の息子たちが、あたかも**北京原人ウパーの如き扱い**を受けているではないか。

## 空気の読めない夏目兄弟

これらの世間の反応に対し、

夏目家は再び奇策で応じている。漱石の小説『行人《こうじん》』を出版していた大倉書店を、純一が権利侵害であるとして告発したのだ。

先に挙げたように、「行人」も純一によって商標登録されている。よりにもよってバッシングの真っただ中で権利行使に踏み切るとは、本当に空気の読めない行動である。

もっとも正確にいえば、純一は商標権侵害を訴えたわけではなかった。大倉書店の『行人』は、まだ著作権が存続していた一九二四年に、夏目家の許諾を得て発行されたものだった。その後、一九三〇年に夏目家との出版契約が解除されて出荷できなくなった在庫分が、戦後のどさくさに紛れて市場に流出したという代物だったようだ。

これについて、純一は「著作権侵害」であると訴えたのである。告発した四七年時点では著作権は切れているから、流出時期を前年以前と見なしての告発だろう。ただ、この告発に添える形で、純一は以下のように訴えている。

**「行人」をはじめ現に商標を登録してあるものが、しかも著作権がまだ存続しているときに、無断出版があった、こうなるといつ著作権が侵害されるかもわからないし、いろいろ不安の種にもなるので最後の切札として今回の処置〔商標登録〕をとった**(注3)

要するに、著作権侵害の被害を訴えることにかこつけて、商標登録の正当性をアピールしようという腹なのである。

### 日本文学界の出した結論は

だが、**このアピールは完全に空振りに終わった。**だいたい、純一の弁はまったく筋が通っていない。「こうなるといつ著作権が侵害されるかもわからない」というが、この時点で著作権が消滅している以上、**今後著作権が侵害されること自体あり得ないのである。**

結局、純一の言う「無断出版」、その実は合法な出版行為からなんとかカネをせしめるための「最後の切札」として商標登録を行ったという身勝手な話でしかなく、こんなしょうもない詭弁に騙されるほど、世間はバカではなかったのである。

日本出版協会は、この純一の行動を勢いよく無視し、控訴院（現在の高等裁判所）の前部長に意見聴取するなどして、以下のように結論した。

**夏目家がたとえ登録したとしても商標としての効力は生じない。新憲法に保障された出版の自由権の行使をさまたげることは出来ない。したがって出版しても商標権の侵害にはならない**（注4）

つまり、**出版業界は夏目家の商標を「エセ商標権」と見なして、無視することに決めたのだ。**正しい判断である。そしてこの判断の正しさを裏付けるように、一九四八年には、純一の商標登録に対して岩波書店が提起していた異議申立が認められ、対象になった一連の商標権も取り消されている。

## 夏目漱石商標騒動の終結

また、この認定に先駆ける一九四七年一一月、特許庁は「今後、書籍の題号が商品の内容を示すものである場合、商標登録を認めない」とする、商標登録の審査基準を新たに設けている。この審査基準は今日まで受け継がれており、これによって、書籍の題号が安易に商標登録されてしまうことで著作物の流通が妨げられるリスクが低減されている。

同時にこの一件は、著作権が作家の死後三〇年で消滅というのは短いのではないかという課題意識にもつながり、著作権保護期間延長論のきっかけにもなっている（だいぶ後の一九七一年に死後五〇年になり、さらに二〇一八年に死後七〇年に延長されている）。

## 夏目家だけが損をする

こうして、その後の知財行政にも大きな影響を与えた夏目漱石をめぐる商標騒動は解決を見ることになり、岩波書店をはじめ、多くの出版社から続々と漱石の著書が刊行されるようになった。これこそが、著作権が切れた著作物の正しい流通の在り方である。

　そんな中、ただ一社、夏目家が肩入れしていた桜菊書院だけが、競合する漱石本との競争に敗れ、**一九四九年に倒産している。**その結果、事件前年から刊行されていた〝夏目家公式〟の『夏目漱石全集』は、結局、最終巻まで出なかったのである。

　なんとも皮肉というか、因果応報ですなぁ。（注5）

## 血は争えないのか!? 夏目漱石の曾孫がエセ商標権で大暴走！

# 第二・夏目漱石事件

**夏目一人 vs 夏目房之介**

### 祖父の恨みは孫が晴らす!?

夏目家の血は争えないということか。一九四七年の「夏目漱石商標事件」から実に六〇年以上経った二〇〇九年、再び、何者かによって「夏目漱石」が商標出願されるという事件が起こった。

その出願人は、夏目一人《かずと》。六〇年前に「夏目漱石」の商標登録を手引きした、夏目仲六の孫（漱石の曾孫）にあたる人物だ。孫が、時を越えて、祖父とまったく同じエセ商標権事件を起こしたのである。

だがこの商標をめぐる顛末も、**六〇年前とまったく同じ流れをたどっている。**つまり、世間からバッシングを受け、商標も無効になったのだ。

### 突如現れた「漱石財団」

当時「クリエイター」の肩書を名乗っていた一人のプロフィールは判然としないが、博報堂に勤務後、独立して広告制作などをするとともに、「文化人」として芸能プロダクションにも籍を置いていたそうである。

そんな彼が「夏目漱石」を商標出願した理由は、漱石の偉業を後世に伝えるための組織「一般財団法人夏目漱石」（以下、「漱石財団」）を設立し、その事業に「夏目漱石」を使用するためだった。

坂本龍馬記念館、野口英世記念館など、偉人の業績を伝えたり、遺品や関係資料を所蔵・管理して展示や貸し出しなどを行っている組織は珍しくないから、漱石財団の設立そのものに関していえば、特段の違和感を覚えない。

　ところが、一人の計画があまりにも杜撰で、なおかつエセ知的財産権を前面に押し出していたため、この事業は周囲の理解をまったく得られず頓挫したのである。

## 根回し不足の杜撰な計画

　杜撰さの方から説明しよう。一人は、漱石財団を二〇〇九年四月一日に設立登記し、自ら理事に就任している。だがこの時点で、一人と一人の母親（夏目沙代子）以外の**ほとんどの親族は、この計画をまったく知らなかった**というのだから驚かされる。

　普通、こういうのって、親戚一同が相談して決めるもののはずである。しかも当時、漱石の子たちこそ、ほぼ鬼籍に入っていたものの、孫たちは概ね存命だった。その中には、漫画評論家の夏目房之介、作家の半藤《はんどう》末利子《まりこ》、文学者の松岡陽子マックレインなどもいる。

　文芸畑において現役で活躍する孫たちを差し置いて、その下の世代の曾孫の広告クリエイターが、勝手に漱石財団を設立してしまったのである。親族間で軋轢を生むであろうことは、外野にも容易に想像できる。

　そしてその通り、見事に軋轢を生んだのである。一人は、六月になって親戚たちに財団設立の案内と協力要請の手紙を送っているが、多くの親族はこれに反対の立場を取ったのだ。まぁ「この度、漱石財団を設立して私が理事になりました。叔父さん、叔母さんも、協力ヨロシク」なんてことをいきなり事後報告で要請されて、協力する気になるわけがない。どう考えても、一人の**事前調整不足**である。こういった関係者間の調整や根回しって、博報堂のような大手の広告代理店では欠かせないスキルなのではなかろうか。一人の博報堂時代の業績が気になるところではある。

## 叔父の華麗な切り返し

　このとき、一人とは対照的

に、関係者の調整が上手だったのが、六〇年前に「夏目漱石」を商標登録したカドで仲六とともに叩かれた夏目純一の息子、房之介だ。彼は甥からの身勝手な手紙を受け取ると、瞬く間に親戚一同に連絡を取り、多くの親戚から反対意見を取り付け、その結果を自身の見解とともに、マスコミや出版社に文書で通告。さらに同内容を自身のウェブサイトで公表し、「漱石財団は夏目家の総意で組織されたものではない」旨を注意喚起したのである。

公表文書の中で、房之介は「**この財団が事情を知らない人々への許諾や権利主張によって既成事実化し混乱をもたらすことを恐れます。この件につきまして、できるだけ早く公表周知すべきだと判断し、今回のお知らせとなりました。みなさまには本件につき、良識的な判断をとっていただくようお願い申し上げます**(注1)」とまで警告している。

また、以前から、地元ゆかりの文士である漱石の業績を発信する事業を行っている東京都新宿区も、「**新宿区と、この財団法人とは、一切の関係はありませんので、ご留意くださいますよう、お願いいたします**(注2)」と、わざわざ区のウェブサイトで注意を促している。

公的機関を装ってお年寄りに架空請求を行う詐欺集団についての注意喚起文とまったく同じトーンであり、まるで不審組織扱いである。こうなるともう漱石財団は、**一人の独り相撲**だ。

## 事業の源泉はエセ商標権

世間の大半も漱石財団を支持しなかったが、支持を得られなかったもうひとつの理由に、漱石財団が、エセ知的財産権をがめつく振りかざす団体に見えたことが挙げられる。漱石財団の掲げる事業内容には、その筆頭に「夏目漱石に関する人格権、肖像権、商標権、意匠権その他無体財産権の管理事業」なる項目があった。この「管理事業」について、房之介は以下のように疑問を呈している。

**登記された「目的」にある「人**

**格権」はそもそも相続されないもので、何らかの権利が相続されるとすれば権利の管理に関しては相続者全員の同意が前提のはずですので、「目的」自体、不可解な部分の多いものです。**（注3）

本当にそうである。通常、近代以前の偉人に関する記念館等が管理している資産とは、一人が挙げるような形のない「無体財産権」ではなく、遺品や遺稿、写真そのものといった「有体財産」、要するにモノの所有権である。所有権なら、人格権と異なり相続が可能だし、著作権のように権利の保護期間に制限もない。

## 一人がでっち上げた虚業

一人も、こうした遺品等の管理事業をメインに据えれば、まだ世間の理解度は違ったのではなかろうか。でも、それができなかったんだろうなぁ。何せ孫世代が概ね存命とあっては、この時点で、**曽孫である一人の手元に遺品が十分に相続されていた可能性は低い。**

そこで彼は無体財産権（＝知的財産権）に目をつけたのだろうが、いかに子孫といえども、一〇〇年も前に死んで六〇年も前に著作権が切れているような「歴史上の人物」を捕まえて、その人格権や知的財産権の管理事業を始めますとは、いかにもでっち上げのような話だ。文字通りの「虚業」であり、実体は無体財産権どころか、ただの「無」でしかない。

そして、実際には「無」を管理してカネを稼ぐことはできないから、新たに「夏目漱石」を商標登録して、その商標権を消滅した人格権や著作権の代わりに充てようという算段だったのだろう。つまり、やっていることの動機まで六〇年前の伸六と同じなのである。夏目家の歴史から何も学んでおらず、これでは同じように批判を受けるのもやむなしである。

## また来たか、夏目家が

一人の行動について、坪内祐三は、六〇年前の騒動を引き合いに「**夏目漱石の筋って、そういう人がけっこう多いんだ**

よ」『また来たか、夏目家が……』と思ったな」と述べている。(注2)カーダシアン家並みのお騒がせ一家扱いだ。その坪内との対談で、福田和也は「**名前や肖像権を登録して、一族が財団で管理するとかって発想、最悪だよね**」とストレートに非難。西村博之は、「**彼は自分の行動に対して、周りの人がどういう対応をするかを想像ができない人のような気がする**(注3)」と一人を評した。

## わずか半年で解散！

こうした親族の反対と世間からの批判の中では、漱石財団の事業を継続するのは不可能であった。結局、**漱石財団は、設立からわずか半年後の一〇月に解散**し、同時に商標出願も取り下げられている。

そして同月、特許庁は商標の審査基準を改訂し、「歴史上の人物名が商標出願された場合、その登録や使用が公益や一般的道徳観念に反すると認められる場合は、商標登録を認めない」とする判断基準を新設している。六〇年前に引き続き、エセ商標権で騒動を起こして特許庁の審査基準を変えてしまった夏目家。その影響力は大したものといえる。(注4)

なお、その後の一人だが、事件の翌年、SNS上で暴言を書き込んだり、著名人に気安くメンションを送りつけるといった様子が**ネット上でほのかに話題になる**(注5)などした後、表舞台から姿を消した。その後の動向は不明である。

## 保護と自由利用のバランス

ところでこの事件は、六〇年前の前項「夏目漱石事件」と奇妙にシンクロすることが多いが、当時伸六とともに商標登録の主体者となり、批判を受けた当人だった純一の息子である房之介が、今回は一人の「エセ知財」を批判する立場に回った事実も、特筆しておきたい。

実は房之介は、自身が漫画評論家として、他人の漫画を引用して批評している立場もあってか、以前から、著作権の保護と自由利用のバランスを重視する見解を表明している。以下は、一人の騒動が勃発する以前に書かれた房之介の著書の一文だ。一人に対する戒めとして機能すると同時に、本書シリーズ全体のテーマとも通底する言葉であるため、この一文の引用を以って、本項を締めくくりたい。

**著作権の保護は、一面で文化創造を奨励する作家保護政策だが、他方、無制限な権利濫用を認めるものではない。創造された文化は社会に共有された意味をもつ。法が権利を守るのも、社会が文化を享受維持し、再創造してゆくことを最終的な目標としているはずだからだ〔…〕。著作権法上の作家の権利は、つねに社会に利用され享受される価値とのバランスで考えられるべきなのだ。が、えてして法律に強くない遺族が、急に感情的に必要以上の権利を主張することがある。その無知や非見識のために混乱がおこることは今もある。**（注6）

知的財産権と、社会が享受する利益のバランスを見誤った「法律に強くない遺族」が「急に感情的に必要以上の権利を主張することがある」とは、まさに一人の巻き起こした騒動の予言のようである。

そして「感情的に必要以上の権利を主張することがある」のは、何も有名作家の遺族に限った話ではない。本書やシリーズの『エセ著作権事件簿』で紹介するように、**誰もがエセ商標権やエセ著作権を振りかざしてしまう可能性を秘めているのだ。**一人ならずとも、胸に刻むべき言葉である。

## 謝罪もできない!? 言葉狩りを目論むエセ商標権者は断捨離だ！

# 断捨離事件

### やましたひでこ vs 日本テレビ、ミニマリストTakeru

**身勝手な使用禁止宣言**

二〇〇九年のベストセラー『新・片付け術 断捨離』（マガジンハウス）他、多くの著書がある作家のやましたひでこ。彼女の公式ウェブサイトの「初めての方へ」という表示をクリックすると「やましたひでこからのご挨拶」というコンテンツが表示されるのだが、そのページ冒頭には、長らく以下の注意書きが掲載されていた。

「断捨離」〔…〕は、やましたひでこの登録商標です。〔…〕商業目的、営業目的が伴う「断捨離」〔…〕のご使用に際しては、**明確厳格な基準を設けており、許可無く使用することはできません。**(注1)

二〇二三年になってこの記述は削除され、単に「『断捨離』は、やましたひでこの登録商標です」という一言の注意書きになったが、おそらく「断捨離」というキーワード検索で辿り着くことが多いであろう、自身のウェブサイトを訪れた自分の客に対し、開口一番「断捨離を勝手に使うな」と警告を発していたのだからとんだご挨拶である。

そして本項で述べるとおり、**この勝手な「使用できません」宣言こそ、法的に誤りなのである。**

## クレーム連発大騒動！

こうした方針は以前から掲げられていたようだが、二〇一九年頃に、やましたが「断捨離」という言葉を用いて片付け体験や整理整頓術などを発信している個人のユーチューバーやブロガー、片付け術を特集するテレビ番組、出版社など対して、**使用中止を要求するクレームを次々に連発**していることが明るみに出ると、一気に騒動になった。

例えば、日本テレビ系の深夜バラエティ番組『ナカイの窓』の中の企画コーナー名**「断捨離の窓」**が、やましたからのクレームを受けたことが報道されている。この「断捨離の窓」は、司会の中居正広とゲストのお笑い芸人などが、世の中の無駄なものや不要なもの（ゴミや不用品などではなく、「男性用パンツの窓」「苗字の〝さいとう〟の漢字のバリエーション」など、世の中の仕組みに関するものが多い）についてトークし、関係者に意見を求めるという内容のコーナーだった（**図1**）。二〇一八年八月、一〇月の二回にわたり放送されたが、クレーム後、このコーナーは取りやめになったとされる。

## テレビ局は過剰反応!?

さらに『女性セブン』の報道によれば、やましたのクレームは民事調停（簡易裁判所において、裁判によらず、裁判官と調停委員の調整のもとで当事者間の合意を図る制度）に持ち込まれ、これが番組打ち切りの遠因にもなったと推測されている。(注2)

やました、日本テレビ双方と

図1

もこのトラブルについて多くを語っておらず、調停の顛末は不明である（判決と異なり非公開である）。しかし後述するように、この「断捨離の窓」が商標権侵害となることはあり得ない。この事件以降、一部のテレビ局では「断捨離」が禁句のように扱われているとも聞かれるが、エセ商標権に過剰反応しているだけである。

## イチャモンクレームの内容は？

いったい、やましたのクレームはどのような内容だったのだろうか。やましたから警告を受けたユーチューバーで、片付けや節約、貯蓄術などについての動画を配信しているミニマリストＴａｋｅｒｕ（以下、タケル）は、その内容を自身のＹｏｕＴｕｂｅチャンネルで公表している。

それによれば、やましたは「断捨離」の語を無断で表示、使用することは商標権侵害および不正競争防止法違反に該当し得ると主張し、タケルに以下の三点の要求を突き付け、誠意ある回答がなければ「然るべき法的措置を講じざるを得ません」とまで添えていたというのだ。[注3] その内容というのがこれである。

**1．タイトル、および内容において「断捨離」を使用した動画をすべて削除すること。**

**2．ハッシュタグとして「断捨離」使用することを禁止し、使用したハッシュタグはすべて削除すること。**

**3．今後無断で「断捨離」を動画で使用しないこと**

ハッキリ言って、この要求こそが法律に真っ向から反しており、図々しいエセ商標権クレームで、商標ヤクザそのもののやり口である。**よくもこんなムチャクチャな要求を他人にできるものだ。**「法的措置を講じざるを得ない」と言うが、法的措置を講ずれば敗訴するのは間違いなくやましたであり、明らかに単なるハッタリ、脅しでしかない。

## 不気味な謝罪動画が大量発生！

だがこの警告を受けたタケルはすぐに完オチ。今まで自分がアップロードした五〇〇本以上の動画を見返し、「断捨離」という言葉を発した動画をすべて削除してしまったという。さらに、この件に関する謝罪動画までアップし、「**今回のことを深く反省して、これからの動画づくりに励んでいきたいと思います**」とまで述べているのである。また、タケルに追随して、他にも複数の断捨離系ユーチューバーが同様の対応をしている。

　もっとも、謝罪や釈明動画をアップしようとした彼らは困ってしまった。やましたの警告をそのまま受け入れるなら、謝罪動画のタイトルや中身でも「断捨離」という言葉は使えないことになる。すると、**いったい何に対して謝罪しているのかの説明すらできなくなってしまうのだ。**

　その結果、何が起こったか。「この三文字が何であるかはご想像にお任せします」「商標権があるという『断マルマル』」「片付けでよく使う漢字三文字の『断、ン、ン』」などとという**マヌケな表現の謝罪動画**が次々にアップされるという薄気味悪い事態となったのである（図2）。いやはや、この人たち、撮影しながらこの時点で**「この警告は何かがおかしい」**と思わなかったのだろうか!?

## 誰も言葉を独占できない

　いかにも、おかしいのである。やましたが振りかざしているのはエセ商標権に過ぎない。いかなる商標権であっても、テレビ番組、インターネット動画や、その他メディア記事などの

図2

コンテンツの中身やタイトルにその商標を使用することは原則として商標権侵害にはならない。

仮に「断捨離」が商標登録されていることを理由に、番組や記事で「断捨離」という言葉を使うことが商標権侵害だというのなら、トヨタの業績や経営方針を解説する経済やビジネス系の動画で「トヨタ式経営のスゴさを解説します！」とも言えないし、「ディズニーランドに行ってきました！」という旅行ブログも書けない。「TikTokで話題！」とも「僕のYouTubeチャンネルへようこそ！」とも言えない。情報番組で「モンスターエナジーの新フレーバーが登場」とも言えなくなってしまう。

著名商標のブランドオーナーや、商標いじめの筆頭格モンスターエナジー社でさえも、さすがに自社や自社製品に言及するテレビ局やユーチューバーに商標権侵害だとは言わない。**それをやりおったのだ、やましたは。**

## 明らかに権利侵害ではない

商標権の侵害とは、登録商標を、権利範囲の商品やサービスにおいて使用することによって、受け手に対し、サービスの主体について誤解を生じさせることである。コンテンツの中身で登録商標を使用しても、それは単にディズニーランドやトヨタに関する話題を述べているに過ぎず、トヨタやディズニーが公式に運営しているコンテンツなどといった誤解を生じさせる余地はない。そうであれば、商標権侵害となることはあり得ないのである。

これは、広告収入を得ていたり、**有料記事や市販の出版物などの営利目的のコンテンツであっても何ら変わらない。**例えば図3、4のような使い方はまったくもって問題がない。

仮に、動画や記事において商標権侵害が生じる余地があるとしたら、事実に反して「トヨタ公式」や「ディズニーランド公認」という風に、視聴者や読者に対して、商標権者の関与を誤解させるような強調的な表示をする場合に限られるだろう。

ましてや、「トヨタ」や「ディ

ズニーランド」のような典型的にブランドと認識されているような商標とは異なり、「断捨離」は、「不要なものにこだわるのを止め、積極的に捨てて、整理整頓する」程度の意味合いの一般用語として世間で広く認識されている言葉だ。一般用語として認識されている言葉は、いかなる使用方法を採用したとしても、簡単には商標権侵害は認められない。受け手が一般用語としての「断捨離」と理解するに留まる以上、商標権侵害は成立しないのである。

夫の移住宣言で二拠点生活に
とことん断捨離したら
心の風通しがよくなった
紺野美沙子
こんの みさこ　1960年東京都生まれ。80年慶應義塾大学在学中にNHK連続テレビ小説『虹を織る』のヒロイン役で人気を博し、以降はドラマや舞台で活躍。2010年から「紺野美沙子の朗読座」を主宰、全国各地で公演。
図3

## 悪質な言葉狩りに屈するな

つまり、日本テレビが「断捨離の窓」のコーナーを取りやめる必要はなかったし、タケルや他

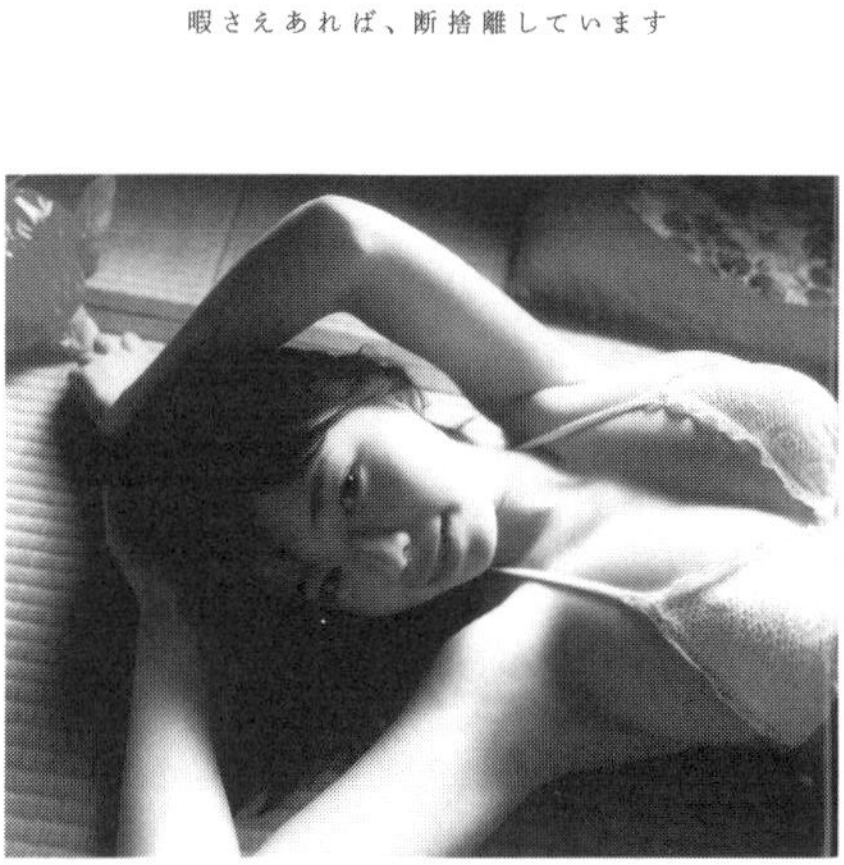
暇さえあれば、断捨離しています
図4

のユーチューバーの狼狽や謝罪は完全な杞憂でしかなかった。やましたのやっていることは**商標制度を悪用した悪質な「言葉狩り」**なのである。

個人のユーチューバーが、突然弁護士名義の警告書を受け取ったら狼狽してしまう気持ちは分かるが、動画を削除する必要も謝罪する必要もまったくなかったのである。それどころか、かえって謝罪動画の拡散によって、他のユーチューバーやブロガーに対しても連鎖的な不安を引き起こしたという点では、こうした**謝罪動画の公表は害悪とすらいえる。**何せ、やましたに言いくるめられたタケルは、視聴者に対してこんなことを呼びかけているのだ。

**その漢字三文字の言葉を無断で使用することは立派な犯罪行為なので〔…〕その言葉を使った記事を書いたりとか、そういった動画を使っている方は、早急に対応することをおすすめします。〔…〕もしそういった動画をお見かけした場合は、ぜひその発信者さんにお伝えするよう、お願いします**（注4）。

もはや、やましたの回し者と変わらないのである。タケルなりの善意から出た発言なのだろうが、違法でもなんでもない行為を「立派な犯罪行為」とまで断言し、誤った情報を拡散しているのは問題だろう。

まぁ、誘拐や監禁事件などで、加害者の支配下に置かれた被害者は、心理的抑圧から加害者に同調したり、協力的な態度をとることがあるというが（ストックホルム症候群）、それに近いものがあるのかもしれない。タケルはあくまで被害者なのであって、やはり諸悪の根源はやましたひでこなのだ。

## やましたへの反感が広まる

もっとも、拡散されたタケルの謝罪動画は、**注意喚起とは別の効果をもたらした。**多くの視聴者がやましたに対して反感を抱き、そうした意見をコメント欄などで表明したのである。ごく一般的な感覚で一般名称と認識されている言葉を「口にすら出すな」などといわれれば、それが自然な反応であろう。

筆者は謝罪動画を見て「おい、しっかりしろよ！タケル！」とイライラしてしまったが、多くの視聴者はタケルに同情するとともに、やましたに失望し、怒りを覚え、断捨離という言葉に嫌悪感すら抱いたのである。もし、ここまでがタケルの計算ずくだったとしたら、**タケルおそるべし……**である。

こうした視聴者の反応を見るにつけ思う。もし、今後「断捨離」という言葉が世間で使われなくなるときがくるとしたら、それは「断捨離」がやましたの登録商標だからではなく、単にこの言葉が忌避され、廃れることが原因ではないか。「断捨離」が不要なモノとして断捨離される日は、そう遠くないのかもしれない。

**オリジナルでもない！断捨離独占をたくらむ主張が全否定される！**

# 第二・断捨離事件

**やましたひでこ vs Dan・Sha・Ri銀座（注1）、銀座急送（注2）**

## 裁判を避けるやました

やましたひでこが、「断捨離」を使用するテレビ番組やユーチューバーに対して、エセ商標権を振り回しており、ときには法的措置を取るとまで息巻いているのは前項で書いた通りである。しかし、その割には、確認する限り、**実際に裁判に訴え出たという話は聞かれない。**日本テレビとの間での、非公開の民事調停手続きがせいぜいである。

これはある意味当然で、エセ商標権を振り回している以上、マトモに裁判で争われたら、敗訴するのは確実にやましたの方だからである。もし判決が出れば、テレビ番組や動画、出版物で「断捨離」を使用することが商標権侵害にならないことはおろか、「断捨離」が一般名称であることも認定されるだろう。そしてそうした認定が判決という形で公表されれば、エセ商標権に基づくこけおどしすらもはや機能しなくなってしまう。これを警戒して、彼女は「法的措置を講じる可能性がある」とハッタリをかましつつも、実際に裁判沙汰にすることには及び腰なのだろう。

## やました敗北事件を考察する

だが、侵害訴訟の前哨戦とでもいうべき行政審判で、**「断捨離」の語を巡ってやましたが争い、敗北した実例がある。**やましたは、第三者が商標登録している「断捨離」関連の商標権に対し、権利の無効化を求めて何度か特許庁に審判請求をしたことがあるのだ。本項では、この顛末を紹介しよう。

そこからは、やましたの「断捨離」に対する尋常ならざる執着心と、それとは裏腹に**「断捨離」という登録商標が、いかに無価値で効力に乏しいか**を知ることができる。仮にやましたから「断捨離」の語の使用を巡ってクレームを受けた場合、どのように反論すればよいのかの参考にもなるだろう。

## 質屋の宣伝文にイチャモン

まず紹介するのは、東京・銀座にあるブランド品買い取り店「Dan・Sha・Ri銀座」との争いである。同店の運営会社VALS NEXTは、ブランド品などの小売業や宝玉の評価といった事業分野において、屋号である「Dan・Sha・Ri」を商標登録している。「断捨離で要らなくなったブランド品を買い取ります」というメッセージを暗示させる商標で、質屋のネーミングとしてはなかなかウマいと思う。

これに対し、やましたの関係会社が二〇一六年に商標登録の取消を請求している。商標権者が、自らの登録商標（この場合「Dan・Sha・Ri」）と類似する商標（この場合「断捨離」）を用いて、他人の業務と故意に混同をもたらした場合は、ペナルティとして、請求により商標登録が取り消される（商標法第51条）。「Dan・Sha・Ri銀座」のウェブサイトには「断捨離」の文言が多数使用されており**（図1）**、これが商標権の取消事由になると主張したのである。

## やましたの主張の中身は

やましたの言い分はこうだ。まず、「断捨離」は二〇一〇年に新語・流行語大賞にノミネートされたことから、遅くとも二〇一〇年には、やましたが深く関わった言葉として世間で著名であったとの持論を展開。これを前提に、「Dan・Sha・Ri銀座」が自社のウェブサイトの宣伝文やコラムにおいて

2020年（令和2年）
1月20日（月曜日）

銀座でブランド品買取、宝石類の高価買取ならダンシャリ銀座
MENU
Dan·Sha·Ri
GINZA
LINE
査定
営業時間・臨時休業のお知らせ »
買取ブランド
買取ジャンル
店舗案内
ブランド品の買取、宝石・貴金属類の
高価買取を実現
Dan·Sha·Ri
ダンシャリ銀座
銀座店へのご来店なら
最短5分
その場で現金
ご来店せずとも
全国どこでも
買取OK
他店NGだった
品物も一度
ご相談ください

図 1-1

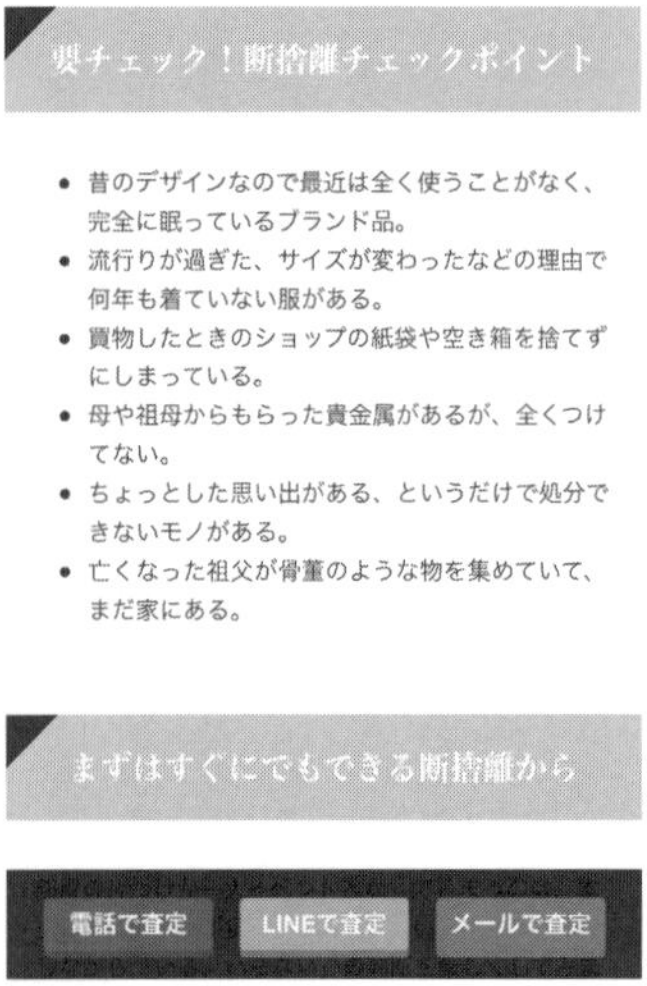
要チェック！断捨離チェックポイント
昔のデザインなので最近は全く使うことがなく、完全に眠っているブランド品。
流行りが過ぎた、サイズが変わったなどの理由で何年も着ていない服がある。
買物したときのショップの紙袋や空き箱を捨てずにしまっている。
母や祖母からもらった貴金属があるが、全くつけてない。
ちょっとした思い出がある、というだけで処分できないモノがある。
亡くなった祖父が骨董のような物を集めていて、まだ家にある。
まずはすぐにでもできる断捨離から
電話で査定
LINEで査定
メールで査定

図 1-2

「断捨離」の語を使用することによって、顧客に対し、やましたの業務に関連がある店だと故意に混同させようとしているというのである。

この主張から分かることは、やましたは、ある言葉が「一般用語や新語・流行語として世間に浸透すること」と、「特定のブランドとして世間に周知されること」が、まったく区別できていないということだ。

確かにやましたの言う通り、「断捨離」は、やましたのセミナーを元にした二〇〇九年のベストセラー『新・片付け術 断捨離』によって一般に広まり、二〇一〇年には新語・流行語大賞にノミネートされるに至った。しかし、言葉の認知のされ方としては、特定の商品やサービスを指すブランド名として広まったのではなく、「片付け」の新たな呼び名、まさしく新語として、やましたから独り歩きして広まったのである。決してやましたが行う事業を表すブランドとして広まったのではない。

やましたの主張は、たとえるならば、上野動物園が「パンダを日本に流行させたのは上野動物園なのだから、他の動物園のパンダを『パンダ』と呼ぶな」と言っているようなものである。パンダをパンダと呼ぶことが何も悪くないのと同じように、**断捨離することを断捨離と呼んでも何ら責められるいわれはないのである。**

## 「断捨離」は一般用語と認定される

特許庁も、まさにそうした判断を下している。まず「断捨離」の語が「やましたの業務にかかるものとして全国的に著名である」という彼女の主張に関しては、以下のようにバッサリ否定している。

> 「断捨離」の語が、最初は、山下英子氏が提唱するものであったとしても、２０１０年にユーキャン新語・流行語大賞にノミネートされた後には、「断捨離」の語は、「執着を捨てることを旨とする片づけ術の標語。断つ、捨てる、離れる。」ほどの意味合いを表すものとして、新語・流行語として社会に定着し、一般的に通用する語として使用されているといえるものである。

**「断捨離」はやましたのブランドとして著名なのではなく、一般用語として広く通用しているだけというわけだ。**そのうえで、「Ｄａｎ・Ｓｈａ・Ｒｉ銀座」の宣伝文やコラムにおける「断捨離」の使用例、例えば「断捨離中のカルティエを高価買取！」「ここで断捨離ができますよ」「次の項目に一つでも該当したら今すぐ断捨離しましょう！」といった文言は、文脈上、明らかに一般的な意味を表すものとして使われており、やましたの業務と混同を生じるおそれはないと認定し、彼女の訴えを退けたのだ。

特許庁が、「断捨離」を**「社会に定着した一般用語」**と認定した事実は重いといえる。この決定が出た時点でやましたは断捨離の独占をあきらめるべきだった。

しかし彼女は懲りないのである。二〇一八年に、今度は引っ越し業者の銀座急送が使用（**図2**）

する「断捨離 だんしゃり」という登録商標に対して無効化を請求している。ここでも、再び二〇一〇年の新語・流行語大賞にノミネートされたことなどを引き合いに、以下のような主張をしている。

引越し+断捨離®
暮らしのネットワーク
中央センター
銀座急送株式会社
GINZA EXPRESS

図2

> 元々、「断捨離」という語は存在せず、「断捨離」は、請求人（やました）が提唱し、創り出した造語である。〔…〕「断捨離」は、請求人によって生み出され、請求人の業務とともに日本全国に広く浸透してきたものである。
>
> 〔…〕
>
> 請求人が提唱する「断捨離」は、全国的に広まり、2010年には、ユーキャン新語・流行語大賞にノミネートされた。このユーキャン新語・流行語大賞の発表は、我が国における年末の恒例行事となっており、毎年毎年、全日本国民が注目する程の一大イベントである。このように、請求人の「断捨離」であると多くの日本国民に認識され、年末の恒例行事においても表彰されたものを、当該「断捨離」に全く関係のない者が、その受賞者の人気に便乗し、商標権を取得して独占使用する行為がまかり通ってしまえば、その他大勢がこのような行動を起こす原因にもなりかねず、公の秩序を大きく乱すものである。

## 我田引水やました理論の破綻

えらい言いようである。事件から**八年も前の流行語大賞にノミネートされたのがそんなに威張るようなことかよ!?** ここでもやましたは、「断捨離」が「新語・流行語として一般に広まった」ことを、「自分のブランドとして有名になった」などと、**我田引水の主張**をしているのである。

どうもやましたは何でも自分の都合のいいように解釈する傾向があるようだ。流行語大賞にノミネートされた六〇語のうちのひとつだったに過ぎないのに、先の主張においてサラッと「受賞者の人気に便乗」と筆を滑らせているところもスゴい。受賞してねぇだろ。やましたはこうした大言壮語を織り交ぜて、断捨離への執着心をあらわにした。

## お見事！銀座急送の切り返し

しかし、このときのやましたの主張に対する銀座急送の反論は見事だった。同社は、やましたの主張に対する答弁書において、**既に一九六〇年代にヨガ指導者の沖正弘が、著書などで「断捨離」の語を使用している**ことを明らかにし、「元々、『断捨離』という語は存在せず、『断捨離』は、請求人が提唱し、創り出した造語」というやましたの主張がまやかしであることを暴いたのである。

さらに、やましたの過去のブログ記事には、沖の著書が所蔵されている本棚が写った写真があること（**図3**）や、やましたが「沖導師の断捨離」というタ

ごきげんさまです。

断捨離のやましたひでこです。

沖正弘導師の著作。

図３

イトルの講演にゲスト出演していたチラシを発掘して証拠として提出している。

　これらによって、「断捨離」はやましたのオリジナルの造語ですらなく、沖の言動から拝借したに過ぎず、そのことはやました本人も自覚していると示したのである。これはもう、これまで「断捨離の提唱者」などと自称してきたやましたとしては形無しである。ハッキリ言ってダサ過ぎる。

## お前は断捨離の提唱者ではない

　これらの証拠が奏功して、特許庁は、やましたの「断捨離」は沖正弘の提唱したヨガの行法に由来したものであって、**造語とはいい難く、独創性も高くない**と認定した。

　そのうえで、「断捨離」の語の評価については、二〇一六年の審決同様、「**2010年にユーキャン新語・流行語大賞にノミネートされた後には、『不要なものを断ち、捨て、執着から離れることを目指す整理法。』程の意味合いを表すものとして、新語・流行語として社会に定着し、一般的に通用する語として使用されている**」とし、やましたの業務を表示するものとして周知・著名とは認められないと断定し、やましたの主張をすべて退けたのである。

## 言葉の所有に執着する矛盾

　もし、あなたがやましたから「断捨離」の使用を禁じるようクレームを受けたとしても、同じように反論すればよい。すなわち「『断捨離』は新語・流行語として世間に広まって以降、**社会に定着した一般用語**であり、一般用語として使用しているに過ぎない。やましたの業務との関連性を誤解される余地はない」と。そして、こうした審決が立て続いている以上、やましたはもう「断捨離」という言葉の独占に執着することを止めるべきである。

　なお、やましたの定義によれば、「断捨離」の「離」とは、「**モノへの執着から離れ、ゆとりある〝自在〟の空間にいる私**（注2）」であるという。さらに彼女は、著書で「**断捨離で『所有』という発想自体ことごとく打ち破って**

**いきたい**(注3)」とすら説いている。

その割には、ここまで断捨離という言葉の独占所有に執着し、他人がテレビ番組やYouTube動画で「断捨離」という言葉を使うことすら許容できないほどゆとりを失っているのだから、果たして自分で自分が説いている断捨離の精神を理解できているのかどうか、まったくもって疑わしい。

## コラム① 「みんなのもの」を商標登録しようとする困った人々 その1

### 一般用語は誰も独占できない

一般名称、新語、流行語、業界用語、ネットミーム――こうした、本来誰もが自由な使用を欲する言葉（以下、コラムではまとめて「公有財産語」という）の商標登録を試みる愚か者は数多い。

だが、公有財産語として業界や世間で受容されている言葉は、仮に商標権を持っていたとしても独占することはできない。商標権自体が無効とされるか、他人の使用に対し効力が及ばないか、極めて狭い範囲にしか効力を発揮しないか、権利行使自体が権利の濫用として許されない。

逆に利用者側の立場からすれば、いくら他人が商標権を持っていようとも独占されることはないのである。本来は意に介す必要もないのである。もっとも、自由に使えるはずの言葉が、商標登録によってあたかも独占されるような不安を抱くむきもある。

### 昔からある一般名称登録騒動

本書で紹介する多くの事例のように、このようなエセ商標権者は業界で嫌われ、世間で炎上し、裁判所や特許庁において商標権自体も実質的に効力なしと判断されている。まさに百害あって一利なしなのである。

にもかかわらず、のど元過ぎれば熱さ忘れるということなのか、こうした輩は定期的に現れる。特に二〇〇〇年代以降、インターネット掲示板やSNSの時代になってからは、このような騒動は広く可視化されるようになった。しかし、例えば一九四〇年代の夏目漱石事件（61頁）や、一九五〇年代の正露丸事件（419頁）のように、こうした騒動は昔からあった。

さらには、日本で商標制度ができたばかりの一八八五年頃には、現在の櫻正宗が、清酒について当時どの業者も慣用的に使用していた「正宗」を商標出願して物議を醸し、結局登録が認められなかったことで「櫻正宗」の商標を採用することになったという逸話が残っている。

　これは注釈[注1]に記した経緯から悪意や無知による商標出願とはいえないが、公有財産語が商標出願・登録されて物議を醸すという事態は、商標制度の歴史に付きまとっているといえる。人類が商標制度を上手に使いこなすのは、永遠に不可能なのかもしれない。

　コラム①と②では、本文で紹介した以外の「公有財産語の商標登録」を目論んだエセ商標権事件を概括的に紹介するとともに、その傾向と対策をまとめておこう。

## ストレートな独占目的の愚か者

　一般個人から大企業に至るまで、なぜ人は公有財産語を商標登録してしまうのだろうか。筆者の分析では、その目的はいくつかのパターンに大別できる。

　まずは、ズバリ公有財産語の独占を目的とする商標登録である。同業他社が使いたがるであろう言葉の使用を独占して、市場で優位に立ってやろう、というスタンスである。分かりやすくあくどい思考回路だが、本人は商標権に基づく正当な権利行使だと思っているのだからタチが悪い。

　同業他社らに警告書を送りつけたエノテカ社（ＥＮＯＴＥＣＡ事件。２９６頁）、やましたひでこ（断捨離事件。７４頁）、森下仁丹（サラシア）、アーク社（Ｓｃｒｕｍ、Ａｇｉｌｅ）、整骨院院長の久保田某（やわらぎ）などが典型例だが、いずれも裁判で商標権侵害が否定されたり、関連する審判などで商標権自体が実質的に無効と認定されている。まったくもって徒労である。

## カネ目的の守銭奴

　「カネさえ払えば使っていい」というスタンスを恥ずかしげもなく開陳する輩もいる。裏を返せばその言葉を使いたきゃカネを払えというわけで、実態のないエセ商標権に基づく要求と考えれば実に図々しく腹立たしい。

　ネット上で商標使用者に年間一〇万円の支払いを要求したユーチューバーの柚葉（ゆっくり茶番劇事件。２６３頁）や、商標使用希望者に高額のロイヤリティーを要求したとされる田澤憲仁（阪神優勝事件。２５６頁）が代表格である。

　本来このタイプには、業界内のみでこっそりと小銭を集めて回ることで大々的に問題視されることを回避する、狡猾なエセ商標権者が多い。しかし何かのきっかけで関係者の不満が爆発してネットやマスコミにリークされ、大きな批判につながることもある。

　例えば、「長期滞在」という一般的な意味の英単語「ロングステイ」を商標登録し、年会費二四万円などを支払う会員企業以外の使用の「禁止」を表明するロングステイ財団なる組織は、週刊誌で「言葉の使用を規制し、それでカネを取ろうという手法がおかしいというのだ。もう一度言う。これじゃ、ヤクザのみかじめ料と同じだ」（注2）とストレートかつ真っ当な非難を受けている。

## 商標ゴロというモンスター

　こうした露骨なカネ目的タイプのエセ商標権者が増長すると、年間何百件、何千件もの「誰かが使いたがりそうな商標」を片っ端から商標出願する「商標ゴロ」「商標ブローカー」「商標トロール」などと呼ばれる存在になる。

　我が国では、二〇一二年ごろから上田育弘という元弁理士及び同人が代表者を務めるベストライセンスなる企業が、流行語やトレンドワードなどを中心に手数料を支払わずに大量の商標出願を行っており、特許庁などから問題視されてきた（手数料を支払っていないので決して登録にはならないが、商標出願した事実と内容は公表されるため、世間に無用の不安を招くという問題がある）。

　最盛期の二〇一七年には、一年間で実に三万二〇〇〇件以上の商標出願を行っている。これはその年に日本で出願された商標の総数の約一六％にあたる量である。単純計算で一日に約八七件も出願していることになり、ハッキリ言って、他にやることないのかと呆れてしまう。

## 商標ゴロは無視が鉄則

当初、上田の行動目的は不明であり、警戒するむきもあったが、二〇一七年にワイドショーの取材に応じて「正当な価格でライセンスしたいと思っている」[注3]と公言したり、二〇一九年ごろに開設した自社のウェブサイトでも、商標の譲渡やライセンスを希望する人は連絡するようにと記載[注4]したことから、現在ではカネ目的の典型的なブローカーだと認識されており、一切無視することが実務として定着している。

なお上田は同サイトにおいて、ワイドショーから取材を受けたことについて「一種の快感を覚えたことも事実です」などと誰も知りたくない心情を吐露し、テレビ局に対して三時間の記者会見特番を放映してほしいなどと呼びかけたが、無視されている。毎年何万件もの商標出願を行うという異様な行動は、「カネ目的」というだけでは説明がつかない。この上田の発言から、彼の心理に巣食う歪に肥大化した自己承認欲求を感じざるを得ない。

こうした商標ゴロは昔から定期的に現れる。二〇〇〇年には吉井広育なる人物がやはり一年間で三〇〇〇件ものIT用語や外来語を大量に商標出願し、物議を醸した。こうした輩の商標出願に気が付いたり、金銭を要求されても、決して接触せずに無視するのが一番だ。無視している限りにおいては、実害はない。迷惑メールのようなものだと思った方がよい。

「みんなのもの」を商標登録して騒動化した事件（1990 ～ 2000 年代）

| 年 | 商標 | 対象商品 | 出願・登録経緯 | 顛末 |
|---|---|---|---|---|
| 1995 年 | ENOTECA | イタリア料理の提供他 | ワインバーを指す一般的呼称。エノテカ社が商標登録 | 296 頁参照 |
| 1998 年 | サラシア | 茶 | 健康食品の原材料名の一般名称。森下仁丹が商標登録し、競合他社に警告書送付 | 健康食品業界から反発。うち 1 社による無効審判で権利取消 |
| 1999 年 | さんぴん茶 | 茶 | ジャスミン茶の沖縄における一般的呼称。三井農林が商標登録 | 沖縄県の茶業界を中心に反発。37 業者の連名による異議申立で権利取消 |
| 2000 年 | ビジュアルノベル／ visual novel | ゲームプログラム他 | 豊富なテキストと共に進行するゲームのジャンル名。コナミグループが商標出願 | 騒動化。特許庁の審査により拒絶 |
| 2002 年 | ギコ猫 | おもちゃ他 | インターネット掲示板「2ちゃんねる」でよく使われたアスキーアートのキャラクター名。タカラ（現・タカラトミー）が商標出願 | 2ちゃんねるユーザーを中心に反発。自主的に商標出願取り下げ |
| 2002 年 | 阪神優勝 | 被服他 | 「阪神タイガースの優勝」を容易に認識させる語。田澤憲仁が商標登録 | 256 頁参照 |
| 2003 年 | NPO | 雑誌、新聞 | 非営利団体を指す一般用語。角川ホールディングス（現・KADOKAWA）が商標登録 | NPO 団体らが反発。五団体連名による異議申立で権利取消 |
| 2003 年 | ボランティア | 雑誌、新聞 | 奉仕を指す一般用語。角川ホールディングス（現・KADOKAWA）が商標登録 | ボランティア団体らが反発。7 団体連名による異議申立で権利取消 |

| 年 | 商標 | 対象商品 | 出願・登録経緯 | 顛末 |
|---|---|---|---|---|
| 2004年 | 萌える | 書籍他 | アニメキャラなどの特定の対象に対する愛着を指す一般用語。『萌える法律読本』の著者のひとり西園達之が商標登録 | 出版業界で物議を醸す。その後、同人による「萌えるシリーズ」「萌え」、別分野での「萌える」などの同種出願が「内容表示に過ぎない」として拒絶されたことから、実質的には無効と考えられる |
| 2005年 | のまネコ | CD他 | 「2ちゃんねる」でよく使われたアスキーアート・モナーに似たキャラクター。エイベックスグループと関係する会社ゼンが商標出願 | 2ちゃんねるユーザーを中心に反発。自主的に商標出願取り下げ |
| 2005年 | ロングステイ | 主催旅行の実施等 | 長期滞在を表す一般用語。ロングステイ財団が商標登録し、ウェブサイトなどで独占を主張 | 経済誌で批判を受ける。旅行関係のサービスについては特許庁の審査により拒絶されており、長期滞在の趣旨での使用には権利行使不能と考えられる |
| 2006年 | イナバウアー | 日本酒他 | 同年のトリノ冬季五輪での流行語。アサヒグループホールディングスが商標出願 | 騒動化。特許庁の審査により拒絶 |
| 2007年 | 吉田松陰 | 食用油脂他 | 幕末志士のひとり。東広が商標登録 | 吉田松陰の郷土である山口県萩市からの異議申立で権利取消 |

ポリー・ハッターーって誰!? 裁判では止められないメガネ少年大集合！

# ターニャ・グロッターと魔法のコントラバス事件

## J・K・ローリングVSドミトリ・イエメッツ(注1)

**ハリポタパロディ大集合！**

『ハリー・ポッター』シリーズといえば、全世界で発行部数五億冊以上といわれる世紀のベストセラー小説である（**図1**）。

図1

小説を基に、映画シリーズ、テーマパーク、舞台と、さまざまなメディア化もなされ、いずれも高い評価を得ている。評価の要因のひとつとして挙げられるのが、原作者であるイギリス人作家J・K・ローリングの細やかな監修である。

ローリングは原作の世界観を保つため、映画やテーマパークなどに積極的に関与し、自身のこだわりを反映させているという。世の中には、原作ファンをがっかりさせるような映画化やドラマ化も少なくないが、公式に「魔法ワールド」（ウィザーディング・ワールド）と呼ばれている『ハリー・ポッター』シリーズに基づく一連のメディア展開にあっては、そうした心配は無用というわけだ。

しかし、そんなローリングの**「魔法」が通用しない領域**がある。第三者がローリングと無関係に発表した『ハリー・ポッター』のパロディ作品だ。

図2

図3

図4

図5

図6

図7

図8

図9

図10

稀代のベストセラー作品だけあって、そのパロディもおびただしい数にのぼる。紙で書籍化されているものだけでも、『バリー・トロッターと愚者のパロディ』『パリー・ホッター おちこぼれ少年魔法使い危機一髪！』『ハニー・タッカーと魔法の対決』『ポリー・ハッターと石の賢者』『ハリー・プッターとチーズケーキの間』『ハッピー・ポーターと魔法学校の侵入者』『ヘンリー・ポッティとペットロック』『ヘアリー・ポットヘッドとマリファナ漬け』など、世界各国に無数に存在するのだ（図2〜9）。

## 訴訟になったらどうなるか？

最後の方、**もはやまったく違う気がしなくもないが、**よくもまぁこんなにも「ハリー・ポッター」のもじりにバリエーションがあるものだと感心してしまう。こうしたパロディ作品について、ローリングや関係者は快くは思っていないようで、裁判沙汰になったものもある。しかし、パロディの総数に比べれば、トラブルや訴訟が報じられた件数はわずかであり、ほとんど黙認しているともいえる。

黙認せざるを得ない背景は後述するとして、訴訟に至った事件をひとつ紹介しよう。なお、『ハリー・ポッター』シリーズの権利の帰属について整理しておくと、小説の著作権はもちろん著者であるローリングが所有しているが、世界各国における商標権は、ローリングの同意のもと、米国の映画会社ワーナー・ブラザーズが所有している。

## ロシア版ハリポタ？が標的に

ロシアの作家、ドミトリ・イエメッツの**『ターニャ・グロッターと魔法のコントラバス』**（図10）は、本家の映画第二作『ハリー・ポッターと秘密の部屋』が公開された年に発行されたパロディ書籍だ。ターニャ・グロッターという、ほうきの代わりにコントラバスに乗って空を飛ぶ魔法少女が主人公の物語である。

これについて、日本の週刊誌『女性自身』は、ローリングが**「これは私の『ハリポタ』の完**

**全なパクリよ。絶対に許せないわ！**」と、「カンカンになって怒っている」と報じている。(注2)ローリングが自著を「ハリポタ」と略しているとは思えないが、怒ったのは事実なようで、当事者間で法的闘争になっている。

ところがこれが、ローリングが勝ったとも、イエメッツが勝ったともいえない**微妙な結果**で終わったのだ。

元々ロシアで出版された書籍だが、これをオランダの出版社ビブロスが翻訳出版しようとした際に、ローリングとワーナー・ブラザーズが、著作権侵害と商標権侵害を主張し、出版差止を求めてオランダで訴訟を提起している。

結論として、著作権侵害、商標権侵害の双方が認められ、同国で七〇〇〇部が出版差止命令を受けている。そしてこの判決が報じられたことで、他のヨーロッパ諸国でも公式に『ターニャ・グロッター』を出版しようという出版社は現れず、ベルギーで一〇〇〇部が発行された程度だったという。

ではローリングらの勝利かというと、そうでもない。彼女らは、本国ロシアでは手を出せなかったからである。

## 親本の版元は猛反発

ロシアでも、ローリングらは『ターニャ・グロッター』の出版社であるエクスモに、出版差止と回収を求めて警告書を送ったことがあるが、エクスモはこれを無視。さらに同社は事件を報じた新聞の取材に「**根拠のない言いがかり**」「**バカバカしくも図々しい**」「**ニンバス２０００に乗って帰れ！**」などと、**強気の反発コメント**を残している。(注3)なお「ニンバス２０００」とは、ハリー・ポッターが乗る魔法のほうきである。

## ロシアでは全14巻が刊行継続

こうなると、ロシアでも裁判沙汰は避けられない……と思うところだが、そうはならなかった。ローリングもワーナーも、ロシアでエクスモやイエメッツを訴えることはしなかったのである。警告に反論されると、それっきり黙ってしまったのだ。

結果として、本国ロシアではその後『ターニャ・グロッター』は何のお咎めを受けることもなく刊行が継続され、続編『ターニャ・グロッターと消える床』まで出版された。さらにシリーズは続き、最終的には、なんと本家『ハリー・ポッター』（全七巻）の倍に相当する全一四巻が刊行されたのである。発行部数はシリーズ初期だけで年間六〇万部にのぼるといわれている。

つまりローリングらは、オランダでは七〇〇〇部を差し止めたものの、ロシアでは少なくともその約一〇〇倍もの発行部数を止めることはできなかったというわけだ。

## パロディを止めることは難しい

このことは、**パロディ作品を著作権や商標権侵害品として差し止めることが、決して簡単ではないことを示している。**

書籍のタイトルや登場人物の名前、キャラクター設定が本家のもじりになっていれば、パロディとして成立するが、それだけでは著作権侵害にはならない。具体的なストーリーや文章表現に一定レベルの類似性があって、初めて著作権侵害の可能性が出てくるのだ。

また、一般論として書籍のタイトルはそもそも商標権では保護できないが、『ハリー・ポッター』のようにシリーズ化されたタイトルは保護に値する場合がある。(注4) とはいえ、本件の「ターニャ・グロッター」は、「ハリー・ポッター」とはまったく似ていない。**ローリングらがオランダの裁判で勝てたのが、むしろ不思議なくらいである。**

## オランダの裁判を分析すると

ここで実際に『ハリー・ポッター』と『ターニャ・グロッター』を読み比べて、著作権侵害や商標権侵害の主張の妥当性を検証したいところだが、残念ながら『ターニャ』は邦訳が出ておらず、正確な内容を確認することは叶わなかった。

ただしオランダの裁判の判決文では、両作品の比較がなされている。それによれば、両作品にはストーリー上の類似要素が複数あることが認められ、それが著作権侵害を認定する根拠となっている。ただし、判決が認めた類似要素には、アイデアの共通性に伴う必然的な表現類似にあたるものがかなり含まれており、本書としてはいささか疑問を覚える内容だった。[注5]

### 勝算は不透明だったか

さらに商標権侵害については、先に著作権侵害が認められたことと、ビブロスが「ハリー・ポッター」と「ターニャ・グロッター」が似ていないことについて十分な反論をしなかったこと[注6]で、なし崩し的に認められた感がある。また、ビブロスが『ターニャ・グロッター』の宣伝で「ロシア版、ハリー・ポッターの妹がオランダにやってきた！」などとぶち上げ、ハリー・ポッターと積極的な関連付けをしていたことも不利に働いたようだ。

結果的にはローリングらの勝訴となったが、とはいえ決して勝ち筋の訴訟ではなく、彼女らがオランダで訴訟に踏み切ったのは一種の賭けだったと思われる。そして本国ロシアで『ターニャ・グロッター』を黙認したのは、イエメッツのお膝元であるロシアで勝つのは難しいと判断したからだろう。

### 日本で読めるハリポタパロディ

ちなみに、日本で入手できる『ハリー・ポッター』のパロディ作品には、マイケル・ガーバー『バリー・トロッターと愚者のパロディ』（訳・浅尾敦則）、K・C・エリス『パリー・ホッター　おちこぼれ少年魔法使い危機一髪！』（訳・斎藤元彦）、H・P・SECRET FRIENDS『ハニー・タッカーと魔法の対決』がある。

**『バリー・トロッター』**は、人気に溺れ、魔法学校を五年留年した魔法使いの少年バリー・トロッターが、自分を映画化しようとする人間の試みを阻止する物語。**『パリー・ホッター』**は、念力で女性の下着を脱がせる力に目覚めた魔法使いの少年パリー・ホッターが、ゲイの魔法教師にさらわれて魔法学校に編入し、自らの出生の秘密を探る物語。**『ハニー・タッカー』**は日本人作家による作品で、魔法少女ハニー・タッカーが、東京・

恵比寿ガーデンプレイスに滞在中のサッカー選手・ベッカムの夫人であるヴィクトリア・ベッカムのボディガードになり、陰陽師・安倍晴明の子孫の日本人と組んで母の仇である吸血鬼と戦う……という、なんだかモノスゴイ話である。

いずれも、日本はもちろん、原著の出版地である米国やイギリスでも、ローリングらとトラブルになったという話は聞かれない。

これらはキャラクターや舞台設定などが『ハリー・ポッター』のパロディになっているものの、具体的なストーリーがまったくといっていいほど異なることから、合法というほかないだろう。

## ローリング自身も被害者に

それに、ローリングにはこうした「ハリー・ポッターもどき」を訴えにくい別の事情があった。ローリング自身もまた、「『ハリー・ポッター』に似た名前の本」の著者から権利侵害を指摘され、裁判沙汰になったことがあるからだ。

ローリングにクレームをつけたのは、**『ラリー・ポッターと親友リリー』**なるぬり絵本や、『ラーの伝説とマグル達』という小説を一九八〇年代に自費出版していたと主張する、米国人作家のナンシー・ストーファー。彼女は、ハリー・ポッターのキャラクターは『ラリー・ポッター』からの盗用で、中身は『ラーの伝説とマグル達』からの盗用であり、ローリングは自身の著作権と商標権を侵害しているとメディアで喧伝したのである。

## パクられ妄想の完全敗訴

もちろん、**パクられ妄想に基づく言いがかり**だ。ストーファーは、ローリングから著作権等の侵害がないことの確認を求めて逆に訴えられている。

そしてその裁判では、当然の如く一切の権利侵害が否定された。「両作品には『ハリー』と『ラリー』という、名前の似た眼鏡をかけた少年が登場する以外の共通点はなく、両作品を混同する可能性はない」「両キャラクターとも黒髪で眼鏡をかけた若い少年として描かれているが、そのような一般的要素は著作権で保護されない」と認定されている。『ラーの伝説とマグル達』に関するストーファーの主張もすべて否定された。

## 妄想訴訟のバカバカしさ

最終的にストーファーは、今後『ハリー・ポッター』を盗作呼ばわりすることについての**永久禁止命令**をくらい、さらにこの裁判で証拠を偽造したことも発覚し、五万ドルもの制裁金の支払いも命じられている。(注7)

この他にも、ローリングは「自分の方が先に『ハリー・ポッター』のアイデアを考えていた」などと主張するパクられ妄想狂から、いくつかの訴訟を提起されている。

稀代の大ベストセラー作家の有名税ともいえるかもしれないが、こうした理不尽な経験から、彼女自身、ハリー・ポッターに少しでも似た主人公の名前や、キャラクターや舞台設定のアイデアの独占に固執することのバカバカしさを、身をもって痛感しているのかもしれない。

シャレが全然通じない！パロディを理解しないカタブツ社長の大暴走

# 面白い恋人事件

**石屋製菓 vs 吉本興業**

**パロディ商品にマジ切れ**

クラスの人気者が、文化祭のステージで校長先生のモノマネを披露したところ、これが大ウケ。その場にいた生徒も先生も保護者も、みんなが大爆笑の渦に沸いていたところで、当の校長が急にブチギレ。真っ赤な顔でステージにあがると、いきなり生徒に平手打ちを食らわせた！シ〜ン……。静まり返る体育館。白ける一同。その日を境に、学校から「笑い」の二文字は消え失せた……。これはそういう事件である。

吉本興業といえば、日本のお笑い界を代表する大手芸能事務所である。その子会社が販売する大阪土産のお菓子に**「面白い恋人」**というゴーフレット菓子がある（**図2**）。北海道土産の定番「白い恋人」（**図1**）をもじって「面白い恋人」。修学旅行や出張で大阪に立ち寄ったら手に取らずにはいられない、思わずニヤリとさせられるパロディ商

図1／口絵1頁

図2／口絵1頁

品だ。

もともと「白い恋人」のパロディ商品は数多く、全都道府県に存在するともいわれている。しかし、「京都の恋人」「日光の恋人」など「白い」を地名にしただけのもの、「黒い恋人」「赤い恋人」など色をすげかえただけのものが多い中、たった一文字付け加えるだけで本家とまったく異なる意味と可笑しみを生み出した「面白い恋人」のセンスは**一歩抜きんでている**。実際、二〇一〇年に発売されてから一年間で六〇万個を売り上げ、土産物としてはかなりの大ヒットとなっていた。

## 異例の無警告訴訟を断行

ところが一人だけ、このパロディにクスリともしなかった者がいた。他ならぬ本家「白い恋人」を販売する石屋製菓である。二〇一一年一一月に、「面白い恋人」が「白い恋人」の商標権を侵害し、また不正競争防止法違反であるとして、販売差止を請求する訴訟を提起したのである。

この事件で異様だったのが、石屋製菓による訴訟の段取りだ。なんと吉本興業に対する事前の警告や交渉は一切なく、予告なしに突然提訴したのである。普通の企業同士の知財紛争で、事前交渉を経ずにいきなり提訴することはまずない。まるで海賊版や模倣品業者に対する態度である。

それに後述するがこの訴訟は石屋製菓にとってまったく勝ち筋ではなく、むしろエセ商標権の類である。仮に彼らが勝算を五分五分と見積もっていたとしても、五分五分なのに交渉で様子見しようとせず、いきなり裁判沙汰にするとは、企業法務の常識からすると**よく言えば捨て**

**身の戦法、悪く言えば狂気の沙汰である。**

さらに石屋製菓は提訴と同日に記者会見を敢行。社長自らが出席して「**いくらなんでも悪のりし過ぎているんじゃないか。全然面白くないですよね**」と公に怒りを露わにし、吉本のギャグセンスまで切り捨てる始末であった。

## 吉本興業の戦意喪失

吉本興業からしてみれば、まさにみんながゲラゲラ笑っているさなかに、唐突にブチギレられ、全力のビンタで殴りつけられたわけである。

完全に不意打ちを食らった格好の同社は、石屋製菓の提訴発表会見の翌日、まだ訴状も届いていない中で緊急のプレスリリースを行ったが、「**この度の報道には率直な驚きをもっております」「石屋製菓様のブランドを貶めるというようなことや、石屋製菓様の商品の著名度を利用して不当な利益を得ようなどというつもりで開発した商品ではないことを、石屋製菓様、お客様の皆様には、是非ご理解いただきたいと考えております」「弊社としては、できる限り早い段階で石屋製菓様とお話し合いをさせていただく機会を得て、上記のような弊社の考えをご説明させていただき、円満な解決とさせていただくことを希望しております**（注1）」と、完全に戦意喪失しており、動揺を隠せていなかった。

ところがこの吉本が願った「話し合い」は一切叶わず、石屋製菓はすげなく訴訟手続きを続行。それどころか販売差止請求に一億二〇〇〇万円の損害賠償請求を追加するという容赦のなさを見せている。吉本が裁判手続き上ようやく反論したのは、提訴から半年も経ってからだが、基本的には防戦一方だったようだ。

## 和解したのに不満タラタラ

そして提訴から一年三ヶ月後、札幌地裁からの勧告を受けて両社は和解。和解条件は、①吉本興業が「面白い恋人」のパッケージデザインを一部変更すること、②「面白い恋人」の常設販売地域を近畿六府県に限定すること、③地域物産展などの特別催事への出展は、北海道と青森県を除く地域で年に三六回以内に限り許容とする、という内容だった。

「面白い恋人」の商品名こそ死守したとはいえ、最初から戦意を失っていた吉本興業側が大きく譲歩した形となっている。

にもかかわらず、石屋製菓の社長は和解時の記者発表で、「**できれば名前を変えてほしい**」となおも不満をぶちまけているのであった。（注2） **フッー、和解したそばからそれ以上の要求をするか!?** しつこ過ぎる！

## 異常訴訟の裏側に何が？

それにしても、すでに日本全国にパロディ商品があふれていたにもかかわらず、なぜ彼らは「面白い恋人」だけをターゲットに、異常といっていいほどの怒りを表明したのだろうか。同社は提訴時のプレスリリースで「**『面白い恋人』は、当社の『白い恋人』の商品名を丸ごと含んだ過去に例のないもの**（注3）」と説明している。確かにこれは他のパロディ商品にはない特徴だが、殊更に問題視する理由としては説得力に欠ける。「白い恋人」の文字列を含んでいるといっても、全体として意味のまったく異なるフレーズになっており、十分に別物と理解できるからだ。

この疑問に関して興味深い証言が残されている。事件から一〇年を経て、石屋製菓の経営管理部の法務担当、近藤亜実は以下のように語っている。

**これは私の考えですが、〔提訴した〕2011年というのは3代目の島田俊平社長という、不祥事後に北洋銀行さんから来てくださった社長さんなんですね。なのでルールに厳しいとか、規律正しさというのを組織風土として醸成しようとしていました。なので、当時の社内では、この件も笑えない、許せないということになったということになります。**

**もし今の社長が2011年に社長だったら、恐らくこの事件は起こっていません。恐らく「あぁ、面白いね」で済ませていたと思います。**（注4）

## 背景に賞味期限改ざん事件

石屋製菓は、もともと創業家の石水家が経営する同族企業だ。「白い恋人」は創業社長の石水幸安体制下で、後に二代目社長となる石水勲のアイデアで一九七六年に誕生し、勲の緻密なマーケティングと営業戦略によって大ヒットした商品である。

ところが、二〇〇七年にこの「白い恋人」に組織ぐるみの賞味期限改ざんが発覚するという不祥事が発生。石屋製菓は全商品回収と工場操業停止を余儀なくされる。このとき責任を取って勲は辞任し、石水家は経営陣からほぼ一掃された。その代わりに、メインバンクの北洋銀行が運転資金を臨時融資するとともに新社長として送り込んだのが、同行の筆頭常務だった島田俊平である。彼は就任からわずか一週間後にコンプライアンス確立外部委員会を組織するなど、同社のコンプライアンス体制を強力に立て直していった。

## 島田カタブツ路線の弊害か

この島田こそが、異例の無警告訴訟を断行し、記者会見で吉本興業を「悪のりし過ぎ」「全然面白くない」とこき下ろし、和解後にも「名前を変えてほしい」と**しつこくキレ続けた張本人**なのである。コンプライアンスは大切だが、過剰なコンプライアンス意識は柔軟性や寛容性を損なわせ、世の中を不寛容にして人々から「笑い」を奪う。ハッキリ言って島田は、「面白い恋人」の面白さを理解するにはカタブツ過ぎたのである。

そして近藤が、「今の社長」すなわち吉本との和解後の二〇一三年七月に四代目社長として就任した勲の息子・石水創《はじめ》だったら笑って済ませただろうと語ったことから、二〇〇七年から二〇一三年の**「島田カタブツ路線」**は、石屋製菓の歴史の中では異質だったのではないかという推測が成り立つ。

## 社内の足並みも不揃いだった

それどころか当時においてさえ、島田の存在自体が社内で浮いていた可能性すらある。石屋製菓が「面白い恋人」を提訴する三ヶ月前、同社の当時の経営管理部長・久保勝史が「面白い恋人」の人気を報じる『毎日新聞』の取材に応じている。そこで久保は、**「さすが大阪。よく考えたな」と思わず噴き出したというエピソード**を披露しているのである。(注5)

えっ、全然怒ってない！　笑《わ》ろとるやないかい！　思わず大阪弁でツッコんでしまうほど、コンプラ大臣島田のブチギレようとは一八〇度真逆の反応を公に開陳しているのである。ちなみにこの新聞記事は、後の裁判で吉本興業によって反論証拠として採用され、「石屋製菓も好意的だった」と主張されている。久保部長、このとき島田にめちゃくちゃ怒られたんでしょうなぁ……気の毒に……。

## コンプラ人間の過剰暴走か

石屋製菓関係者のこうした証言の数々を紐解いていくと、どうもこの事件は、銀行から送り込まれた異分子コンプラカタブツ野郎の暴走だったという側面が見えてくるのである。社員にしてみれば、数年前に不祥事を起こした手前、新社長から「これはコンプラ違反だ！　商標権侵害だ！」と言われれば、**「いや社長、このくらい別にいいじゃないですか」とは誰も進言できなかった**であろうことは想像に難くない。

不祥事による経営危機を脱するためのコンプライアンス体制の立て直し。それは石屋製菓にとって欠くことのできない重要なステップだったことだろう。

だがその副作用として、過剰コンプラ意識の暴走に物申すことのできない社内の風通しの悪さも生じていたのではないか。そして石屋製菓の歴史上、瞬間的に発生していたこのエアポケットの不幸な犠牲となったのが、「面白い恋人」だったのではないだろうか。

## 大阪土産から「笑い」が消える

そしてその代償は大きかった。事件後、吉本興業をはじめとする大手メーカーを中心に、パロディ商品を製造販売する際には、トラブルを避けるため元ネタにお伺いを立て許諾を得る企業が増えたのである。(注6)しかし、それはもはやパロディではなく「コラボ商品」「ライセンス商品」だ。パロディならではのスリリングな面白さは減じている。大阪土産からパロディ商品という「笑い」が失われたことを惜しむとともに、**今もパロディ商品に果敢に挑戦する土産物屋さんにはエールを送りたい。**

## 「面白い恋人」は合法だ

最後に「面白い恋人」が「白い恋人」の商標権侵害や不正競争防止法違反にあたるのかについて簡単に触れておきたい。この事件は和解で終わったため裁判所の判決は出ていない。**だがこれは、合法であろう。**

まず、確かに「白い恋人」は商標登録されているが、「面白い恋人」とは類似せず、別物である。「面」が接頭についただけという評価もあろうが、そのことによって、全体としてまったく異なる観念に変化している。また最も印象に残る頭の部分に「オモ」の二音が加われば聞き間違える余地はなく、見間違えることもないからである。

## 抽象的デザインを過剰独占要求

不正競争防止法違反という主張に関しては、「白い恋人」の有名なパッケージデザインに類似しているという理屈だろう。確かに「白い恋人」の商品名は有名だが、パッケージデザインまで有名かというと疑問である。**どんなパッケージか正確に思い浮かべられる人が、果たしてどのくらいいるだろうか。**

それ以前に、両パッケージはそもそも似ていない。「白い恋人」のパッケージの主な特徴は、①白抜き文字の「白い恋人」、②中央に金色で縁取ったハートと、その中に雪山（利尻山）の写実的な風景画があること、③ハートの下部の青いリボン、以上の組み合わせといえる（**図1**）。

対する「面白い恋人」は、①青文字の「面白い恋人」、②中央に縁をぼかした楕円形があり、その中に大阪城をバックにしたカップルの抽象的なイラストがあること、③楕円形の下方の青いリボン、という構成である。①②のデザインがまったく違うではないか。③の要素こそ共通しているが、リボンの形は異なる（図2）。

## 白と青の装飾を独占できるか？

仮に、抽象的に「青いリボン」や青と白を基調にした色使いが共通していることを以って不正競争防止法違反というならば、「青いリボン」のモチーフや青と白の色使いが「白い恋人」ならではの著名なブランド表示として世間に認識されているという状況が必要だ。これはあり得ないだろう。土産物のパッケージデザインに青いリボンをあしらうことも、青と白の色使いも**単なる普遍的な装飾**といえるからだ。

以上から、商標権侵害も不正競争防止法違反も成り立たないといえる。本書は、石屋製菓の権利行使はエセ商標権だったと確信する。

## パロディストは堂々としてよい

笑って見逃してくれるだろうと期待していたパロディの元ネタから、突然盛大にキレられたら、パロディにしたという事実があるがゆえに、後ろめたい気持ちになってしまうのは分からなくもない。**だが、「パロディは元ネタから問題視されたら違法」という法はなく、「パロディは元ネタのお目こぼしで許されている」という理屈もない。**違法性がなく、元ネタと十分区別できることで相手に不利益をもたらさないという確信があれば、**堂々と立ち向かってよかったのだ。**

もしもあのとき、吉本興業が戦意を喪失せずに本気で反撃していたら、判決では「面白い恋人」の方に軍配が上がっていただろう。それ以上に、「面白い恋人」の発売があともう四年、前か後ろにずれていて、島田にさえバレなければ、問題視されることすらなかったはずである。

吉本興業には、これに懲りずにこれからも「面白い巨塔」「面白い雲のように」「面白い暴動」「面白い闇」「スーホの面白い馬」など、ぜひ悪のりを続けてほしい。

## これは悪い夢なのか？　はまちと熟女がバナナを巡って法廷闘争！

# 朝バナナダイエット事件

### ぶんか社 vs データハウス(注1)

#### ダイエット本を独占できるか？

出版業界では、ベストセラーが生まれると、柳の下のどじょうとばかりに他社から似たようなコンセプトの本が出版されることがしばしばある。こうした二番煎じ本は、ときどき著作権問題で揉めることがあるが（245頁「バターはどこへ溶けた？事件」、『エセ著作権事件簿』282頁「手あそびうたブック事件」も参照）、単にコンセプトが共通し、雰囲気が似てるだけでは、エセ著作権に過ぎないことが多い。

そんな中、商標権というやや珍しい手段で二番煎じ本の販売差止を試みたのが、二〇〇八年のベストセラー**『朝バナナダイエット』**を出版したぶんか社である。しかし、結論からいうと全面的に敗訴した。

#### 一世を風靡した朝バナナ

もともと朝バナナダイエットとは、予防医学をたしなむアカウント名「はまち。」という人物が考案し、SNSで広めたものだ。朝食に水とともにバナナを食べるだけという手軽さが受けてブームになり、現在ではダイエットの一手法として定着している。

このブームに目をつけたぶんか社が、はまち。を著者にして『朝バナナダイエット』を書籍化（**図1**）。さらに同社の名義で「朝バナナ」の商標登録も行ったのである。この企画は当たり、続編なども含めると累計

図１

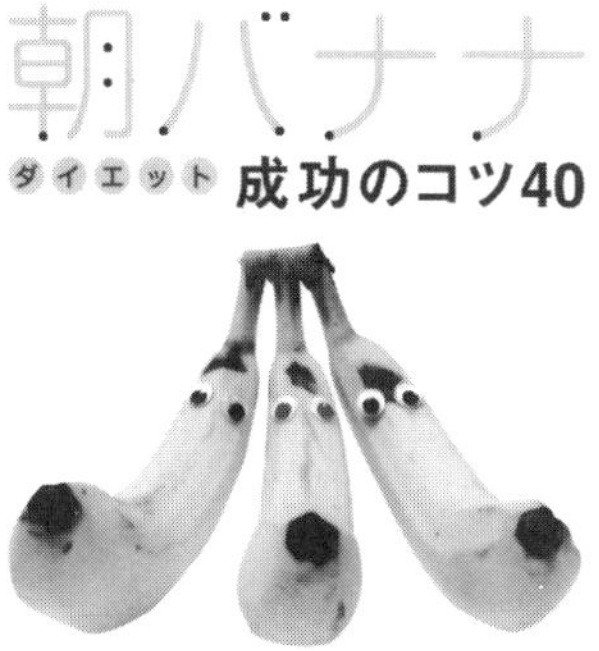


図２

一〇〇万部の大ヒットになった。

そしてその二番煎じ本として出版されたのが、データハウスの**『朝バナナダイエット成功のコツ40』**なのである（図２）。

ぶんか社としては、「こういう後発本に対抗するために『朝バナナ』を商標登録したんじゃい！」という思いだったのであろう。販売差止と約一〇〇〇万円の損害賠償金を求めて、データハウスを商標権侵害と不正競争防止法違反で訴えたのだ。

## 書籍のタイトルは商標権侵害になるか？

しかし、書籍の題号が商標権侵害等に該当するケースはほとんどない。一般的に、書籍の題号とはその書籍が扱うテーマや内容、コンセプトなどを端的ないし暗示的に説明するためにつけられるものであって、商標、つまり「どこのブランドであるか」を表すための表示ではない（「商標的使用でない」といわれる）。そうした表示には、商標権等の効力は及ばないのが原則なのである。

例外的に、シリーズ化した作品の題号（シリーズ名）で、著者や発行元が変わっても、ある特定の出所が関与しているという共通認識が形成されており、二番煎じ本が同一シリーズであるかのような誤解が生じる場合は商標権侵害になり得る。

翻って、『朝バナナダイエット成功のコツ40』という題号からは、まさに**「朝バナナダイエットをテーマにした本なんだろうな」**という認識しか喚起されず、ぶんか社の書籍の続編であるかのような誤解が生じることはない。

### アッサリ敗訴したぶんか社

裁判所もそのように判断している。『朝バナナダイエット成功のコツ40』の題号を見た読者は、「**書籍が『朝バナナダイエット』というダイエット方法を行ってダイエットに成功するための秘訣が記述された書籍であることを示す表示であると理解する**」にとどまると判断し、そうである以上「商標権を侵害するものであるとはいえない」と、それはもうアッサリとぶんか社の訴えをすべて退けている。妥当な判断である。

ぶんか社には、朝バナナブームを盛り上げたのは自社だという自負があったのだろう。しかし、いくら先んじて商標権を持っていようとも、ブームに乗って同じテーマを用いた他社の書籍が、そのテーマを題号に採用するのを止めることはできないのだ。

### 著者の名前にまで言いがかり

ちなみに、『朝バナナダイエット成功のコツ40』の著者は、**「ぽっちゃり熟女ゆっきーな」**という。ぶんか社は、この**弛緩したペンネーム**にも怒りを飛び火させており、訴状において、「**被告書籍の著者は、実在するのかさえ確認することができないような名称を用い、隠蔽《いんぺい》工作に及んでいる**」と、裁判当事者になってもいない著者にまで言いがかりをつけていた。相当お怒りの様子がうかがえるが、隠蔽工作って……。だいたいぶんか社の著者だって「はまち。」だろうが。

まぁ、オリジネーターが二番

煎じ本を快く思わないのはよく分かる。何せ、ゆっきーなは、自著の本文冒頭の朝バナナダイエットを解説するくだりで、堂々「**はまち。さんというかたが考案された『朝、バナナを食べるだけ』というダイエットで『手軽で簡単、効果もあるらしい』という話でした**(注2)」と書いており、フォロワー本であることを隠そうともしていないのである。

## バナナの解説をされても……

そのうえ、**途中で書くことがなくなったのか、**唐突に「ウィキペディアで、日本語で、バナナについて調べてみると、私の知らないことがたくさん書かれていました」などと言い出し、本の後半三分の一はウィキペディアなどから引用した、バナナ自体の解説を延々と書き連ねているのだ。

最終的にはいよいよネタが尽き、「バナナは歌になりやすい」との表題で一章を使い、「とんでったバナナ」「バナナ・ボート」などのバナナを題材にした楽曲を紹介。「**バナナが登場する歌って、たくさんあるんですね**」と結んでいる（出典は例によってウィキペディア）。おい、ゆっきーな！ **もっと真面目に書け！**

これでは真剣に朝バナナダイエットに向き合ったぶんか社がキレるのも分かるが、オリジネーターなら、正々堂々と中身で勝負すべきなのである。実際、この内容だったら、何もエセ商標権を持ち出してムリヤリ裁判で争わなくとも、別に読者を取られる心配はなかったのではないでしょうか……。

大目玉を喰らわせろ！「世界観」の独占を試みる身勝手な芸術家の暴挙

# 目玉アートの世界観事件

村上隆 vs きゃりーぱみゅぱみゅ、神戸アニメストリート

**あの芸術家が身勝手主張！**

本書で紹介するように、法律論を無視し、過剰な独占を欲したクレームを主張する者は少なくないが、その中でも、**ここまで間違ったことを堂々といってのけた人も珍しい。**

その人とは芸術家の村上隆である。彼は歌手のきゃりーぱみゅぱみゅと、神戸市の商店街という、一見何の関係もなさそうな二人に、同じ理由でクレームをぶつけたことがある。彼らの採用したアートワークが、「村上隆の作品の〝世界観〟に似ている」というのだ。

村上が「世界観」の独占を主張したのは、**「目玉をモチーフとしたデザイン」**だ。彼は二〇〇〇年代の作品を中心に、本人がいうところの「目玉が無限増殖するパターン」を描くことが多かった。

この目玉は、もともとは一九九三年に村上が描いた「DOB君」（**図1**）というキャラクターの目のデザインなのだが、次第にこの目玉を連続した模様パターンのように使うようになった。二〇〇〇年にはイッセイミヤケのジャケットに採用され（**図2**）、二〇〇一年には「メメクラゲ」という、つげ義春の『ねじ式』の世界観を〝パクった〟タイトルで、キャンバスに目玉のパターンが多数描かれた作品を発表している（**図3**）。

図1

図2

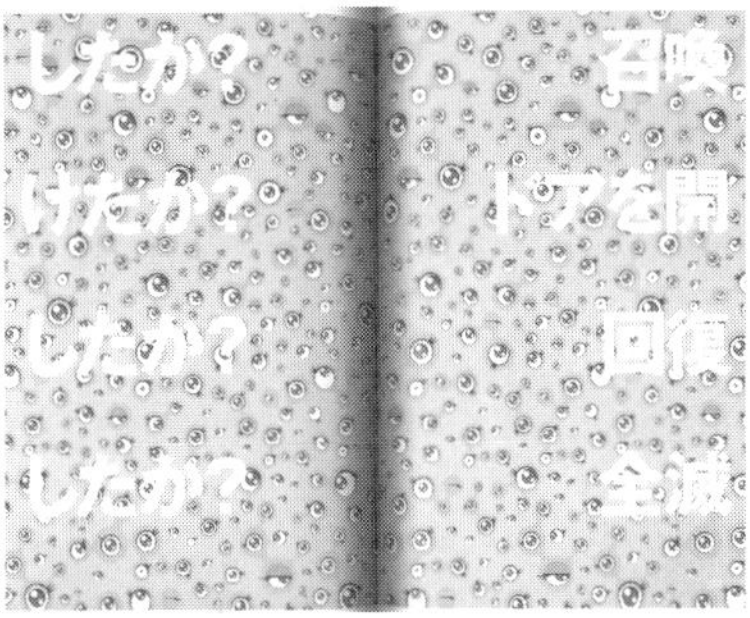


図3

しかし、どんな奇抜なデザインだろうと、たとえ何千万円で売れた絵画だろうと、**「世界観」などというふんわりとした概念を独占することはできない。**

## 個性派アーティストが標的に

ところが村上は、きゃりーぱみゅぱみゅの二〇一一年の楽曲「PONPONPON」のミュージックビデオ（**図4**）、NHK紅白歌合戦出演時の演出（**図5**）、キャラクターグッズ「豆しぱみゅぱみゅ」（**図6**）、きゃりーが出演したサンスターの歯磨き粉「Ora2」のCM（**図7**）などで、目玉のモチーフが使用されていることについて問題視している。引用図版を比較すれば一目瞭然だが、「目

図4

図6

図5

図7

玉をモチーフとした演出がある」という極めて漠然とした共通点があるのみで、具体的な表現はまったくもって似ていないにもかかわらずである。

## きゃりーにしてみればいい迷惑

これらのデザインについて、彼は二〇一三年に、公式ウェブサイト上に**「きゃりーぱみゅぱみゅ氏の目玉等と村上隆作品との関係についてのお知らせ」**と題したプレスリリースを掲載している。

それによると、村上は、前掲したきゃりーぱみゅぱみゅのアートワークの数々を列挙したうえで、『目玉』や『世界観』等の類似性の指摘がある」が、**「きゃりーぱみゅぱみゅ氏と村上隆との間には一切関係がございません**[注1]」などと表明しているのである。

不倫疑惑の釈明じゃあるまいし、女性歌手との間柄について「一切関係がない」ことを一方的に発表するとは不自然である。

一般的に、このようなリリースの背景には、相手方にクレームをしたが聞き入れられず、かといって公に「盗作だ」などと喧伝するわけにもいかないが、苦し紛れでもいいからとにかくひとこと訴えたい、という事情があることがしばしばある。

まぁ、何の落ち度もない相手に対し、一方的に盗作やパクリ呼ばわりして名誉を毀損する輩も多いから、彼らに比べれば、このときの村上は慎重に言葉を選んでいるともいえる。しかし穿った見方をすれば、慎重に言葉を選びながらも、**類似性を訴えて世論の同情や批判を喚起しよう**というこざかしい姿勢にも見え、身勝手さが強調されているようにも思える。

## 今度は商店街に言いがかり！

もっとも、このとき村上がきゃりーぱみゅぱみゅに対して、本当に直接クレームをしたかどうかは判然としない。しかし、クレームをして突っぱねられたのであろうことは推測できる。なぜならば、彼はこの一件から二年後に、以下の事件についてほとんど同じような内容のプレスリリースを掲出しているからだ。**「目玉形状ロゴの使用中止に係る合意締結のお知らせ」**と題されたそれは、以下の内容であった。

> **カイカイキキ〔引用者注：村上の会社〕は、株式会社神戸アニメストリート〔…〕と、下記の目玉形状のロゴ（以下「本件目玉ロゴ」）の使用を神戸アニメストリートが中止することで合意いたしました。**
> **また、本合意の有無に関わらず、当社と神戸アニメストレートとの間では、作品の提供、使用許諾、協力関係その他一切の関係がございませんので、併せてお知らせ申し上げます。**(注2)

きゃりーぱみゅぱみゅに対する声明と同じように「一切の関係がございません」とわざわざ強調しているのだ。しかもこのときは、相手方に「目玉ロゴ」の使用を中止させたという。このクレーム対象になったのは、二〇一五年に神戸市のビル内につくられた、「神戸アニメストリート」というアニメやサブカルチャーをテーマにした商店街のロゴマークだった（図8）。

しかし、「目玉がモチーフ」ということ以外に、村上の目玉アートワークとの共通点はない。そもそも村上の「目玉」自体、さまざまな形状のバリエーションがあるため、**似てる似てないを云々することすら不適だろう。**

プレスリリースをきっかけとして、本件は各メディアで報道されることになったが、それらによると、村上は例によって「世界観が似ている」「村上作品と誤認されるおそれがある」などと、神戸アニメストリート側にクレームをつけたのだという。

さらに各紙の取材に応じた村

図8

上の弁護士は、**「著作権侵害に当たる。村上作品を知らないで今回のロゴが出来上がるのはあり得ない（注3）」「目玉やカラフルな色使いなど全体的に村上隆の世界観に似ており、村上作品を知らずには作れないロゴ（注4）」**などと、**ふざけた主張**を繰り広げている。特に「著作権侵害に当たる」と公に断言したことは、名誉毀損モノである。おそらく、きゃりーぱみゅぱみゅに対しても同様の意見を持っていたのだろうと思われるが、相当な思い上がりというほかない。

これに対し神戸アニメストリート側は、**「世界観と言われてもキョトンとしてしまいます（注5）」**と、この話を聞いた人なら全員が思う感想をストレートに述べつつ、「もともと新しいデザインに変更する予定があった」ことを理由に、ロゴの変更に応じたという。

## 単なるアイデアの独占主張

アニメ調の瞳を描こうとすれば、基本的なデザインは誰だって同じように描く。中央に瞳孔を描き、その周りに虹彩を描き、ハイライト（いわゆるキラキラ）を入れ、まつ毛を描くのだ。どんなアニメキャラのどんな瞳も、大抵はこうなっている。村上の「目玉」も、そのひな型から決して逸脱するものではない。そして目玉単体をデザインとして強調したり、模様パターンとしてたくさん連ねるのはアイデアでしかない。したがって、目玉のデザインや具体的な配列の仕方が、よっぽど細部まで類似していない限り、著作権侵害にもアーティストとしての不正行為にもならない。

## 制作経緯に不正もない

なお、神戸アニメストリートは、ロゴの制作経緯ついて、アニメを中心としたサブカルチャーをテーマにした商店街というコンセプトに基づき、「アニメ」→「アに目」という連想から、「アルファベットの『a』の中に目を描いたら面白い」という発想でデザインしたことを明かしている。まつ毛が「a」の文字の最後の払いの部分のように右下に延びたデザインは、このコンセプトを裏付けてお

図10

図9

図12

図11

り、村上の目玉アートワークには見られない特徴である。

**どう考えても、これが著作権侵害になることはあり得ないし、不正行為でもなんでもないのだ。**村上のいう「世界観が似ている」とは、要するに雰囲気やアイデア、モチーフの共通性といった程度の意味だろうが、抽象的に目玉をモチーフにしたアートワークを独占し、自分以外に目玉アートワークを描かせまいとする村上の言動こそ不正行為であり、異常なのである。

そんな理由にもならない理由で、他人の表現の自由を制限するなど、あってはならないことだ。

図13

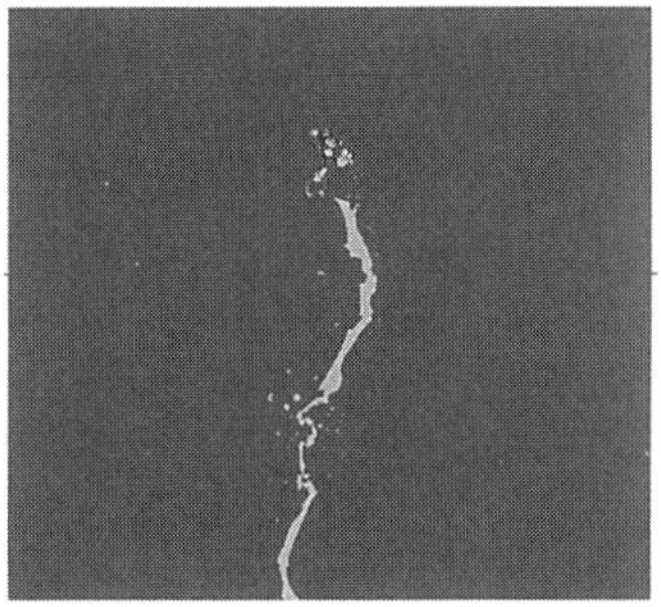
図14

図15

図16

## 村上に特大ブーメラン

そして、**もし仮にそんなことがまかり通るなら、他ならぬ村上の作品こそ、ほとんど権利侵害を免れないのである。**

村上の、特に初期の作品には既存のサブカルチャー作品をモチーフとしたものが多い。タミヤのロゴマーク（**図9**）をほぼそのまま拝借し、改変した「サインボードTAKASHI」（一九九一年。**図10**）、アニメ『ヤッターマン』の爆発シーン（**図11**）をモチーフにした「タイムボカン」（一九九三年。**図12**）、アニメ映画『銀河鉄道999』などにおけるアニメーターの金田伊功《かなだよしのり》の作画（**図13**）を、本人曰く「ただ真似してフィックスして描いているだけ」[注6]という「ズザザザザ」（一九九四年。図14）などは露骨な例だ。

　近年の作品でも、総監督を務めたアニメ作品『シックスハー

図17

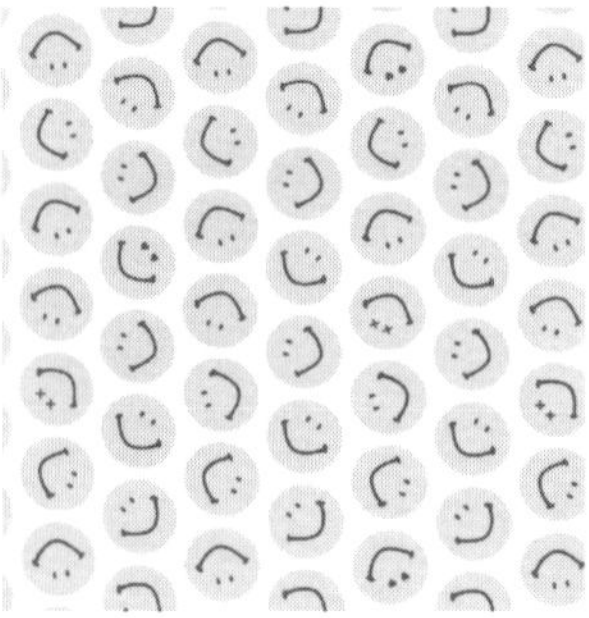
図18

トプリンセス』（二〇一六年〜。図15）は、明らかにアニメ『プリキュアシリーズ』（図16）を下敷きにしている。ルイ・ヴィトンの柄などに採用された代表作「お花」（図17）からして、スマイルマーク（スマイリーフェイス。図18）の「世界観」に似ていることは疑いようがない。

## 自分の事は棚に上げる独善性

　こうした作風を捉えて、村上を批判するむきもある。しかし、彼が既存作品を分かりやすく下敷きにしつつも、そこに独自のコンテクストや表現を加えることで、自己の作品に昇華させていることも確かである。「世界観」が、たとえかなり露骨に他者の作品と共通していたとしても、別の作品として成立させることが可能なのは、村上自身が立証しているのである。

　しかし、自分がやるのはいいが、他人が自分の作品と「世界観」を共通することを許容できないというならば、おそろしく身勝手で独善的な人間というほかないだろう。いつか大目玉を喰らってほしい。

呪われているのか⁉ エセ商標・エセ著作権につけ狙われたネズミくん

# マウスくん事件

## ディズニー・エンタープライゼズ、村上隆 vs ナルミヤ・インターナショナル（注1）

### エセ知財に消された幻のキャラ

引ったくりにハンドバッグを奪われ、追いかけてなんとか取り返した帰り道に、別のスリに財布を盗まれる――もしそんなことがあったら、「一度お祓いでもしてもらった方がいいんじゃない？」という話になるだろう。だが、まさにそんな目に遭った**呪われしキャラクター**が存在する。

キッズアパレルのナルミヤ・インターナショナルは、二〇〇〇年代前半に「エンジェルブルー」などのブランドが女子小中学生の間で一大ブームを巻き起こした。当時人気を牽引したのが同社のオリジナルキャラクターの数々だ。ナカムラくん、ハナちゃん、ジェイム・ミント、クッピー、ルッキーなどさまざまなキャラクターがおり、二〇二〇年代には、当時小中学生だった大人世代に向けて復刻アイテムなども多数販売されている。名前は知らなくても、見覚えのある方は少なくないのではなかろうか（**図1**）。

しかし、たくさんの人気キャラクターのうち、**ひとりだけひっそりと姿を消したキャラが存在する。**もちろん復刻ラインナップからも除外された。それが「ＭＩＮＩ―Ｋ」というブランドのキャラクター**「マウスくん」**である（**図2**）。何の罪

図1

もないキャラクターなのに、エセ商標権者とエセ著作権者に相次いで攻撃されたのだ。
　きっかけは、二〇〇三年にナルミヤがマウスくんに関する三

図2／口絵2頁

つのバリエーションの図柄を商標登録したことだった（図3〜5）。アパレルブランドを象徴するキャラクターなのだから、商標登録は必要かつ正当な行為だ。これに異議を申し立てたのが、天下のウォルト・ディズニー社である。

　同社の主張は、マウスくんの商標はディズニーの著名なキャラクター「ミッキーマウス」に関する先行登録商標に類似し、

図3

図4

図5

**ディズニー社の商品であるかのように誤認される**というものだ。さらには、ナルミヤには著名なミッキーマウスに便乗する不正の目的があるとまで息巻いた。

## ミッキーに似てるかなぁ？

　しかし、この主張は果たして妥当だろうか。確かに、マウスくんには「絵の下手な人がうろ覚えで描いたミッキーマウス」といった趣きが感じられなくはない。ミッキーマウスを意識してデザインされた可能性もあるかもしれない。しかし、だからといってこのマウスくんのイラストが付いた子ども服などを見て、ディズニーの関連商品だなどと間違えることはないだろう。**抽象的に似ていたり、共通要素がある場合でも、「明らかに別物として区別できる」場合には、両商標は「別物」として評価されるのである。**

　しかも、当時ディズニー社が保有していたミッキーマウスの全身像に関する雑貨分野の商標権は、一九三〇年代と七〇年代のミッキーマウスのデザインだけだった（図6、7）。これらと比較すると、もはや明白に似ていないと言わざるを得ない。

図6

図7／口絵2頁

## 全面的に非類似と判断

　特許庁も、全面的にディズニーの異議申立を退けた。ミッキーマウスと類似するというディズニーの主張は、「**顔の輪郭、耳、頬、口、胴などの描き方の特徴が相違するものであるから、看者《かんじゃ》に与える印象において全く異なる**」などと一刀両断されている。ほとんど全部じゃん！

　そう、特許庁はミッキーマウスとマウスくんを抽象的に似ているとすら評価しなかったのだ。両商標の比較において「**その表現方法において大きく異なるものであり、本件商標〔マウスくん〕の図形部分それ自体から『ミッキーマウス』が想起、連想されることは極めて少ない**」と切り捨て、当然、誤認混同や不正目的も認めなかった。こうして、無事にマウスくんの商標権は有効と認定されたのである。

## またお前か！ 村上隆！

ところが、この事件からたったの半年後、マウスくんは、今度は芸術家の村上隆から著作権侵害で訴えられるという憂き目に遭っている。**村上……またお前か！** 本書で複数回登場する稀代のエセ商標権者とエセ著作権者に立て続けに目をつけられたマウスくんには、同情を禁じ得ない。

村上の主張は、マウスくんのイラスト（**図2**）は、自身が一九九三年に発表した作品「DOB君」（**図8**）の著作権を侵害するというものだ。そして最初に裁判の結論を書いておくと、本件は東京地裁において和解で終結した。

図8／口絵2頁

和解条件は、ナルミヤが村上に「遺憾の意」を表明し、和解金を支払うというもので、その額は四〇〇〇万円ともいわれている。明らかにナルミヤに不利な条件での和解なのである。そこには、東京地裁がマウスくんのイラストのうち、等身がDOB君に近い三点（**図9**）について「外形的に類似する」と評価して和解を勧告したという背景があった。

## ナルミヤの早合点による和解か

だが、これはナルミヤが裁判所の評価を早合点した結果の和解受諾と受け止めるべきである。確かに、両イラストを見比べると似た印象を受ける部分はある。「外形的に類似する」という東京地裁の見解に、敢えて

図9

反対はしない。

しかし、外形的に類似することと著作権侵害は別次元の問題だ。これが著作権侵害にあたるとは到底いえない。東京地裁も「類似する」とは言ったものの、著作権侵害にあたるという心証までは開示していない。

なぜ、両キャラクターイラストから外形的に類似する印象を覚えるのか。それは、**抽象的なアイデアと、そのアイデアを形にするうえでのありふれた表現に共通点があるからである。**すなわち「上方に大きな耳のついた丸い顔、縦長の目、丸い鼻、三日月型の口、大きな手足」というアイデアと、そのアイデアを形にしようとすれば誰でもそう描くありふれた作画表現である。しかしこれらは著作権で保護されない要素であり、比較対象から除外する必要がある。そしてこれらを除く、具体的表現が表れた部分を比較すれば、例えば虹彩、まつ毛、鼻、口角、足の描き方などが顕著に異なることが分かるだろう。こうした検討によれば、両イラストは十分に区別可能な別作品と評価するのが妥当である。

## 村上こそミッキーの「パクリ」

さらに、両キャラクターに共通するアイデアやありふれた表現部分についてよく注目してほしい。同じ共通点を持つもうひとつの有名キャラクターが浮かび上がってこないだろうか。「上方に大きな丸い耳のついた丸い顔、縦長の目、丸い鼻、三日月型の口、大きな手足」……**そう、これはミッキーマウスなのである。**

アイデアが共通しても著作権侵害にはならないが、「真似はしたんだろうな」「参考にはしたんだろうな」と思われることはある。

しかし本件に関しては、共通するアイデアすら決して村上に特有のものではない。DOB君とマウスくんは真似や参考といった関係にすらなく、ミッキーマウスから連綿と続くキャラクターデザイン手法の「ひな型」を共有しているだけなのだ。そしてそのことは、他ならぬ村上自身が一番よく分かっていたはずだ。なぜなら彼は、DOB君のデザイン経緯について以下のように語っているからである。

**セガのキャラのソニックくんとかミッキーマウスとかを合体させて〔…〕デザインしてもらったんです。これが予想以上にかわいいって評判で。もともとアニメマニアだったし、コンセプトに強度があればアートの世界にアニメっぽいキャラをのせてもいいかなと思って。〔…〕ポップを獲得するためには、特定のキャラクターが必要なアイテムだと思ったんですよ。**（注2）

**テメーこそ確信犯じゃねぇか。**完全に意図的にミッキーマウスのデザイン要素を「必要なアイテム」としてDOB君に取り入れているのである。

もっともこの際、そのこと自体は批判するまい。村上はミッキーマウスからアイデアやありふれた表現要素をうまく抽出して、合法に新たな作品を作り上げたと評価しよう。

### 村上の理解しがたい神経

しかしながら、自分自身が確信的に取り入れた「元ネタ」が持つ要素が共通しているだけのマウスくんにケチをつけ、あまつさえ著作権侵害で訴えるとは、この人はいったいどういう神経をしているのだろうか。

百歩譲って、マウスくんが先行作品を参考にしていたとしよう。そうだとしたら、それはDOB君なんかではなく、その何万倍も有名なミッキーマウスを参考にしたのである。それをなんで、同じようにミッキーマウスを参考にしたに過ぎない村上がマウスくんにキレてるんだ。まったくもって図々しい。「他人のふんどしで相撲を取る」というが、**村上がやったことは、他人のふんどしで別の他人の首を絞めているようなものだ。**

こうなってくると、「元ネタ」のディズニー自身による先述のエセ商標権事件が急にマトモに思えてくる。それほど、村上の行動は異常であり、相当、身勝手な精神状態が見え隠れするのである。

こんなエセ著作権裁判、ナルミヤがしっかりと反論すれば明らかに村上敗訴必至の事案である。ところが述べた通り、四〇〇〇万円もの和解金を召し上げているのだから実に腹立たしい。

## ナルミヤ、和解受諾の背景は

和解についてのナルミヤのプレスリリースには、「現在弊社**製品に使用しておりますマウスくんは、村上氏の著作物DOB君の著作権を侵害するものではないという裁判所の意見が示されたことも、あわせてお知らせいたします**[注3]」とある。

図10

実は、類似性があると評価された等身のマウスくんは二〇〇三年の時点で使われなくなっており、和解当時には**図10**の寸胴なマウスくんが使われていたのである。これについては「著作権を侵害しない」との裁判所の心証が開示されたことで、ナルミヤとしては争う理由が乏しくなったということだろう。

さらに「**営業的判断により、村上氏と和解による解決をいたしました**」「**和解金額に関しましては〔…〕当社の業績に与え**

**る影響は、極めて軽微でありま す**」ともあり、「幾ばくかの金銭でとっとと終わらせよう」という打算も働いたことがうかがえる。

もっとも当期のナルミヤの純利益は約二億七〇〇〇万円であり、四〇〇〇万円が軽微といえるかどうかは疑わしい。最後まで争って完勝した方が得だったんじゃないの!?　つくづく口惜しいエセ著作権裁判である。

## 厚顔無恥の権化なのでは

一方の村上は、和解を発表したプレスリリースで、調子に乗ったのかこんなコメントを出している。

**私が生きている現代アートの世界はオリジナルであることが絶対的な生命線です。**(注4)

おい！「セガのキャラのソニックくんとかミッキーマウスとかを合体させ」たなどといけしゃあしゃあと言い放ったその口で、何を言っているんだ。あまつさえ「**日本ではアートの社会的評価や理解度は低いままです。功利主義で、文化発展への尊敬の念乏しき、文化の民意が著しく低い国。それが日本です**」とまで繰り広げる始末である。いったい何様なんだよ。

## 村上隆に批判集まる

これにはさすがに「**お前が言うな！**」という意見が噴出。村上と交流のある東浩紀は「**村上氏から、『現代アートの世界はオリジナルであることが絶対的な生命線です』という言葉が出るのは、にわかには信じられません**」「**村上隆がメーカーを訴えることができるなら、アニメスタジオもまた村上隆を訴えることができるかもしれない**」「**僕のなかでDOB君のオーラが消えてしまった**(注5)」と嘆き、町山智浩は「**ナルミヤは村上隆の売ってる商品（作品じゃないよ）が他のクリエイターの作品の引用や模倣であることを盾にとって徹底的に戦うべきだった**」「**こんな裁判した後でも村上は今までどおり他の人のアニメやマンガを利用し続けるんだろうか？**(注6)」と批判し、大塚英志は「**え、村上隆の現代美術って『オ**

リジナリティ』を擁護するものだったのか」「『共有の場』から等しく成立したもののどれか一つを特権的に『オリジナル』と主張することはぼくにはひどく貧しい思考に思える」と皮肉った。(注7)

四〇〇〇万円の代償として、村上が人間としての格を下げまくったのがせめてもの慰めといえる。それにしても、村上がDOB君のイラストを商標登録して、ディズニーからミッキーマウスに類似し、不正の目的があるとして異議申立を受けたら、いったい彼はどんな言い訳をするのだろうか。

# コラム②「みんなのもの」を商標登録しようとする困った人々 その2

## 「独占目的なし」言い訳の矛盾

コラム①で紹介したように、独占や金銭収受を目的として公有財産語を商標登録する者もいるのだが、筆者の見立てでは、彼らは実は多数派ではない。

なぜならば、公有財産語を商標出願・登録したことが騒動になり、公に非難された者の多くが、口を揃えて「独占するつもりはなかった」などと釈明するからである。

例えば、新型コロナウィルス流行時の二〇二〇年に、疫病退散の象徴として広く使われた「アマビエ」を商標出願して批判された電通は、「商標の独占的かつ排他的な使用は全く想定しておりませんでした(注1)」。

SNSにおける一般用語「イイネ」「つぶやき」を商標出願したMIXIは「独占的な利用を目的としたものではない(注2)」。

ドラマから流行語となった「じぇじぇじぇ」を商標登録した沢菊社は、「独占するつもりはなく、相談があれば使えるようにする(注3)」。「坂本龍馬」を商標出願した高知県は「経済的利益の独占を図る意図をもってなしたものではなく、そのような権利行使をすることがあり得ない(注4)」と強調している。

これは不可解だ。商標登録の本来の法的効果は、登録商標を商標として使用することに独占権を取得し、類似範囲で商標を使用する者を排除できるようになることだ。独占するつもりがないのにわざわざカネと手間をかけて商標登録するのは、銀行口座を開設しに来て「でも貯金する気はありませんけどね」と言い放つかの如く矛盾した行為だ。じゃあ、最初から商標登録なんかすんなよ！と言わざるを得ない。

## 流れ作業で出願する弊害

独占目的がない出願人の出願目的とはいったい何か。ひとつは「何も考えていない」である。二〇〇二年に、タカラ（現・タカラトミー）が、当時インターネット掲示板を中心に公有財産として扱われていたアスキーアートのキャラクター「ギコ猫」を商標出願して批判を受けたことがあった。

筆者は、同社で「ギコ猫」の商標出願を考えた担当者からその意図を聞き出したことがある。その担当者曰く、ギコ猫のキャラクターを用いた商品企画を立案し、「商品名はなるべく早めに商標出願する」という社内のルールに則って、法務部に商標出願の依頼をしただけだというのだ。そして実際に商標出願の手続きを行った法務部の担当者は、ギコ猫がインターネット掲示板のキャラクターだとは知らなかったという。

## 決まりだから出願という軽率

いかにも大企業という感じである。「NPO」「ボランティア」を商標出願して関係団体から批判された角川ホールディングス（現・KADOKAWA）も、「新しい雑誌のタイトルに使う構想があるので登録した。NPOやボランティア団体が出版するものにまで、商標権がどうのこうのと言うつもりはない（注5）」と説明している。

なるほど確かに「新商品名は早めに商標登録」はビジネスパーソンにとって必要な心がけだし、社内ルールにするのも分からなくはない。だが、単に「ルールだから出願しました」という理由で、公に帰属すべき公有財産語を商標出願し、世間に混乱を引き起こしたのであれば、軽率と非難されても仕方がない。商品担当者としての資質も、法務部門のチェック機能も足りなかったと言わざるを得ないだろう。

その商標を出願することで、他人や社会にどのような影響を及ぼすかを、社内で十分に検討したうえで、商標出願の適否を考えるべきだったのである。

## 不安感に背中を押されて出願

独占目的ではないと主張する出願人がよく使うもうひとつの言い訳が「誰かに独占されると困るから」である。

再び「アマビエ」の商標出願が非難されたときの電通の言い分を引くと「今後、第三者が商標登録をする可能性を考慮した結果、キャンペーン中に権利侵害が発生する可能性があるため登録を試みました」とある。

　女子にしか見えない男子を指すコンテンツジャンル「男の娘《こ》」を商標出願して非難された電子コミック事業などを行う未来少年社は、「あくまで、弊社が他者権利を侵害することなく本商標を用いることのために申請を行った」(注6)と説明。

「おんせん県」を商標出願して、温泉を観光資源とする他の自治体の怒りを買った大分県は「営利目的の第三者〔…〕が登録した場合などに、『おんせん県』の使用ができなくなったり、使用料が発生したりすることも考えられることから、大分県として保護的な意味合いで〔…〕念のために〔…〕商標登録の申請をした」(注7)と釈明している。

## 独占しているのはオマエだ

　なるほど。誰もが使いたがる公有財産語だけに、放っておくと誰かに商標登録されてしまう可能性があり、そうなると自分の使用行為が商標権侵害になったり、使用料を請求されるおそれがある。そんな不安を解消するために、自ら商標出願しただけだというのだ。

　確かに、コラム①で書いたような、露骨にカネ目的でトレンドワードの商標登録を目論む商標ゴロも世の中には存在するから、この不安は理解できなくもない。だが、ハッキリ言おう。これこそが最も身勝手で悪質な出願動機である。

　なぜならば、この人たちは公有財産語を誰かに商標出願されれば困ることを分かっていながら、自分ひとりの不安を解消したいがために、その言葉の自由な使用を欲するその他全員に対して、「商標登録されたら使えなくなってしまう、使用料を請求されるかもしれない」という同じ不安をまさに現実のものとしてもたらしているからである。「不審者に公園を占拠されたら困る」と真っ当なことを言いながら、自分がその公園にバリケードを張って立てこもるようなものである。占拠してるのはオマエだ！　不審者もオマエだ！

## 社会的影響に対する想像力欠如

いくら取材やプレスリリースで「独占するつもりはありません」などと表明したところで無意味である。その表明を、商標権が存続し続ける限り（商標権は更新手続きによって永久に維持することができる）、世の中の隅々まで周知することなんて不可能だし、今後経営者や会社の方針が変わらない保証もないからである。

他社の商標権があると分かれば、使用に一定の制限がかかると思ってしまうのが普通の感覚だ。いくら本人に独占の意図がなくとも、人々を不安に陥れ、社会秩序を乱すことには変わりはないのである。

ある意味では、誰も頼んでもいないのに管理者ヅラをして、さも善人であるかのような態度を取っている分、あからさまに独占を主張するエセ商標権者よりもタチが悪いともいえる。繰り返すが、その商標を出願することで、他人や社会にどのような影響を与えるか、そもそも、得られる効果に照らして本当に商標登録する必要があるのかをよく考えてから出願するべきである。公有財産語は、誰も商標出願すべきでなく、商標出願をせずに堂々と使用することが正しい。

本来恐れる必要のない商標ゴロを恐れるあまり、本来する必要のない商標出願をして、結局自分が商標ゴロ同然の嫌われ者になっているということに、炎上してから気が付くというのは、極めて愚かとしかいいようがないのである。

**「みんなのもの」を商標登録して騒動化した事件（2010年代～）**

| 年 | 商標 | 対象商品 | 出願・登録経緯 | 顛末 |
|---|---|---|---|---|
| 2010年 | スマホ | 電気通信機器他 | スマートフォンの略称。パナソニックが商標出願 | 通信機器・家電業界で物議を醸す。特許庁の審査により拒絶 |
| 2010年 | 男の娘 | 電子出版物他 | 女子にしか見えない男子や女装した男子を主人公としたコンテンツジャンルを指す一般用語。未来少年が商標出願 | 騒動化。特許庁の審査により拒絶 |
| 2010年 | つぶやき | SNS用サーバ貸与他 | SNSで書き込むことを指す一般用語。MIXIが商標登録 | 騒動化。ツイッター社（現・X社）による異議申立で権利取消 |
| 2011年 | イイネ | SNS用サーバ貸与他 | SNSでお気に入りの投稿をチェックする際の一般的な機能名。MIXIが商標登録 | 騒動化するも登録（なお「いいね機能」について使用することには権利無効と考えられる） |
| 2012年 | おんせん県 | 入浴施設の提供他 | 温泉を観光資源とする県が観光誘致のために使用する一般的なフレーズ。大分県が商標出願 | 同じく温泉を名産とする群馬県知事が激しく反発し騒動化。特許庁の審査により拒絶 |
| 2013年 | 倍返し | 中華そば他 | ドラマの決めゼリフが元になった流行語。サンヨー食品が商標出願 | 騒動化。自主的に商標出願取り下げ |
| 2016年 | 必殺技 | 遊戯用カード他 | 「とっておきの技」程度の意味でゲーム業界等では一般的に使用される。バンダイが商標出願 | 騒動化。特許庁の審査により拒絶 |

| 年 | 商標 | 対象商品 | 出願・登録経緯 | 顛末 |
|---|---|---|---|---|
| 2017年 | チバニアン | 印刷物等 | 地質時代期の名称を指す用語で、観光地などでも一般に使用される。村山某が商標登録 | チバニアンの研究チームである情報・システム研究機構による異議申立により一部取消。その後の同種出願が特許庁の審査により公序良俗違反として拒絶されており、権利行使は濫用となると考えられる |
| 2018年 | そだねー | 菓子他 | 同年の平昌冬季五輪での流行語。六花亭製菓が商標出願 | 騒動化。特許庁の審査により拒絶 |
| 2018年 | Scrum<br>Agile | セミナー他 | ソフトウェアの開発手法を指す業界用語。アーク社が商標登録し、関係者に警告書を送付 | ソフトウェア業界が反発。業界15社余りからの無効審判で主要部分について権利取消 |
| 2020年 | アマビエ | アプリ他 | 新型コロナウィルスの流行時に疫病退散の象徴として流行語となった。電通が商標出願 | 騒動化。自主的に商標出願取り下げ |
| 2020年 | ぴえん | おもちゃ他 | 残念な気持ちや悲しい気持ちを表す語として流行語となった。いきもん社が商標出願 | 騒動化。特許庁の審査により拒絶 |
| 2020年 | 勧進帳<br>助六由縁江戸桜<br>暫 | 演芸の上演他 | 昔ながらの歌舞伎の演目名。市川團十郎（当時・市川海老蔵）が代表を務める株式会社成田屋が、次々に商標出願 | 週刊誌などで批判を受け騒動化。特許庁の審査により拒絶 |

| 年 | 商標 | 対象商品 | 出願・登録経緯 | 顛末 |
|---|---|---|---|---|
| 2021 年 | やわらぎ | 整体他 | 痛みなどが治まることを指す一般用語。横浜の整骨院院長の久保田隆介が商標登録。「やわらぎ」を含む屋号の全国の整体院などに一斉に警告書を発送し、各 35 万円を要求 | 全国柔整鍼灸協会など業界全体が問題視し、25 の整体師や事業者による連名の無効審判により権利取消 |
| 2022 年 | ゆっくり茶番劇 | インターネット動画配信他 | 特定のコンテンツキャラクターと音声合成ソフトを用いた会話劇動画を指す用語。柚葉が商標出願 | 263 頁参照 |
| 2022 年 | ラブライバー | インターネット動画配信他 | ゲーム「ラブライブ！」のファンを指す呼称。小辻某が商標出願 | 騒動化。自主的に商標出願取り下げ |
| 2023 年 | フルトラ | バーチャルリアリティ用ヘッドセット他 | バーチャルリアリティ（VR）機器のセンサーがユーザーの全身の動きを感知し映像などと連動させる技術「フルボディトラッキング」の一般的な略称。Shiftall が商標登録 | Shiftall が他社に使用中止を求めたことが暴露され騒動化。権利主張を行わない事を宣言させられる。また他社より無効審判が請求されている（執筆時現在） |

# 第2章

## 当惑！ あの人の意外な独占欲

## ファンはＳＨＯＣＫ！メンバー間の憎悪渦巻く粘着質な商標バトル！

# クリスタルキング事件

**ムッシュ吉崎 vs 田中昌之**（注1）

### 人気バンドの内紛劇

好きだったバンドやグループの内紛劇は、ファンにはツライものがある。ましてやそれが法廷バトルとなり、争いの内容がつまびらかになれば、百年の恋も冷めかねない。

七〇～八〇年代のヒット曲「大都会」「愛をとりもどせ!!」（アニメ『北斗の拳』主題歌）などで知られる日本のロックバンド、クリスタルキングは、バンド名の使用をめぐる商標トラブルが裁判沙汰になり、**メンバー間の異様な確執**が明らかとなった。

クリスタルキングは、リーダーで低音ボーカルのムッシュ吉崎と、高音ボーカルの田中昌之のツインボーカルを特徴とする七人組のバンドだった。だが、一九九七年一二月に田中を始めとする複数メンバーが脱退して以降、一時的に二代目高音ボーカルを招いた以外は、吉崎のソロプロジェクトになっている。

そして何の因果か、**吉崎は、元メンバーが「クリスタルキング」を名乗ることを、親の仇の如く憎悪しているのだ。**

吉崎は、田中らの脱退後、自身が代表を務めるクリスタルキングカンパニーの名義で「クリスタルキング」を商標登録（注2）し、バンド名の独占を画策。後述するようにネチネチとクレームをつけていたが、脱退劇から十数年の時を経て裁判に発展し、ところが吉崎の敗訴で終わっている。

## 懐メロコンサートが火種に……

　裁判のきっかけになったのは、二〇〇八年に田中が出演した**「ザ・エターナル・ソングス・コンサート」**というイベントだ。七〇～九〇年代に活躍した総勢二〇組の歌手が登場し、往年のヒット曲を歌うという、いわゆる「懐メロコンサート」である。

　その新聞広告**（図1）**における出演者・歌唱曲告知に、「大都会／田中雅之（クリスタルキング）1979」「田中雅之（クリスタルキング）」と表記されていたことに吉崎が激昂。イベント主催者の読売広告社に、すでに脱退した田中についてカッコ書きで「クリスタルキング」と紹介するのは商標権侵害であると主張し、損害賠償と訂正・謝罪広告を求めて警告書を送付したのだ。そしてほどなくして読売広告社とは、同社が訂正広告を出すことで和解。**だが吉崎の怒りの矛先は、田中個人にも向けられた。**

## 出演者を訴える不可思議

　吉崎は、広告表記を許した田中に対しても商標権侵害であると主張し、さらに「脱退しているにもかかわらずクリスタルキングを名乗った」ことなどが、吉崎に対する信用毀損にあたり、二〇〇〇万円もの損害が発生したとして、賠償金の支払いなどを求めて提訴したのだ。

　しかし、どう考えてキレ過ぎの行動である。まずコンサートの広告表記について、コンサート出演者を訴えていることからして不思議だ。何も田中が読売広告社に「クリスタルキング」の表記を強制したわけでもないだろうに、田中を訴えるのはおかしい。

　表記そのものに関しても、一般的な感覚として、大した問題とは思えない。確かに、田中はバンドを脱退しているのだから「田中雅之（クリスタルキング）」の表記は不正確ではあろう。しかし、だからといって、こんなにも怒るようなことだろうか。あまつさえ、商標権侵害や信用毀損で訴訟沙汰にするようなこととは到底思えない。

　どうもこの訴訟、広告表記を問題視したものというよりも、

ザ・エターナル・ソングス・コンサート
THE ETERNAL SONGS
永遠に歌い継がれる歌がある…
いままで、星の数ほどの歌が生まれてきました。
ある歌は、勇気づけてくれたり、またある歌は、心の傷をいやしてくれたり…
歌はわたしたちの心の中に入りこみ、私達の生活を豊かにしてくれます。
そして、そんな数ある歌の中には、ある種の魂が宿り、永遠に光を放ち続ける歌があります。
それが"THE ETERNAL SONGS"。 つまり"永遠の歌"なのです。
それは時代を超え、世代を超え、人々に愛される特別な歌。
"永遠の歌"を生み出したアーティストが集うコンサートです。
まちぶせ／石川ひとみ 1981
ペガサスの朝／五十嵐浩晃 1980
シルエットロマンス／大橋純子 1981
ラヴ・イズ・オーヴァー／欧陽菲菲 1983
You're the Only…／小野正利 1992
あなた／小坂明子 1973
Runner／サンプラザ中野くん（爆風スランプ） 1988
BAD CITY／SHOGUN 1979
TAXI／鈴木聖美 1987
銀河鉄道999／タケカワユキヒデ（ゴダイゴ） 1979
大都会／田中雅之（クリスタルキング） 1979
夏の日の1993／津久井克行（class） 1993
Choo Choo TRAIN／中西圭三 1998
部屋とYシャツと私／平松愛理 1992
ひだまりの詩／藤田恵美（Le Couple） 1997
あの頃のまま／ブレッド&バター 1979
大阪で生まれた女／BORO 1979
愛のメモリー／松崎しげる 1977
ダンシングオールナイト／もんたよしのり 1980
かもめが翔んだ日／渡辺真知子 1978
石川ひとみ
五十嵐浩晃
大橋純子
欧陽菲菲
小野正利
小坂明子
サンプラザ中野くん（爆風スランプ）
SHOGUN
鈴木聖美
タケカワユキヒデ（ゴダイゴ）
田中雅之（クリスタルキング）
津久井克行（class）
中西圭三
平松愛理
藤田恵美（Le Couple）
ブレッド&バター
BORO
松崎しげる
もんたよしのり
渡辺真知子
2008 9.20㊏ 東京国際フォーラム ホールA
開場16:30
開演17:30
【特別協賛】
【主催】THE ETERNAL SONGS実行委員会 【後援】ニッポン放送 【企画】読売広告社 【制作】ワン トゥ ハンドレッド 【運営】キャピタルヴィレッジ
8.9（土）午前10:00からチケット発売開始 ¥8,400（税込・全席指定）
【公演に関するお問い合わせ】
キャピタルヴィレッジ 03-3478-9999
チケットぴあ
0570-02-9999
ローソンチケット
0570-084-003
CNプレイガイド
0570-08-9999
イープラス
http://eplus.jp/eternal/
図1

吉崎の田中に対する私怨の爆発によるものではないかと疑われるのである。

### 一〇年前の『いいとも！』まで

裁判で繰り広げられた吉崎の主張を読むと、この疑惑はますます強まる。吉崎は、裁判の直接のきっかけとなった「ザ・エターナル・ソングス・コンサート」の広告についてだけではなく、過去に田中が「クリスタルキング」として紹介された多数のテレビ番組や雑誌、ソロコンサートのチラシ等に至るまで、田中の責任を追及し、訴訟の対象にしているのだ。

なんと驚くべきことに、吉崎は、田中がバンドを脱退した一九九七年以降、**実に一〇年以上もの間、田中が出演したテレビ番組の録画テープや雑誌、イベントの広告を大量に保管・記録**しており、いくつかについては、都度、田中やテレビ局などに抗議をしていたというのだ。

いやはや、ものすごい粘着気質、クレーマー気質ではないか。田中がクリスタルキングを名乗るのは「自分に対する信用毀損だ」というのが吉崎の主張だが、ここまでくると、**吉崎の方こそ、田中に対して営業妨害をしているのではと疑わざるを得ない。**

こうした証拠を携えて、吉崎は何年も前の『クイズ！ヘキサゴン』や『ルックルックこんにちは』などを引き合いに出し、それらの番組での田中の発言や紹介のされ方ひとつひとつについて、損害賠償を求めたのである。例えば、事件から一一年前の『笑っていいとも！』について、吉崎は以下のように指摘している。

**被告（田中）が平成10年10月ころにフジテレビのテレビ番組「笑っていいとも！」に出演した際に作成された出演者名簿に、被告の表示として、「クリスタルキング」の略称である「クリキン」との表記がされた。**

だ、だからなんだというのだろうか。本当に理解に苦しむ。

なお、彼が訴えの対象とした最古の物件は、提訴から二三年前の一九八六年に発行された雑誌

『週刊FM』だった。**二三年も前の週刊誌での発言について人を訴えるかフツー!?** まったくただ事ではない。(注4)

なお、後に田中はこの裁判を振り返って「**『クリスタルキングの田中さん』と呼ばれることを訴えられました。でも、『クリスタルキング』のインパクトが強いから、そう呼ばれるな、といわれても無理でしょう?**(注5)」と、吉崎の訴えの理不尽さに対する当惑を吐露している。

## 説明表示は商標権侵害ではない

さて吉崎の訴えに対し、裁判所はどのように判断したか。まず、「ザ・エターナル・ソングス・コンサート」の広告における「田中雅之（クリスタルキング）」の表記については、以下の理屈で商標権侵害を否定している。

すなわち、この表記は、出演者である田中が、**「歌唱曲である懐メロ（『大都会』）がヒットした当時のクリスタルキングのメンバーだった」ことを説明する趣旨の記載に過ぎない**と認定。サービスの出所を表すブランド表示とはいえず、商標として機能していないから、商標権侵害には当たらないとしたのだ。

しばしば誤解されるが、商標登録しているからといって、言葉そのものをあらゆる場面で独占できるわけではない。その商標が、商品やサービスの出所を表示するブランドとして機能している場合にこそ、商標権の効力が及ぶのだ。表示が、単にイベントなどの内容の説明に過ぎない場合には、形式的には無断使用でも、商標権侵害にはあたらない。この判決は、たとえバンド名を商標登録しても、実際にはその独占はそう簡単ではないことを示している。

## 単なる紹介は信用毀損ではない

では、過去のテレビ番組や雑誌などで田中が「クリスタルキング」の枕詞で紹介されたことについてはどうだろうか。これについては、**「被告〔田中〕が『クリスタルキング』を脱退後に『クリスタルキング』のメンバーである旨名乗ることが、原告〔吉崎〕の営業活動に関する外部的評価を毀損又は低下させるもの**

**と認めるに足りる証拠はない**」とし、信用毀損による不法行為には該当しないと一蹴した。

そりゃそうだよなぁ。田中がクリスタルキングを名乗ると、それによって吉崎の信用が、いったいどのように毀損されるというのか。まったく謎である。

ただし裁判所は、以下の二点の田中の発言に限り、吉崎に対する信用毀損に該当すると認定している。おおっ。**ネチネチと田中出演のテレビ番組を録画し続けた甲斐があったか、吉崎！**

ひとつは、田中が一一年前にフジテレビのワイドショー『おはよう！ナイスデイ』に出演した際の「**クリスタルキングはもう残念ながら解散したんですが、残党もかなり残って、クロスロードというバンドでやってますので、絶対頑張りますので、ひとつよろしくお願いします**」という発言。

もうひとつは、同年の日本テレビのワイドショー『ルックルックこんにちは』に出演した際の、「**97年再びクリスタルキングを新結成しツインボーカルのムッシュ吉崎との魅力的な歌声がよみがえった。しかし。同年12月解散する**」という紹介テロップである。

### 勝手な「解散」発言はどうか

この二番組における「クリスタルキングは解散した」という趣旨の発言は、視聴者に対して、実際には吉崎のソロプロジェクトとして存続しているクリスタルキングが解散していると誤解させる「虚偽の事実の流布」であり、かつそれは吉崎のクリスタルキングの活動に支障を与え、信用毀損に該当すると判示したのだ。

一理ある判示だ。もっとも本書としては、ボーカルを含む複数人が一気に脱退し、バンドには一人しかメンバーが残っていない状態になった以上、それを「解散」と表現することは、社会通念に照らしてあながち間違いとはいえないから、田中の発言を「虚偽」とまで断じたことには疑問を感じるところである。

### 結局は吉崎の全面敗訴

ところが、この話にはオチが

ある。裁判所は、二番組における田中の発言を、信用毀損とは認定したものの、それらは一一年以上も前になされたものであることから、**とっくの昔に時効が成立している**（注7）として、損害賠償請求権を認めなかったのだ。

つまり結局は、吉崎の全面敗訴で終わったのである。

なお、この裁判で、裁判官が「〔**判決に影響はないものの**〕『元クリスタルキング』とするのがより正確で、**適切であったというべきであり、その点では配慮不足を否めない**」と説示したことが影響してか、その後、田中は「元クリスタルキング」の表記を基本プロフィールとしているようである。

## もはやバンド修復は不可能か

それにしても、バンド崩壊の背景には、古今東西メンバー間の確執がつきものだが、一〇年以上の年月が経っているにもかかわらず、メンバー間にここまで粘着質な憎悪が付きまとっている例も珍しい。いったい、何が吉崎をそうさせたのか。それは、本人にしか分からないことなのかもしれない。

確かなことは、田中はクリスタルキング脱退の翌年、「大都会」をCMソングに使った缶コーヒーのCMに出演して再ブレイクし、その後もウルトラマンや仮面ライダーシリーズの主題歌を担当するなどして、新たな世代のファンを獲得してきたということだ。

また、「愛をとりもどせ!!」は、二〇〇〇年代以降にもパチスロに起用されたり、多くのアーティストにカバーされるなどして幅広い世代に人気を博し、JASRACの著作権使用料分配金額ランキング上位にランクインしている。この使用料で潤ったのも、脱退した元メンバーで、作詞・作曲者の中村公晴と山下三智夫である。

二〇一四年には、田中・中村・山下らが結集して「元クリスタルキング同窓会コンサート」を開催（**図2**）。イベント名に、律儀に「元」をつけることで、商標権侵害等のリスクを排除していることが分かる。このコンサートは往年のファンを喜ばせたが、もちろん「現クリスタルキング」の吉崎は不参加だった。

裁判までしてクリスタルキングの商標にしがみついている吉崎よりも、「元クリスタルキング」の面々の方が活躍しているように見えるのは、皮肉な話である。

図２

## そんなにキレるか？ 往年のアイドルが示したパブリシティ権の限界！

# ピンク・レディーdeダイエット事件

**ピンク・レディー vs 光文社（注1）**

### 往年のアイドルが突如提訴

芸能人やスポーツ選手について記事を書こうとする時、その氏名やグループ名、写真は勝手に使ってよいのだろうか。そんな悩みの解決に参考になる事件である。

二〇〇七年、往年の人気女性デュオ、ピンク・レディーのメンバー、ミー（現・未唯mie）とケイ（現・増田恵子）が、週刊誌『女性自身』の写真無断使用によりパブリシティ権を侵害されたとして、発行元の光文社に対し、合計三七二万円の損害賠償金を請求する訴訟を提起した。

### 問題の雑誌記事の内容は？

といっても、実際に使われた写真を見ると**「裁判するほど怒るか？」**といえる内容なのである。該当の『女性自身』（二〇〇七年二月二七日号）を読んでみると、別にピンク・レディーが表紙に使われているわけではない。考えてみれば、七〇年代後半が全盛期だった昔のアイドルが、二〇〇〇年代に週刊誌の表紙を飾るとは考えにくい。メンバーが問題視したのは、この号の多数のコンテンツの中のモノクロ三頁ほどの**「デビューから30年…今、お茶の間で大ブレイク中！ピンク・レディーdeダイエット」**という特集だった（図1）。

内容は、当時リバイバル的に流行していた、ピンク・レディーのダンスの振り付けを利用したエクササイズを紹介し、それをタレント兼振付師の前田健が解説し、また全盛期のピンク・レディーの思い出を語るというものだ。そこに七〇年代の全盛期のピンク・レディーのステージ写真が一四点、メンバーに無許可で使用されていたというわけだ。

　メンバーに対しては「ピンク・レディーに、また新たな神話が」「2人のナイスバディが夢ではない」など肯定的な書きぶりで、名誉毀損的な問題はない。写真は、以前光文社のカメラマンが撮影したストック写真の流用で、著作権の問題もない。印象としては、記事の挿し絵のような使われ方である。女性週刊誌の芸能人ネタ記事にはもっとキワドイものはいくらでもあるのだから、なんでこんな記事を訴えようと思ったのか……と疑問に思わざるを得ない。

図1

## 単純に使用料が目的か

　両名が記事にキレた理由は判然としないが、もともと、**ピンク・レディーの二人はパブリシティ権の扱いにかなりうるさいといわれている。**過去のアイドルが手っ取り早く稼ごうと思えば、全盛期の写真などから使用料を徴収することをまず考えるだろうから、写真の使われ方や記事の内容に不満などがあったというわけではなく、純粋に金銭目的の可能性が高いだろう。

　また、光文社の担当者の「記事が出た直後にケイちゃんのマネージャーから、無断使用だから

**使用料を払ってほしいと連絡があった**[注2]」という証言が残っている。その一方で、ミーは訴訟渦中の二〇〇七年一二月に単独で『女性自身』のエクササイズ企画のページに登場しており、また二〇一八年には同誌の創刊六〇周年を祝い、誌面にメッセージを寄せている。これらからすると、訴訟に関してはどうもケイの意向が強かったのではないか……と推測できる。

さらに、事件の少し前に、講談社から『**ピンク・レディー フリツケ完全マスターDVD**』（図2）というメンバーの許諾と全面協力を得た公式本が出版され、ヒットしていたという事実にも着目したい。雑誌の記事とはいえ、公式本と似たような企画を無断でやられたことに引っかかった可能性もあるだろう。実は『女性自身』の記者も、当初は『フリツケ完全マスター』に掲載されたメンバーの写真を使用しようと講談社に許諾を求めたが、断られたのでストック写真を採用したという経緯があった。

図2

## 最高裁が下した判断基準は？

だが、一冊まるごとピンク・レディーを題材にして、しかも本人たちが出演したDVD付きの書籍と、週刊誌の一特集記事とでは、パブリシティ権上の扱いはまったく異なる。そして実際に訴訟では、まさに雑誌に占める彼女たちの写真の重要性の程度が決め手となって、**地裁、高裁、最高裁と一貫して「この程度であれば許可を得る必要はない」と、ピンク・レディー敗訴の結論で終わったのである。**

最高裁の見解を紹介しよう。まず、人は誰しも、氏名や肖像を勝手・不当に利用されない権利を持っている。一般人でも有名人でも、これが原則だ。

しかし、芸能人などの場合、職業上、社会の正当な関心の対象となることは必然であって、その正当な関心を満たすための評論や紹介などの表現行為において、氏名や肖像が使用される必要性がある。有名人は、そうした表現行為における氏名や肖像の使用については、一定程度は受忍し、受け入れなければならない。つまり**有名人は、一般人とは異なり、氏名や肖像を使用されることを、基本的には我慢しなければならない**というわけだ。

## 評論などに伴う使用はＯＫ

最高裁は、この前提を踏まえて、氏名や肖像の無断使用によって有名人のパブリシティ権を侵害し、違法となるための条件を**「専《もっぱ》ら肖像等の有する顧客吸引力の利用を目的とするといえる場合」**と、かなり限定した判断を下した。「専ら」ということは、顧客吸引力を利用する以外の目的がない場合ということだ。これに該当するシチュエーションとして、いわゆるタレントグッズの製作や、広告への利用行為などが挙げられている。

逆にいえば、評論や批評、報道など、有名人の顧客吸引力を商業利用する以外の目的もあって、それに付随して有名人の写真を使うに過ぎない場合は、パブリシティ権の侵害にはならないということである。

## 係争中に再結成するたくましさ

これを踏まえて、『女性自身』の記事については以下のように評価されている。すなわち、記事はダイエット法の解説と、それに付随して解説者がピンク・レディーの思い出を述べる趣旨のものであって、写真は約二〇〇頁の雑誌全体の三頁の中で使用されたに過ぎないうえ、いずれもさほど大きくない白黒写真であることなどから、**「記事の内容を補足する目的で使用されたもの」**との評価である。

したがって、記事は専らピンク・レディーのグループ名や写真の持つ顧客吸引力の使用を目的としたものではなく、違法性はないという結論となったのだ。

こうして、ピンク・レディーは、二〇〇七年から二〇一二年にかけて足掛け六年にわたった裁判に敗訴することとなった。この間、解散していた彼女らは二〇一〇年に再結成を発表。しかしこの発表記者会見で『女性自身』の記者は「出禁」だったといわれている。

まぁ係争中の相手である以上、冷遇するのも分かるが、裁判の結果からすると、早めに訴えを引っ込めて、記事にしてもらった方がよかったんじゃないの？

## 意外と使える有名人の肖像

本件の最高裁判決を踏まえると、例えばワイドショーやニュースサイトなどで、話題として取り上げた人物の写真を掲載したり、トーク番組などで取り上げられた有名人の写真をテロップ表示することは問題ないことになる。一般の書籍やブログ、YouTube動画なども同様で、**芸能人の論評や紹介目的であれば、記事タイトルなどでその氏名やグループ名を使うことは問題ない場合が大半だろう。**

もっとも写真に関しては、パブリシティ権侵害にはならなくとも、どこかから拾ってきた芸能人画像を勝手に転載すれば写真の著作権侵害になってしまうことには注意が必要だ。著作権者から許諾を得たり、著作権を侵害しない似顔絵にするなど、工夫の必要がある。また、街で見かけた芸能人の隠し撮りや目撃情報など、プライバシーを暴くような記事や写真は、プライバシー権の侵害になることにも注意が必要だ。

## 悪魔が来たりてイチャモンクレーム！ 子供番組にネチネチ詰問！

# ねこねこ日本史事件

**デーモン閣下 vs NHK**

### 悪魔のネチネチクレーム！

やっぱり**人間とはバランス感覚がちょっと違うのであろう。**デーモン閣下といえば、ヘヴィメタルバンド・聖飢魔Ⅱのボーカルとして知られるミュージシャンだ。顔はメタル業界でコープス・ペイントと呼ばれる白塗りの外観で、一人称は「吾輩」。デビュー当時から「悪魔」を名乗るキャラクターを貫き通している稀有な存在だ。

そんな閣下が、NHK・Eテレの子ども向けアニメに激怒するという事件が起こった。「吾輩の肖像が吾輩に何のことわりもなく使用されている」として、自身のブログでNHKを激しく糾弾したのだ。

その怒りの激しさたるやすさまじいものだった。「**言い逃れ不可能！**」「**どう落とし前をつけるか**」「**何で当たり前の『許諾確認の段取り』が踏めなかったのかね？**」「**『言われなければバレない』とでも思ったのかね？**」「**どこかの『盗作大国』と同レヴェルだ**」「**とっととやめちまえ**(注1)」などとまくしたて、悪魔というよりこれじゃまるでパワハラ上司の説教である。あの顔でこんなにもネチネチと詰められたら、翌日から会社に来られなくなるぞ。

### ほのぼのアニメに何の恨みが

いったい何をそんなに怒っているのか。対象となったのはアニメ『ねこねこ日本史』。日本史の偉人たちを猫になぞらえて描いたほのぼの系歴史アニメで、観ると日本史の勉強にもなるという、NHKのアニメとしてはぴったりの作品だ。その第六四話「破天荒シンガー、高杉晋作！〜破天荒度MAX編〜」というエピソードに、こんなシーンがあったのだ。

幕末。歌好きという設定の高杉晋作（猫）が、長州藩に攻めてきた列強諸国の連合艦隊との講和条約交渉に臨む。高杉は、艦隊の司令官たちの前にデーモン閣下風のメイクで登場し、三味線片手に「お前らと講和条約を結んでやろうか！」(注2)と叫んで熱唱（**図1**）。その勢いで交渉を乗り切る……というものだ。時間にして五〇秒ほどのシーンである。なお、このデーモン閣下風の扮装をした高杉のイラストは、**「デーモン風高杉」**というキャプションで、番組ウェブサイトのキャラクター紹介ページに掲載された（**図2**）。

図1

## 史実に沿った演出

ちなみに、ここで高杉がデーモン閣下風の姿で熱唱していたことには意味がある。このシーンは、英・仏・蘭・米の連合艦隊が長州藩を砲撃した下関戦争（一八六四年）の講和条約における実際の高杉晋作の言動を元にしている。この時、高杉は宍戸刑馬《ししどぎょうま》という偽名を使って交渉の席に臨み、「古事記」を諳《そら》んじて相手の要求をかく乱。そのふてぶてしい態度は、連合艦隊側の通訳から「悪魔のようだった」と評されたという逸話がある。このエピソードから、高杉がデーモン閣下に扮して歌うという演出が必然的に採用されたのだろう。

## このくらいの事で怒るか⁉

さて話をデーモン閣下の怒りに戻すが、ハッキリ言って**「そんなに怒るようなことか⁉」**である。実在する有名人がディフォルメされて登場する漫画やアニメなどたくさんある。『ケロロ軍曹』『銀魂《ぎんたま》』『浦安鉄筋家族』『おそ松さん』……いくらでも作品名を挙げられる。『キン肉マン』『こちら葛飾区亀有公園前派出所』『ドラえもん』といったレジェンド級の名作漫画も例外ではない(注3)。「デーモン風高杉」レベルがダメだというならば、これらの作品もすべてお蔵入りになってしまう。ロックミュージシャンの割に度量が小さ過ぎやしないだろうか。

## あっさり謝罪のＮＨＫ

ところがこのクレームに対し、ＮＨＫはあっさりと謝罪。番組公式サイトに「**本来であれば〔…〕丁寧に相談等しながら進めるべきところ、これを欠いたことにより、デーモン閣下、関係者の皆様に大変ご迷惑をおかけいたしました**」とのお詫び文を掲載した。なお、ウェブサイトのキャラクター紹介ページから「デーモン風高杉」は削除されたが、第六四話自体は、現在も元のまま配信等がなされている。

当時閣下はＮＨＫにレギュラー番組を持っており、テレビ局として出演者に対し気を遣わなければいけない側面はあったのかもしれないが、**こんな対応を、漫画・アニメ業界の一般常識にしてはいけない。**

## 法的に何ら問題なし

まずハッキリ言っておくが、デーモン風高杉は法的にまったく問題がないし、道義上も、閣下が黙って寛容することこそが適切だった。

ピンク・レディーｄｅダイエット事件（１５０頁）の最高裁判決では、芸能人のパブリシティ権侵害が認められる条件を、「専《もっぱ》ら肖像等の有する顧客吸引力の利用を目的とするといえる場合」、つまり、顧客吸引力の利用のみが目的の場合に限定している。典型的には、タレントグッズや広告に芸能人の肖像や氏名を無断使用する行為が対象である。

これに照らすと、全一六〇話の『ねこねこ日本史』の中の、たった一話のエピソードの中の、**たった一分弱のワンシーン**において、アニメの登場人物の「紛争姿」として登場するに過ぎないデーモン風高杉が、パブリシティ権侵害になることはあり得ない。もしも裁判になれば、閣下は敗訴するしかないだろう。

百歩譲って、閣下の心情として、勝手に自分の容姿や名前が漫画やアニメでディフォルメされることを不愉快に思うことは理解したとしよう。だが、許諾を取るのが当然であるかのようにアニメ制作サイドに抗議をするのは、器が小さいばかりか、表現の自由に対する不当な制限行為ですらある。

**受忍すべき正当な表現行為**

前記の最高裁判決は、パブリシティ権の認められる範囲を限定的に示した背景として、「**肖像等に顧客吸引力を有する者は、社会の耳目を集めるなどして、その肖像等を時事報道、論説、創作物等に使用されることもあるのであって、その使用を正当な表現行為等として受忍すべき場合もある**」と述べている。

つまり、芸能人をアニメや漫画などの創作物に利用することは、正当な表現の自由の行使であり、**芸能人の方こそ、一定程度は我慢しなければならない**という説示である。これを踏まえると、閣下の言動は堪え性のないクレームと評価するほかない。

**閣下の苦しい釈明**

そして市民感覚としても、閣下の抗議を「行き過ぎ」と捉えるむきはあったようで、閣下に対して「不寛容だ」「大人げない」「取り上げられたことをむしろ喜ぶべきだ」「セーフとアウトの線引きが分からない」といった反応も多く寄せられたという。

こうした反応に対し、閣下は後日ブログ記事で丁寧に長文の説明をしたためている。それによれば、「**ちょっとした『お遊び』程度に作品の中で使われることに関しては**（**広く法的には**

図2

**問題があるとしても）いちいち文句は言わない**[注4]」のだというのだ。

　述べた通り、法的には明らかに問題がなく、閣下の法的見解は誤りといえるが、それはともかくとして、「『お遊び』程度に作品の中で使われることに関していちいち文句は言わない」というスタンスなら、なぜ『ねこねこ日本史』にクレームをしたのだろうか。あんなもの、まさしく「お遊び」以外の何物でもないと思われるのだが。それについては続けて以下のように説明している。

**当該案件では、ひょっとすると制作サイドはもともと『ほんのお遊び』程度のつもりだったの**

**かも知れない。まずかったのはｗｅｂ頁（＝宣伝媒体）で「登場キャラクター」として「絵」だけではなく「名前」まで無断引用掲載してしまった上、それは配信で販売されているものであったからである。かつ『ひどく』ではないが『小馬鹿にされる状態で描かれる』でもあった（注5）。**

これは苦しい釈明だ。ウェブページでの「デーモン風高杉」の使用は、第六四話に登場するキャラクター紹介の趣旨の掲載だった。一六四のキャラクターのうちの一匹として掲載されているに過ぎないのだ（**図2**）。これを、デーモン閣下の肖像や氏名を、専ら番組や商品の宣伝目的で利用したものと把握することは不可能である。この釈明によって、かえって行き過ぎたクレームであったことが浮き彫りになった感がある。

## 自分の顔を商標登録⁉

なお、この事件からほどなくして、閣下は**自分の顔写真を商標登録するという奇矯な行動**に出ている（**図3**）。自ら店舗の看板になったカーネル・サンダースならまだしも、そういうわけでもないのに自分の顔面を商標登録する人は非常に珍しい。まぁ登録自体は別に構わないのだが、いくら顔写真を商標登録したって、アニメに自分をモデルにしたキャラクターが登場することに対して商標権の効力は及ばないと釘を刺しておこう。

図3

### 三〇年前の類似事件！

ちなみに、デーモン閣下は昔から肖像の使用にセンシティブである。『ねこねこ日本史』事件から遡ること実に三〇年前、聖飢魔Ⅱ全盛期の一九八八年には、無断でキャラクターグッズを製造されたとして、作家のバーバラ寺岡と揉め事を起こしている（なお当時の閣下の芸名は「デーモン小暮」）。

寺岡に対して、**「誰が見ても吾輩デーモン小暮をデザイン化したとしか思えない」「何の断わりもなく出したうえその儲けを一人占めしている」「フテエ輩だ！」「出すなら出すで一言了解を得て、キチンと上納金を納めるのがヒトの道ではないかね」「勝手にキャラクターを使っておいてしらばっくれるとは、とんでもねえ奴だ」**などと怒りをあらわにしたのだ。(注6)

**キレ方が、三〇年間まったく変わっていない。**

このキャラクターは、寺岡の著書『健康法地獄の害度《ガイド》ブック』の表紙（**図4**）や、文房具などのグッズに使用されていたようだが、こちらは法的にはどうだろうか。

図4

聖飢魔Ⅱの評論本などではなく、閣下と何も関係のない自分の健康本の表紙に大きく肖像を使ったり、キャラクターグッズを無断で作ったとなれば、「専ら肖像等の有する顧客吸引力の利用を目的」としているとはいえそうだ。

### 閣下の顔じゃないのでは？

**だが問題は、これが「デーモン閣下の肖像」といえるかどうかだ。**予断を排して眺めると、相当怪しい。単に白い顔に目張りの入った、悪魔風のイラストというだけではないか。実際、寺岡は閣下のクレームに猛反発。「全くの言いがかり」「ウチとしては全然相手にしてません」と述べたうえ、

**〔悪魔風の〕メーキャップしたのは（ロックグループの）Ｋｉｓｓがオリジナルで、聖飢魔Ⅱはそのコピーに過ぎない。だからコピーがクレームをつけてくるのはおかしい。自分はＫｉｓｓを基にしたのだから、Ｋｉｓｓから文句がくるならわかるが、聖飢魔Ⅱに文句をいわれる筋合いはない**（注7）

と、毅然とした態度でクレームを突っぱねたのだ。ただまぁ実際のところ、この表紙はＫｉｓｓのメイクのデザインとも異なるし、仮にＫｉｓｓかデーモン閣下かの二択で問うならば、むしろデーモン閣下になってしまうと思われるから、反論としてはうまくないようにも思うのだが……。ま、それはさておき、後のＮＨＫよりもよっぽど気骨のある対応である。

　この調子で、もし寺岡がＫｉｓｓからクレームを受けたら「聖飢魔Ⅱから文句がくるならわかるが、Ｋｉｓｓに文句をいわれる筋合いはない」と真逆のことを堂々と言ってほしい。

博士の異常な愛情!? 頑なに帽子を取らぬ博士は人の帽子を脱がせるか？

# さかなクンの帽子事件

さかなクン vs ジグ（注1）

## お魚博士の意外な独占欲？

さかなクンといえば、「おさかな博士」として広く親しまれている有名人だ。テレビタレントとしてのイメージが強いが、魚類研究者としての博識さと経験が買われて東京海洋大学名誉博士／客員教授を務めており、また環境省、外務省、農林水産省や各自治体などの公的な任務にも多数就いている。

それでいて、決して権威を振りかざすような印象もなく、常に身に着けているフグの帽子（図1）や、「ギョギョギョ！」などの口ぐせに表れる天真爛漫で天然なキャラクターは、老若男女から好感を集めている。魚のことさえ考えていれば幸せそうなさかなクンに、ムリヤリな権利行使をするようなイメージは抱きにくい。

ところが、そんなさかなクンが**意外過ぎる独占欲**を見せたことがある。きっかけは東急ハンズのバラエティグッズ売り場で

図1

売られていた商品だった。ジグというパーティーグッズのメーカーが販売していた**「ふぐキャップ」**という仮装グッズである（**図2**）。当時、さかなクンの公式グッズも同じ売り場で売られており商品として競合関係にあったようだ。これを見つけたさかなクンが「ギョギョ～ッ!!」と激怒……したかどうかは定かではないが、所属事務所のアナン・インターナショナルが商標権侵害であるとして、二〇〇九年にジグ社に内容証明郵便で警告書を送りつけたのである。

図2／口絵3頁

## 帽子の立体形状が商標に？

フグの帽子で商標権侵害とはどういうことか？　実はアナン社は、この帽子の形状を立体商標登録していた（**図3**）。立体商標とは、典型的にはカーネル・サンダース像やペコちゃん人形のような、立体化されたブランド表示を商標登録する制度のこと。さかなクンのフグ帽子も、確かに同氏を象徴する立体的なアイコンだから、立体商標登録の対象といえばそうである。

しかし、かぶりもの姿が特徴的な有名人といえば、他にも天竺鼠・川原、東京プリン、MAN WITH A MISSIONや、海外でもダフト・パンクやスリップノットなどが思い浮かぶが、**かぶりもの自体を**

図3／口絵3頁

**立体商標登録したという例は聞いたことがない。**この時点で相当のこだわりであり、権利意識の高さがうかがえる。

確かに仮装グッズには古今東西有名人をモチーフにした便乗的なものも多いから、度を越えた便乗品に商標権で対抗しようというのは真っ当な発想といえる。しかし問題は、この「ふぐキャップ」が、**さかなクンの帽子とはちっとも似ていない**という点である。

画像を見比べれば一目瞭然なのだが、色も形も模様も明らかに違う。**「フグをモチーフにした帽子」という点以外の共通項はないと言ってよい。**しかもさかなクンの帽子は、黄色い身体に広い範囲の斑点が特徴的なハコフグがモチーフだが、「ふぐキャップ」にはそうした特徴は見られない。身体を膨らませたときのトラフグを思わせるデザインだ。フグといっても種類が違う。同じ鳥だからといって、ワシのマークの大正製薬が金鳥のニワトリマークを訴えるようなものだ。

## 仮装グッズ会社の逆襲

ジグ社も、一応「フグの帽子」ということでさかなクンにあやかろうという意思が少しはあったのかもしれないが、ここまで似ていないデザインで商標権侵害といわれても困惑するほかないだろうし、納得もできなかったのだろう。同社は警告を受け入れず、逆に非侵害を確認するために、「ふぐキャップ」がさかなクンの帽子の商標権を侵害するかどうかについて特許庁に判定を請求し、その判断を仰いだのである。

## 全く異なる印象のフグと認定

その結果、**あっさりと両者の帽子は非類似という結論がはじき出された。**特許庁は、さかなクンの帽子と「ふぐキャップ」を丁寧に比較し、全体的なフォルム（ヘルメット型かぬいぐるみ型か）、目と口の配置関係、顔の表情、ひれの数など、実に一〇箇所以上の相違点を挙げている。

そしてこれらの相違点を踏まえて、両者は**「『ふぐ』というモチーフを共通にするものであ**

**るとしても、その外観的特徴が全く異なり、明らかに印象を異にする別異のもの**」とキッパリ断言したのである。こうして「ふぐキャップ」にかけられた容疑は晴れ、現在は別のメーカーがジグ社からの事業承継により販売を継続している。

**強い独占欲の背景事情**

それにしても、いったいなぜ、さかなクンはこんなにもフグの帽子の独占にやっきになったのだろうか。

さかなクンの著書によると、このトラフグをモチーフにした帽子は、さかなクン自身がデザインしたものだという。慣れないテレビ出演でうまくしゃべれなかった頃に、緊張を乗り越えるために考え出したもので、小学生の頃、旅行先で立ち寄った魚屋の水槽で、他の魚に身体をぶつけられても健気に一生懸命泳ぐ小さなトラフグの姿に勇気をもらった思い出から着想したのだというのだ。これを被るようになって以来、人前で話すことに対する苦手意識が薄れ、仕事の幅もどんどん広がっていったという。(注2) かなり、思い入れがある様子がうかがえる。

そして、さかなクンと彼の帽子の付き合い方を検証すると、その思い入れは想像を遥かに超えていることが分かったのである。

**猪木も破れなかった規則を……**

例えば二〇一〇年、さかなクンは東京海洋大学名誉博士として、水産資源の管理と保護を議題とする参議院調査会に参考人として出席したことがある。実は国会においては、会議の場では「帽子、外套、襟巻、傘、つえの類」は原則として着用、携帯してはいけないという規則がある（参議院規則第二〇九条）。これ自体、**うるさい公立高校の校則並みにいまいち存在理由が不明なルール**だが、このときさかなクンは、特別に着帽のままで出席が認められている。出席後の取材では「**帽子は皮膚の一部と申し上げており**〔…〕**お認めいただき本当にありがたい**」(注3)とのコメントを残した。

かつてアントニオ猪木も、肌身離さず着用していた赤いマフラーを議会場では外すことを余儀なくされていた。「元気があればなんでもできる」はずのあの猪木ですらどうにもできなかった国会規則を、さかなクンは難なく乗り越えることができたのだ。

## フグの帽子は「正装」だ！

また、二〇一五年に亡くなった漫画家・水木しげるのお別れの会でも、さかなクンは喪服の上にいつもの帽子（ただし色は黒色）で参列していた。もし一般人が「ふぐキャップ」を被って葬儀に参列したら、**式場から追い出されてそのまま村八分になってもおかしくない。**しかしさかなクンは、完全にその場に溶け込み受け入れられていた。

さらに、ジグ社と争っていた二〇〇九年には、所属する日本魚類学会の年次大会で現在の上皇陛下と交流しており、なんとその時にもしっかりといつもの着帽姿であった。後にこのときの出来事についてさかなクンは、周囲からは帽子を取るよう促されたものの「**でも、この姿でさかなクンとして活動させていただいておりますので、これはもうわたくしの正装ですとハコフグはとりませんでした**[注4]」と振り返っている。いやはや、なんという強いこだわり、強いハートであろうか。**これにはこっちが脱帽である。**その後も学会で両者の親交が続いているという。

こうなってくると、ここまで規則や常識や慣例をものともせず、国会や天皇陛下にすら自らの「正装」を認めさせることができていながら、どうして一介のパーティーグッズメーカーの心だけは動かせなかったのだろう、という気持ちにさせられるから不思議だ。ま、自分が帽子を被り続けることができるかどうかは自分次第だが、他人の帽子を脱がせることができるかどうかは別問題、ということであろう。

## ありふれた名前の独占を試みる歌姫とおもちゃメーカーのムダな争い！

# MISIA事件

### MISIA vs タカラトミー

### 意外過ぎるマッチメイク

意外な人が、意外な会社と争っているものだ。MISIA（ミーシャ）は一九九八年にデビューした日本の歌手で、デビュー曲「つつみ込むように…」からヒットを飛ばし、二〇〇〇年には代表曲「Everything」が二五〇万枚以上のCDセールスを記録した。その後も堅調な歌手活動と並行して、近年は社会貢献活動にも取り組み、国際連合や外務省などの公的職務にも就いている。

そんなMISIAがCDセールス全盛期の二〇〇〇年に、おもちゃメーカーのトミー（現・タカラトミー）を訴えるという事件が発生した。**歌姫とおもちゃメーカーとは、なんとも意外な取り合わせの法廷闘争だ。**いったい何があったのか。

きっかけは、トミーが発売したおもちゃのカメラだった。おもちゃといってもきちんとデジタル形式で撮影・記録することのできる実用性を備えており、当時五～一〇万円はする高級品だったデジタルカメラを、約一〇分の一の値段で手軽に楽しめるという代物だった。その商品名が**「Me：Sia」と書いて「ミーシャ」**だったのである（図1）。

**ウチの歌姫と名前がかぶってるわい！**ということで、所属事務所のリズメディアが警告書を送付し、聞き入れられないと東京地裁に不正競争防止法等に

図１

基づき販売差止を求める仮処分申請を行ったのだ。

## あまりにも分野が異なる！

だが「歌手」と「おもちゃ（ないしカメラ）」では事業分野が遠過ぎて、ＭＩＳＩＡ側に法的に救済すべき損害が発生しているとはいえないのではないだろうか。もしこれが「Ｍｅ：Ｓｉａ」という名の歌手がデビューし、ＭＩＳＩＡの妹分であるかのように誤解されている、というのならまだ話は分かるのだが、あまりにも分野が違い過ぎて間違いたくても間違いようがない。

だがリズメディアは、ＭＩＳＩＡが著名な歌手であるという主張を前提に、「ＭＩＳＩＡ」と「Ｍｅ：Ｓｉａ」の名称の類似性から、トミーのＭｅ：ＳｉａとＭＩＳＩＡが間違えられたり、そうでなくとも、Ｍｅ：Ｓｉａがリズメディアの関連商品や子会社の商品であるかのように誤認されることは「明白」だと主張したのである。しかし**歌手とおもちゃの関係性では、そのような誤認が起こらないことの方が明白だろう。**

## 間違えるわけがない

本人の写真や公式ロゴが無断使用されているならともかく、これだけ関連性の低い分野の商品で、多少名前が似ているくらいでＭＩＳＩＡの公式グッズやタイアップ商品などと誤認されることは考えられない。せいぜいファンが「似ているな」という感想を抱く程度であり、それ以上の誤認識は何ももたらさない。

ましてやトイザらスやヨドバシカメラのおもちゃコーナーに並んでいるＭｅ：Ｓｉａを、ＭＩＳＩＡのグッズと間違えて買ってしまう人がいるとしたら、**そいつはそもそもＭＩＳＩＡが何なのかをまったく知らない、歌手であることすら認識し**

**ていない人である。**そんな人がたくさんいるなら、むしろＭＩＳＩＡが著名でないことの証拠になってしまう。

## 「ミーシャ」といえば何？

そもそも、ＭＩＳＩＡという名称はそれほど著名といえるのかという問題もある。言い換えれば、その知名度の程度を根拠に、ＭＩＳＩＡという表示の使用を、歌手活動と無関係の分野においてまでリズメディアに独占させることは適切だろうかということである。しかも、Ｍｅ：ＳｉａとＭＩＳＩＡでは綴りが異なり、リズメディアはトミーの商品が「ミーシャ」を名乗っていたことを問題視しているから、ここで独占の適切性を評価すべきは「ミーシャ」という呼称なのである。

この点についてトミーは、「**一般人が『ミーシャ』と聞いて思い浮かべるのは、モスクワオリンピックのマスコット『こぐまのミーシャ』や、旧ソ連のゴルバチョフ大統領の愛称だ**」と主張し、ミーシャの周知著名性を否定しているが、妥当な反論だ。

ミーシャとはロシア男性の一般的な名「ミハエル」の愛称でもあり、こぐまのミーシャやミハエル・ゴルバチョフの愛称はこれに由来する。また欧米圏における一般的な名のひとつでもあり、有名人では俳優のミーシャ・コリンズやテニス選手のミーシャ・ズベレフなどが知られる。大天使ミカエルを由来とする幻想的な印象を持った名であることから、日本でも『聖闘士星矢』『トランスフォーマー』『けものみち』などアニメや漫画のキャラクター名に数多く使われている。それどころか、ポルトガルにはミーシャ（Ｍíｓｉａ）、スロバキアにもミーシャ（Ｍｉｓｈａ）という、ＭＩＳＩＡとほとんど同名の女性歌手すら存在するのだ。

## 独占してよい名前ではない

どう考えても、**特定の芸能プロダクションが独占するには不適当な一般的な人物名**であり、またその一般性を考慮すれば、特定一社に名称使用を独占させるほどの顕著な著名性は認め難いというべきである。

この理屈を理解しなかったリズメディアは、「若者でミーシャを知らない人はいない」と強気で反論し、当時のファンクラブの構成について平均年齢二四歳で女性が七割を占めると明かした。しかしこれは、**かえって知名度が若い女性に偏っていることの疎明**になってしまっており、悪手である。

さらにリズメディアは以下の被害も訴えている。当時MISIAは、テレビの歌番組にはほとんど出演しない反面、マクセル、ケンウッド、NTTコミュニケーションズ、タワーレコードなどの広告出演は頻繁に行っていた。そこでMISIAと紛らわしい商品名のカメラがあると、電機メーカーのへの広告出演が「事実上、不可能になってしまう」というのだ。例えばMISIAがニコンのカメラのCMに出演しようにも、似た名前のトミーのカメラがチラついて広告にならないということだろう。

## 自分が改名してはどうか

だがこれは、ロックバンドのTOTOが便器メーカーのTOTOに対して**「俺たちがLーXILのCMに出られないじゃねぇか！ 社名を変えろ！」**とキレているようなものである。

そんなことを言われても困る。そんなにあらゆる業種の広告に出たいのなら、自分の方が最初からありとあらゆる商品名と被らないような芸名をつけるべきであって、ミーシャなんて普遍的な呼称を名乗っている場合じゃないのである。少しはOfficial髭男dism（オフィシャルヒゲダンディズム）やL'Arc～en～Ciel（ラルクアンシエル）を見習ってはどうか。ファン以外には容易に読めないくらいの名を名乗ってから言ってくれ。

## 法廷闘争の結末は……

以上の通り、MISIA側に不利な争いと評価できるのだが、実際の裁判では半年後に両者は和解。トミーは販売済みのMe：Siaについてはそのまま販売継続するが、後継機種については名称を変更することで

3月15日（金曜日）

妥結した。実質的に販売中止等は免れており、トミー側にダメージはない。最後まで争って完勝を目指してほしかったところだが、現実路線としては妥当な落としどころではあっただろう。

その後、Ｍｅ：Ｓｉａの後継機種は**「Ｍｅ：２Ｐｌｕｍ」（ミーツープラム）**という、妙に複雑で読みにくい商品名で発売された。トミーとしては、今度はケチがつかないように、どんなアーティスト名とも被らないことを最優先して慎重にネーミングを検討したのかもしれないが、いくらなんでも覚えにくく過ぎやしないか。ユーザーの子どもたちがちゃんと読めたかどうか心配である。将来的にもあらゆる商品名と被りたくないのはＭＩＳＩＡの方なんだから、どちらかといえばＭＩＳＩＡの方が改名すべきだったよなぁ。Ｍｅ：２Ｐｌｕｍに。

## 作家の著作権よりも広告クライアントのご機嫌取りをしていいのか⁉

# カルピス・アルプス事件

### カルピス vs 嶽本野ばら

### 題号は作家に取って命

　作家が、第三者に勝手に作品を改変されないための権利を同一性保持権という。これは作品の中身だけでなく、作品の題号に対しても有効な権利である。つまり、作家は自らの意思に反して、自身の作品の題号を改変される事態から法的に保護されているのだ。

　例えば単行本を文庫化する時、編集者が勝手に改題して出版したり、作詞家がつけた曲名を、人気アイドルが「気に入らなーい」などと言って無断で変えて発表することは、同一性保持権侵害となる。作家にとって、作品の題号はそれほどに大事なものなのだ。

### 出版工程大混乱の変更

　そんな大事な題号を、刊行直前に変更させられるという事件が起こった。

　『下妻物語』などで知られる小説家・嶽本《たけもと》野ばらが小学館から刊行した中編小説**『カルプス・アルピス』**（図1）は、雑誌連載時は**『カルピス・アルプス』**という題号だった（図2）。本来ならば、これがそのまま単行本の題号になるはずだったものが、嶽本によれば「**既に〔単行本の〕表紙見本も上がり、広告も出し、後は印刷するだけという段階で、NGが出た**(注1)」というのだから、ただ事ではない。出版工程が大混乱に陥ったことは想像に難くない。いったい誰が、どんな事情でNGを出した

図1（単行本）

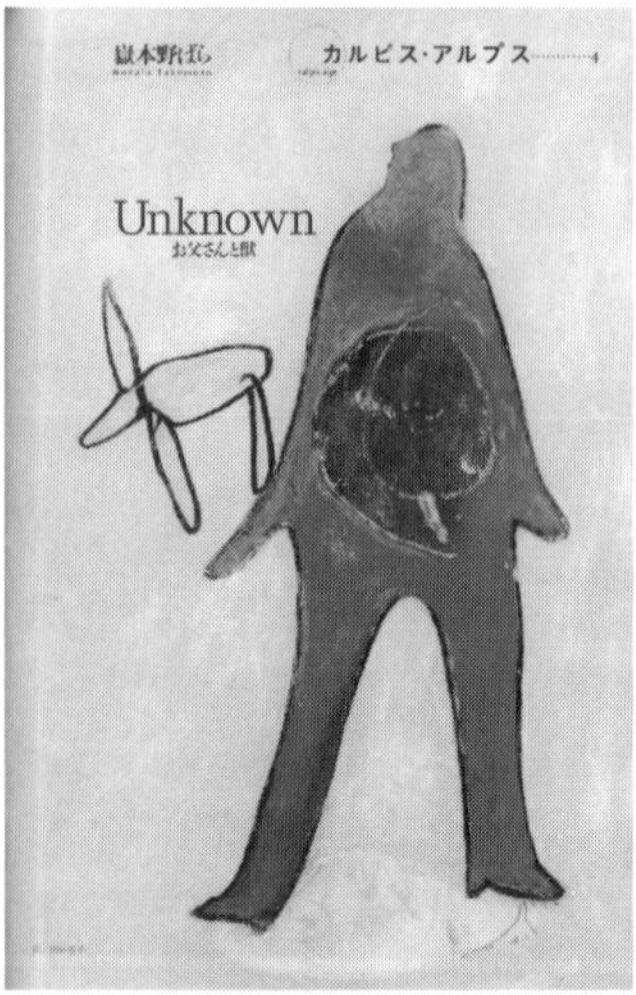


図2（雑誌連載時の扉頁）

というのだろうか。

## あの飲料大手が強硬禁止令

文句をつけたのは飲料メーカー大手のカルピス社。（注2）「如何なる条件、理由があろうと登録商標をタイトルに使用するのは許可出来ない」と強く主張してきたというのだ。

嶽本には、どうしてもこの小説の題号を『カルピス・アルプス』にしたいという強い想いがあった。彼はこの小説を、知人で早世した画家・田仲容子の作品とのコラボレーションというコンセプトで書いていた。各章の扉絵には田仲の絵画を用い、各章タイトルにはその絵画の題号をつけ、小説の内容も田仲の絵にインスパイアを受けて導かれるように書き進めていったという。そして、『カルピス・アルプス』というのは、田仲が初めて開いた個展のタイトルだったのだ。

コンセプトに忠実であろうとするならば、題号は『カルピス・アルプス』でなければならず、『カルプス・アルピス』への変更は、**嶽本にとっ**

**ては痛恨の極み**であった。ちなみに、小説の内容は、小説家志望の主人公と記憶喪失の女性の交流を幻想的に描いたもので、飲料のカルピスは作中に登場しない。

## これは商標権侵害ではない

登録商標を小説の題号に使えないという話は、法的には正しいとはいえない。原則として、書籍の題号に他人の登録商標を使用しても商標権侵害にはならないからだ。

商標権侵害とは、他人の商標を商品に無断使用することによって、その商品の出所と、商標の主体が混同されるおそれが生じる状態のことをいう。本件でいえば、『カルピス・アルプス』を手に取った人が「この本は『カルピス』のオーナーが発行に関わっていたり、監修しているのかな」と誤解するおそれがあれば商標権侵害になり得る。注意すべきは、本の中身について「カルピスに関する話なのかな」と誤解されたとしてもそれは権利侵害にはならないということだ。**あくまで、書籍という商品の出所が誤解され得るかどうかがポイントである。**

書籍の題号の一部に登録商標が使われたからといってそのような誤解が生じるシチュエーションは、ほとんど考えられない。「ほとんど」と書いたのは、例えばレシピ本で『カルピスが認めた、カルピス活用レシピ100！』といった題号を勝手につければ、カルピス社が制作に関わっていると誤解される場合があり得るからだが、まぁかなり例外的な話である。また、信用毀損をもたらす題号や内容であれば、また別の法的問題が生じるが、本件では明らかにそうした問題はない。

## 他の一流ブランドは許容

少なくとも一般的な小説の題号であれば、たとえ有名なブランド名が含まれていたとしても、何ら権利侵害の問題は発生しないだろう。現に、例えば筆者の手元には『ティファニーで朝食を』や『プラダを着た悪魔』の原書があるが、ティファニー社やプラダ社の許諾を得たことを示すような表記はない。

　また、詩人・谷川俊太郎の詩集に『夜のミッキー・マウス』という作品がある。ライターの永江朗によれば、版元の新潮社がディズニー社に「ミッキー・マウス」の使用について問い合わせたところ、「絵を使うわけでもないからかまわない」という返答だったそうである。(注3)なお新潮社は、松岡圭介がディズニーランドの裏側を描いたフィクション小説『ミッキーマウスの憂鬱』も出版している。

　世界中で知らぬ人はいない、権利にもうるさいといわれる一流ブランドの数々がこうした対応を取っていることを考慮すると、カルピス社の対応はいささか過剰反応にも思えてくる。

## 普通名称化の懸念をするが……

　もっとも、カルピス社の事情にも目を向けると、同社も別に「商標権侵害になるから止めろ」と主張していたわけではないようだ。彼らの言い分は「**単行本タイトルの一部になることで、その〔カルピス・ブランドの〕独自性が薄まり、一般名称化することの懸念**」(注4)があったからだという。登録商標が一般名称化（普通名称化）すると、権利の効力がなくなり同名の商品の排除すらも困難となる。これを懸念したというのだ。

　確かに普通名称化対策はブランドオーナーにとって重要な問題だが、この場合においては、過剰な懸念というべきではないだろうか。登録商標の普通名称化は、登録商標が商品の普通名称と一体化することで起きる。カルピスでいえば、これが乳性・乳酸菌飲料一般を表す普通名称であるかのように扱われることで起こるのだ。例えば、「ピルクル」や「スコール」などの他社の乳性・乳酸菌飲料が巷で「カルピス」と呼ばれたり、居酒屋がカルピス以外の乳性・乳酸菌飲料で割ったサワーを「カルピスサワー」と称したりしていることを放置していると、普通名称化は進行するだろう。

　しかし、**乳性・乳酸菌飲料と何も関係がない書籍の題号**において登録商標の「カルピス」が使用されたからといって、そのことが直ちに普通名称化に結びつくとはいえないだろう。『プラダを着た悪魔』が映画になろうがブルーレイになろうが、それによって「プラダ」はハンドバッグの普通名称にはなっていない。

## 「宅急便」との度量の違い！

むしろ、こんな例もある。ヤマト運輸は、同社の登録商標「宅急便」がスタジオジブリの映画『魔女の宅急便』に使用されたとき、題号の変更を求めるどころか、映画に出資し、自社サービスの宣伝のために映画を使ったノベルティグッズを頒布するなど大いに活用している。

今日でも『魔女の宅急便』が金曜ロードショーなどで放送されると、ヤマト運輸は公式ＳＮＳで言及するなどＰＲしている（図３）。それによれば、「**今でも入社理由に魔女の宅急便を見て、と言ってくれる方がいらっしゃいます**」[注5]ということすらあるという。「宅急便」も、ときどき宅配サービスについての普通名称と勘違いされることはあるが、『魔女の宅急便』によって普通名称化が進行するどころか、むしろ同社はこれをブランドのＰＲや認知向上に着実に結び付け、それがリクルーティングにまでつながっているのだ。

ヤマト運輸の対応に比べると、カルピス社はいささか視野が狭く、**そのせいで損をしている**ようにも思えるのである。

ヤマトグループ
@yamato_19191129
#魔女の宅急便 魔女の宅急便 の公開に合わせて全国の宅急便センターで「心を暖かくする宅急便です」ポスターを貼っていました。今でも入社理由に魔女の宅急便を見て、と言ってくれる方がいらっしゃいます。
#ヤマト運輸
こころを暖かくする宅急便です。
KIKI
魔女の宅急便
宅急便
午後9:38 · 2020年3月27日 · Twitter Web App

図３

## バカ正直な許諾申し入れが仇に

それにしても不思議なのは、なぜカルピス社は、単行本の発売前に「商標を使うな」とクレームをすることができたのだろうか？　実はその経緯についても、嶽本は単行本のあとがきで丁寧に説明している。以下に引用しよう。

作品をコミック誌『ＩＫＫＩ』で連載していた時、タイトルは『カルピス・アルプス』でした。〔…〕その『カルピス・アルプス』はこうして単行本として上梓《じょうし》する際、改題を余儀なくされました。連載時、「カルピス」という単語はカルピス株式会社の登録商標なので、タイトルとして勝手に使用することは赦《ゆる》されないと聞かされました。しかし僕はどうしても田仲さんの初個展につけられた『カルピス・アルプス』という造語をタイトルとして掲げたかったのです。そこで編集部に交渉して貰い、「『カルピス』はカルピス株式会社の登録商標です。」という一文をクレジットするということで了解を得たのです。が、纏《まと》めたものを一冊の本にすることになった時、カルピス株式会社から、如何なる条件、理由があろうと登録商標をタイトルに使用するのは許可出来ないといわれました。(注6)

これを読むと、何が原因でこの問題が起こったのかがよく分かる。そもそも、編集部が雑誌連載時に**バカ正直にカルピス社に許可を取りにいった**のが誤りだったのだ。もっと言えば、「連載時、『カルピス』という単語はカルピス株式会社の登録商標なので、タイトルとして勝手に使用することは赦《ゆる》されない」という判断が間違いだった（理由は前述の通り）。

小学館の編集部の判断なのか法務部の判断なのかは分からないが、法的には不必要なものを、わざわざ許可をもらいに赴けば、二次利用時（この場合は単行本の出版）の主導権をカルピス社に握られてしまっても仕方がない。

最初から無用の忖度をせずに、法的に問題もなく、カルピスのブランドに不利益も生じさせないと正しく判断して、堂々と無許可で使えばよかったのだ。結果的に、作家の同一性保持権よりも、カルピス社の機嫌を取ることを優先した形になったことは、出版社として反省すべきではないだろうか。

## タイ王国激怒！ヨガトレーナーの軽率な商標登録が外交問題に発展！

# ルーシーダットン事件

**古谷暢基 VS タイ王国政府（注1）**

### 脱サラ・ヨガトレーナーの暴挙

業界で当たり前に使われる一般的名称を商標登録して、業界内から総スカンを喰らう愚か者は少なくない。その中でも、タイ式ヨガのトレーナーなどをしている古谷暢基《まさき》ほど、国際レベルの総スカンを喰らった者はいないだろう。

古谷は、一九九九年に脱サラしてムエタイスクールなどを経営しており、その過程で**「ルーシーダットン」**というタイの整体術に出会う。ルーシーダットンとは、古代タイ王国から伝わる伝統的な整体エクササイズで、訳せば「仙人のセルフストレッチ」という意味である。一八世紀に、時の国王・ラーマ一世が国民の健康増進のために体系的にまとめ、タイ王国中に広めたとされる。現在でもタイ王国政府は、「タイの伝統医学知識」「公共の財産」として、ルーシーダットンの普及と促進に努めている。

### 整体術の一般名を商標登録

これに目をつけた古谷は、二〇〇五年に日本でルーシーダットンを広めるために日本ルーシーダットン普及連盟という団体を設立し、ルーシーダットンのスクール経営や講師の育成などを開始した。そして古谷の目論見通り、ルーシーダットンは徐々に日本でもフィットネスプログラムのひとつとして知られるようになり、女性誌やテレビ番組で特集が組まれるようにまで浸透していった。その結果、競合する他のルーシーダットンのスクールなども現れたようである。これに対抗するために、古谷は二〇〇六年に「ルーシーダットン」を商標登録するという手に打って出たのである。

## 古谷の商標登録の目的は？

**しかし、ルーシーダットンは整体術の一般名称である。**それを商標登録して他のルーシーダットンスクールを排除しようとするのだから、暴挙としかいいようがない。この商標登録の目的について、古谷は以下のように語り、正当化を図っている。

**本国タイランドでも深淵を学ぶことが困難なルーシーダットンの状況に音を上げ、いわゆる一部ポーズを〝捏造〟したり、手に入るごくごく少数のポーズで講師養成や派遣活動を行う一部団体が現れました。**

**それは我々から見れば、注目が集まり始めたルーシーダットンを利用した一時的な〝金儲け〟行為であり、ルーシーダットンのスタンダードが確立する以前に、本来の姿が捻じ曲げて伝えられる可能性を示唆する、大変危険な現象でありました。**

**つまり、当連盟の商標登録目的は独占にあらず、『日本におけるルーシーダットン黎明期において、正当なるルーシーダットンの型と方法を広める為の一時的な〝奇策〟』という位置づけで、スタートした事を、ご理解いただけるかと思います**（注1）。

まったくご理解いただけない言い分だ。要するに、自分とは違うやり方でルーシーダットンを広めようとしている他の団体の営業行為を「金儲け」と称して排除し、日本で自分だけがルーシーダットンを営利事業として扱えるようにするために商標登録したというのだ。**これを「独占目的」といわずになんと呼べばいいのだろうか。**「書道」や「空手」を商標登録して、自分と異なる流儀の書道教室や空手道場の営業を妨害するようなものだ。

この「奇策」に対し、当然、古谷以外のルーシーダットンの事業者は猛反発。前掲・古谷に言わせれば「**当登録商標政策に対しまして、一部の心無い同業者が、意図的に我々の意図を捻じ曲げる、あるいは攻撃的に中傷するケースが見られました**」とのことだが、ルーシーダットンのスクールを運営するうえで当然に使えるはずの「ルーシーダットン」の名称独占を目論まれては、反発は当然だろう。

## タイ国政府が激怒した！

そしてこの反発は、思わぬところにまで飛び火することになる。いったいどうやって知ったのか、日本における古谷の商標登録の一報が、**海を越えてタイ王国に伝わり、**タイ国民の不興を買ったのである。タイの新聞『ザ・ネイション』は、このニュースを**「商標問題をめぐり、政府が東京に激怒」**との見出しで、一面トップで報じている（**図1**）。

**タイ王国政府は、昨日、日本の外務省に苦情を申し立てた。日本のビジネスマンがタイ古式エクササイズの名称を商標登録するのを阻止するためだ。マスカイ《ママ》・フルヤは、彼のタイ式マッサージとヨガの事業のために、「ルーシーダットン」の商標を日本国特許庁に出願している。ルーシーダットンは、ラーマ一世の時代にまでさかのぼることのできる、タイ式エクササイズである。古谷の会社のウェブサイトは、ルーシーダットンをタイ式マッサージとして動作の写真とともに宣伝しているが、古谷以外のタイ式マッサージ業の事業者によるこの単語の使用が禁じられる懸念がある。**（注2）

# Govt twists and shouts with Tokyo over trademark move

■ *The Nation*

THE GOVERNMENT yesterday lodged a complaint with the Japanese Foreign Ministry in a bid to prevent the name of an ancient Thai exercise from being registered as a company trademark by a Japanese businessman.

Maskai Furuya has applied to the Japan Patent Office (JPO) to trademark the Thai phrase and his English translation, "Rusiedutton", for his Thai massage and yoga business.

*Rusie Dut Ton* ("Hermit Body Twists") refers to a style of posture-based Thai exercise that can be traced back to the reign of King Rama I.

Although Furuya's company website purports to promote the exercise as Thai massage, along with pictures of the postures, there are concerns that anyone else trying to use the term, especially operators of Thai massage businesses, will be prohibited from doing so.

"We can't let that happen, as everybody knows *Rusie Dut Ton* belongs to Thais. It can be traced back to the era of King Rama I," said Public Health Minister Pinij Charusombat.

Pinij said that if the trademark has actually been registered, the Thai government must talk to Japan.

Traditional and Alternative Medicine Development Department director-general Wichai Chokewiwat said the Department of Intellectual Property (DIP) sent a letter opposing the trademark registration to the JPO yesterday.

He said that while the Thai government only had until Monday to voice its opposition, they still had up to five years to petition the JPO to cancel the registration, if it had already approved it.

However, the latter case would require a complicated and expensive legal process, he said.

He also said that it was unclear whether Furuya had asked for registration of the name as a trademark or copyright. But the documents seemed to indicate that trademark registration was more likely, he said.

*See Trademark* **[2A]**

図１

## 軽率な商標登録が国際問題に

この件について、タイの保健省大臣は「**ルーシーダットンがタイ王国に帰属することは誰もが知っていることだ。本件を放**

置することはできない。**もし本当に商標が登録されるなら、タイ王国政府は日本政府と協議する必要がある**」（前掲紙）と発言。また、保健省、商務省、外務省、タイ国立調査評議会、在日タイ大使館などの数々の政府機関が、**続々と日本政府に対し抗議や遺憾の意を表明している。**最終的には、タイ王国政府商務省知的財産局が、古谷の商標登録を取り消すための異議申立を提起するに至った。なんと一個人の軽率な商標登録が、外交問題にまで発展してしまったのである。

## 古谷、タイ王国に歯向かう！

こんな状況になってしまえば、普通は自らの過ちに気付くはずである。商標登録は、抹消登録という手続きによって、自ら権利を放棄することができる。古谷に良心があるならそうすべきだったのだが、彼はタイ王国政府からの異議申立に真っ向から反論し、なおも自らの商標登録を維持することに固執したのである。**タイ王国政府と日本の一私人**が、商標登録を巡って争うという前代未聞の事件に発展したのである。いやはや、まったくいい度胸してるよな。

そして古谷の反論の内容は、まさしく厚顔というべきものだ。曰く、自分は日本ルーシーダットン普及連盟を主宰し、日本ではほとんど知られていなかったルーシーダットンの普及と進展に努めているから、「ルーシーダットン」という言葉は、「むしろ『日本ルーシーダットン普及連盟』の『タイ式ヨガ』として周知著名になっていたというべき」とのたまったのだ。

## 単に一般名称が広まっただけ

圧倒的な詭弁である。日本でルーシーダットンを普及させたのが古谷だったとしても、そもそもルーシーダットンは伝統的なタイ古式エクササイズを指す一般名称であり、古谷もそれを前提にルーシーダットンを広めたのだから、単に一般名称として国内で普及していったに過ぎない。それを、あたかも古谷が自社ブランドとして広め、自社ブランドとして周知著名になったかのように主張するのは、我田引水も甚だしい。

古谷もまた、エセ商標権者の多くが陥る、ある言葉が「一般名称として広まること」と、「自己のブランド（商標）として広まること」の**区別がついていない**のである。ティラミスやタピオカや台湾カステラがいくらブームになっても一般名称であるように、ルーシーダットンがいくら広まろうと一般名称である。

### 古谷のエラソーな負け惜しみ

日本の特許庁も、古谷の言い分を全面的に退けている。特許庁は、「ルーシーダットン」を、**「タイ王国において古くから伝わる、呼吸法・瞑想法を用いた自己整体法の名称」**であるとし、古谷の運営するタイ式ヨガのブランド名とは認めなかった。

そして、タイ王国政府の主張通り、ルーシーダットンは、タイ王国にとって歴史的にも保健政策上も重要な位置づけの公共的文化財産であると認定。そのような単語を、日本で一私人が商標登録することは、タイ王国との国際信義に反すると断じたのである。

こうして、二〇〇七年四月、古谷の「ルーシーダットン」の商標登録を取り消しとする決定が下った。その前月、古谷は負けを察知したのか、こんな一文を日本ルーシーダットン普及連盟のウェブサイトに残している。

**現在ここに、当連盟により、日本のルーシーダットンのスタンダードは礎が完成されました。つまり、我々の商標活用目的は、ほぼ達成したと確信することができます。**
**当に至り、登録商標を開放することを、改めて宣言いたします。**[注3]

おい、何様なんだ!? 相変わらず、自分こそがルーシーダットンのスタンダードを築き上げたかのようにうそぶき、あまつさえ、皆さんも「ルーシーダットン」を使ってよいと上から目線で宣言したのである。実際には、古谷が目をつける何世紀も前からルーシーダットンの礎を完成させているタイ王国政府から盛大に怒られて、商標権を剥奪される身だというのに。**負け惜しみも、ここまでくると芸術的**である。いったい誰がありがたがるんだ、この宣言を。タイ国民の神経を逆なでするだけだとしか言いようがない(注4)。

**器が小さ過ぎる！元同僚のプロフィールに理不尽訴訟しもちろん敗訴！**

# 第二・ルーシーダットン事件

**古谷暢基 vs 己抄呼（注1）**

### 古谷先生再び暴走

エセ商標権を振り回す者は、もちろん、エセ著作権も振り回すのである。前項に続いて、**タイ古式エクササイズ・ルーシーダットンから得られる名声はすべて俺のもの！**という古谷の異様なこだわりが、完全に裏目に出た事件を紹介しよう。

エクササイズトレーナーの己抄呼《みさこ》は、古谷の主宰する日本ルーシーダットン普及連盟のメンバーだった。エグゼクティブ・アドバイザーという肩書を与えられていたから、少なくとも上級管理職級の役職だったと思われる。

さらに二〇〇〇年代後半には、古谷が監修したルーシーダットンの解説書『**5分で効く！効く！ルーシーダットン**』『**乾貴美子のがんばらないで最短キレイ！ルーシーダットン**』という二冊の書籍において、それぞれ「技術指導・DVD出演」「アドバイザー・ポーズ指導」としてクレジットされている。おそらく、古谷の右腕的な存在だったのではないだろうか。

### 同僚の経歴紹介にケチつけ

しかし、その後己抄呼は古谷と袂を分かち、自分の会社を設立し、独自のエクササイズをもとにしたトレーナーとして活動するようになる。エクササイズに関する実用書も多数出版している。そして、己抄呼の立ち上げた公式ウェブサイトには、自身の経歴が掲載されているペー

**主な著書**

- 『くびれスッキリ！ろっ骨エクササイズ』（己抄呼～Misako～著／ソフトバンククリエイティブ社）
- 『5分で効く！効く！ルーシーダットン』メイツ出版（全面指導解説、DVD全面出演指導）
- 『乾貴美子のがんばらないで最短キレイ！ルーシーダットン』自由国民社（全面指導解説）
- 『もっと楽しく！ゆったり長く泳げるコツ50』山海堂（監修）

図1

ジがある。これに古谷が噛みついたのだ。

それは**図1**の通り、「主な著書」と題されたページであり、己抄呼が関与した四冊の著書のタイトルとカバー画像が掲載されている。このうち『5分で効く！効く！ルーシーダットン』と『乾貴美子のがんばらないで最短キレイ！ルーシーダットン』（以下、合わせて「ルーシー本」）は、前述の通り、己抄呼が日本ルーシーダットン普及連盟所属時代に関与し、また古谷が監修した書籍である。

古谷は、この二冊のルーシー本が、「己抄呼の『主な著書』」として紹介されていることが気に食わなかったのだ。己抄呼に対し、**「あれはオレの著書だ！削除せよ」**と要求したのである。

器が小せぇ～～～。失礼。思わず投げやりになってしまった。しかし、冷静に考えても**なんという人間性の小ささだろうか。**別に己抄呼は、自分がまったく関与していない書籍をむやみにプロフィールに載せたわけではない。もしエクササイズトレーナーのプロフィールに「主な著書／『ノルウェイの森』『1Q84』『騎士団長殺し』」などと書いてあったら、「ちょっと待てよ」という話になるかもしれないが、そんなことはしていないのである。

## まったく問題ないプロフィール文

両ルーシー本の目次や奥付を確認すると、己抄呼の名前と顔写真までしっかりと載っており（図2）。なお『乾貴美子のがんばらないで最短キレイ！ルーシーダットン』では濱田美沙子名義）、彼女が制作者の主要な一員として関与していることは事実なのである。それを、自分のプロフィールで「主な著書」として挙げることは、ウソでもなんでもない。

ましてや、己抄呼はプロフィール上、『5分で効く！効く！ルーシーダットン』のタイトルには「全面指導解説、DVD全面出演指導」と、『乾貴美子のがんばらないで最短キレイ！ルーシーダットン』のタイトルには「全面指導解説」と、各書籍の奥付に準じる注記をカッコ書きで添えており、自分がどのような役割でこれらの書籍に関

◉プロフィール

監修
古谷 暢基（ふるや・まさき）
日本ルーシーダットン普及連盟代表。早稲田大学商学部卒業後、外資系石油会社に入社、販促・宣伝・人材育成部門などで活躍。また在任時に、慶応ビジネススクール経営管理研究科（MBA）アントレプレナー（新規ビジネス開発）部門を履修。退職後、総合格闘技ジムおよび本邦初の女性専用ムエタイスクールを立ち上げ、話題を呼ぶ。その後、タイ古式マッサージの総本山ワット・ポーで知己を受け、ルーシーダットンの研究活動に入る。2005年4月に『日本ルーシーダットン普及連盟』として、対外的活動を開始。現在、日本におけるルーシーダットンの第一人者として普及活動に東奔西走、講演・テレビ・雑誌等に数多く出演中。また、数々の健康促進ビジネスのコンサルタント、プロデュースも手がけ、特に『美容と健康の国、タイランド』の文化の伝道師として、ムエタイ、タイ古式マッサージ、タイハーブ料理等をキーワードにした新ジャンルは、各方面の注目を浴び続けている。
http://www.rusiedutton.com

技術指導・DVD出演
己抄呼
Sports Exercise Desiner
~Misako~
日本ルーシーダットン普及連盟エグゼクティブ・アドバイザー。NPO法人日本総合健康指導協会副代表理事。"カリスマ健康指導者"として、企業、医療機関、自治体等、全国で年間約200本以上の指導者育成研修、健康講演を精力的にこなす。明確で説得力のある指導理論と独創的な視点・発想によるオリジナリティ溢れる指導法は、受講者はもとより、専門家からの評価も高い。

スチールモデル
牧野 里砂（まきの・りさ）
（ギュラ）
雑誌、広告で活躍中のモデル。ヨガインストラクターのライセンスを取得し、自由が丘のヨガスタジオ「GLLOW」で教えると同時に、撮影で出会ったルーシーダットンにもはまっている。

図 2-1

STAFF

SUPERVISOR
MASAKI FURUYA
古谷暢基
日本ルーシーダットン普及連盟・代表

COVER MODEL
KIMIKO INUI
乾貴美子
タレント・本誌ナビゲーター

ADVISER／MISAKO HAMADA
濱田美抄子
日本ルーシーダットン普及連盟・エグゼクティブ・アドバイザー。NPO法人日本総合健康指導協会理事。本書では、ポーズのポイント解説や指導を担当。厚生労働省公認・健康運動指導士ほか多数の資格を保持し、フィットネス界のカリスマと呼ばれる。

COMMENTATOR／TAKAYUKI NAGATA
永田孝行
健康科学博士。東京大学大学院医学系研究科にて肥満と代謝を研究後、(株)TNヘルスプロジェクトを設立。本書では、医学的な見解からルーシーダットンの効能を解説。著書に『低インシュリンダイエット』『10daysポイントダイエット』などがある。
http://www.TN-HP.com/

MODEL／ASAMI YASHIMA
八嶋麻実
モデル兼ヨガのインストラクターとして活動中。シンクロナイズドスイミングで全米大会出場経験を持ち、その運動能力の高さとしなやかなカラダを活かし、多くの女性誌や広告で活躍中。

図 2-2

与したかをしっかりと明示しているのである。

**十分に正当かつ誠実なプロフィールであり、古谷がキレるべきこととは到底思えない。**自分のもとを去っていった己抄呼に対する私怨がそうさせているのではないかと勘繰ってしまうが、もしそうだとすればなおさら器が小さい。

あまつさえ、こんなことで訴訟沙汰にするとは狂気の沙汰である。古谷は、このウェブサイト上の表記について、著作権法の氏名表示権侵害であるとし、己抄呼の会社に対し一〇〇万円の損害賠償金を請求しているのだが、かなりムチャクチャな主張である。

## 明らかにエセ著作権

氏名表示権とは、著作者が、作品の公表に際し、氏名を表示するか否か、表示するとすれば実名か、変名（ペンネーム）かを決定できる権利である。例えば村上春樹が新刊の出版に際し、「今度の新刊では、村上春樹の名前は出したくない。ボブ・グッチョーネ・ハルキ名義で出します」と言えば、出版社は「いやちょっとそれは……」と思っても従わなければならない。そういう権利である。

ウェブサイト上で、書籍のタイトルだけを掲載する際、そのタイトルに著者名を添えて表示することを強制できる権利ではないのだ。もしこれが氏名表示権になるとしたら大変なことである。ネット書店や図書館の蔵書データベースで、多数の著者が関わっている書籍については、著者名が「○山×男 他」などと省略して表示されていることがあるが、「他」にまとめられた著者の氏名表示権侵害ということになってしまう。まったくお門違いの権利主張であり、まさしくエセ著作権というほかない。**当然、古谷が敗訴している。**

## 粘着気質な無理筋控訴

ここでおとなしく引き下がればいいものの、古谷は弁護士を解任して控訴し、「インターネット上で自己の書籍著作物について第三者の著者であると偽られない利益」という聞いたことのない利益を侵害する不法行為であると主張。かなり突飛な主張であり、仮にそんな利益が存在するとしても、法的には容易に保護されまい。

実際、裁判所の判断は、古谷の主張を根底から覆す内容だった。裁判官は、ルーシー本における古谷の肩書きが、いずれも「監修」であることに着目。著作権の世界では、監修者は一般的に著作者としては認められない。少なくとも、「監修」の肩書きがあることを以って、その人がただちに著作者であると推定されることはないのである。

## 古谷はそもそも著者なのか？

となると、古谷は、自分が本当にルーシー本の著作者であることの立証をしなければならない。**だが、古谷にはそれができなかったのである。**

ルーシー本は、いずれもルーシーダットンの実用書であり、その内容は、モデルの写真を使ったエクササイズのポーズの図解や、タレントやモデルの体験談、ルーシーダットンの歴史の解説などからなる。奥付には、古谷や己抄呼の他にも、「ナビゲーター」「モデル」「ドクターコメント」「取材協力」「執筆」「撮影」「イラスト」などの肩書きで、多数の人物がクレジットされている。これらの中で、**「監修」の古谷がどのような役割を果たしたのかは不明である。**

なお、己抄呼は、ルーシー本の出版社が、日本ルーシーダットン普及連盟代表の肩書きを持つ古谷の名前を「箔付け」として前面に出したに過ぎず、実際には、古谷は「**具体的な著述や編集には一切関与しておらず、仮に関与があったとしても、若干口を出したという程度のものにすぎない**」と主張している。

## 自分が著者と立証できない古谷

一般的に、作家やイラストレーター、カメラマンなどが、自分が著作者であることを立証するには、元の原稿や下描き、写真データ、あるいはそれらを入稿したことを示すメール履歴などを証拠として提出することが多い。だが、古谷が提出できたのは、「明確に覚えていない」「記憶が明確でない」という言葉を添えた自分の陳述書と、ところどころが空欄のままになっている出版契約書くらいだったのだ。これでは、古谷の具体的関与がほとんどなかったと認定されても仕方がない。

その結果、**裁判所は、古谷を著作者とすら認定しなかった。**そうすると、「インターネット上で自己の書籍著作物について第三者の著者であると偽られない利益」を侵害されたという主張の前提が成り立たないから、古谷は敗訴するしかない。

## 著者じゃなかったら何なんだ？

さらに裁判所はダメ押し的に、「仮に控訴人〔古谷〕が本件各書籍〔ルーシー本〕の編集著作者であったとしても」と仮定したうえで、己抄呼もまた「ポーズ指導」などの役割を果たしていたとすれば、彼女もルーシー本の著作者の一員として認められる可能性があるから、**プロフィールページでルーシー本が「主な著書」と表現されることは妥当**であり、直ちに古谷の利益を侵害することにはならない、と認定している。古谷の完全敗訴である。

どう考えてもキレる必要のない元同僚のプロフィールページについて理不尽にキレ、ワケの分からない理屈で裁判沙汰にまでした結果、古谷は裁判所から、「自著」について「あなたは、本当は著作者ですらない」と烙印を押されてしまったのである。

古谷にしてみれば、**「エッ、じゃあオレって……なんだったの？」**とアイデンティティが崩壊しかねない結末であろう。本当になんなんでしょうね、この人は。

## コラム③ エセ商標権ならぬ珍商標大集合！

### エセではないが、へんな商標

商標権にまつわるトラブルや争い事を調べていると、権利としては真っ当なれど、ネーミングセンスとしては変化球で、笑ってしまうものに出くわすことが多々ある。いわば、エセ商標権ならぬ珍商標だ。

通常、商標とはこれから世に問う新商品や新サービスの名称として採用されるものだから、会社で長時間の会議を経て検討したり、担当者や経営者の強い思い入れで決定されることが多いだろう。

にもかかわらず、できあがった商標が妙に腰砕けなものだと、そのギャップにクラクラさせられてしまう。

### 思いつきか、熟考の結果か……

その代表格がダジャレ系商標だ。ダジャレや語呂合わせは、インパクトがあり、人々の記憶にも残りやすいのでよく採用されるが、「よく思いついたな！」と唸るものから、「何時間も考えてそれかい!?」というべきものも多い。

例えば中古マンションを販売する不動産会社の登録商標「立地がリッチ」(注1)はどうだろうか。確かにマンション選びで立地は大事だが、「布団がふっとんだ」を思わせる小学生級のダジャレである。「立地がリッチ。これが当社のモットーでして」などと毎回言わされているのだろうか。ここの営業マンは。

パナソニックの登録商標「いきあたりバッテリー」(注2)もいい。もちろん充電器の商標だが、いい加減そうで、本当に充電できてるのか？と不安になりそう。ドラえもんのひみつ道具っぽい響きもある。ドラえもんといえば、パナソニックは「どこでもドアホン」(注3)というインターホンの登録商標も保有している。開発部門に藤子ファンがいるのかも。

ダジャレに固執し過ぎて、かえって分かりにくくなった商標もある。

グリコが、同社のチョコレート製品「GABA」のために登録した商標「GABAる受験生に[注4]」は、ネスレの「キットカット」が「きっと勝つと」の語呂合わせで受験生から支持を得たことへの対抗だろう。しかし、ガバる受験生……語呂が悪くてなんだか鼻詰まりみたいになってしまった。「受験前に風邪でも引いたらかえって縁起が悪い!」と言われたのかどうかは定かではないが、実際のパッケージでは「GAんBAる受験生に」に変更されていた(商標も再登録された)。

## あったらいいな、ダジャレ商標

ダジャレ商標といえば小林製薬が有名だ。発熱時におでこに貼る冷却シート「熱さまシート」、内臓脂肪を落とす「ナイシトール」などが知られるが、商標登録されたものの中には、ややマイナーな商品名や、ボツになったダジャレ商標も多数ある。

物忘れに効くのであろう、記憶力を維持するサプリメントの商標「キオクリア[注5]」。逆に記憶を消去されそうな気もするのだがどうだろうか。

同日に出願された、この商品のボツ案と思われる商標に「ワスレス」「キオクール」「ノウクリア」などがある。「ワスレス」とは、「忘れ」を「レス(ーess)=減らす」ことからのネーミングだろうか。よく考えるよなと感心してしまう。筆者としては、「キオクリア」よりも「ワスレス」の方を推したいところだ。

同社の子会社で、カイロを製造販売する桐灰小林製薬の商品のための商標も見逃せない。尻を温める「シリポッカ[注6]」なんて、デスクワークの作家業としてはかなり欲しくなる。

一方「キリダンボ[注7]」はどうだろう。もしかして、秋田名物「きりたんぽ」と「暖房」をかけてる……? 確かにきりたんぽ鍋は温まるが、「きりたんぽ」「暖房」「カイロ」のイメージがそれぞれ絶妙にズレており、「どういう意味?」と考え込んでしまう。ちなみに「ホッカイロ」は興和の登録商標。

## ダジャレと思いきや本気!?

インパクトで筆者一押しなのが、大阪で生花店を運営する企業が商標登録する「球根で求婚」（注8）。するか!? 球根と求婚を結び付けたことがなかったから、これには虚をつかれた思いだ。

だが商標権者は本気のようで、九月五日（九と五で球根・求婚の語呂合わせだ）を「球根で求婚記念日」と制定。二〇二二年には一般社団法人日本記念日協会にも認定されている。「バレンタインデーとは逆に、男性から女性へ求婚（プロポーズ）をするきっかけ作りとして、この日に球根をプレゼントして欲しい」（注9）という思いが込められているそうである。

思いきりよくホワイトデーを無視し、菓子でもなんでもない球根を贈れ！という強引さが素敵だ。だが、よくよく考えてみればプロポーズには花がつきものだし、それが球根になってもいいのかも……。球根の方が長持ちするしね。だんだん定着しそうな気もしてきました。

## パロディ商標悲喜こもごも

他社商標のパロディは、本書でも見た通り、元ネタの商標オーナーから異議を受けがちだ。怒るのももっともだ、と感じるか、笑って許してやってほしいと思うか、意見も分かれるところである。

キャンプなどで使う簡易用便器の「C－C－MOREN」（注10）（シーシーモレン）という商標がある。サントリーの「C.C.LEMON」（シーシーレモン）のパロディだろうが、よりによっておしっこをレモンジュースになぞらえるかね～。しかし思わず吹き出してしまうのも確か。異議申立などを受けずにやり過ごしている。

「クララが立った」（注11）といえば、名作アニメ『アルプスの少女ハイジ』で、車椅子の少女クララが自分の足で立ち上がる感動シーンのセリフとして記憶されるが、まったく関係ない事業者に商標出願されたことがある。しかもこれ、男性用の精力増強剤のための商標だったのである。おい、「立った」の意味が変わっちゃうだろ！

## あの大物歌手の盛大なカン違い

パロディだとカン違いされて、意外過ぎる異議申立の標的になったのが、日本の女性歌手・椎名林檎である。自身の個人事務所名義で、アーティスト名の「椎名林檎／Shéna Ringö」(注12)を音楽関連商品の分野で商標登録したところ、なんとあのザ・ビートルズのドラマー、リンゴ・スターから異議申立を受けたのだ。ま、日本語の「リンゴ」の意味を知らなかったんでしょうなぁ。UKポップ／ロックの関係者から見ると、シーナ・イーストンとリンゴ・スターをダブルでパロディにした強欲ネーミングに見えたのかも。

もっとも、ほどなくして関係者から「あれは日本語でアップルの意味だ」と聞かされたのか、すぐに彼は興味を失い、申立を放置して終了している。

ネーミングなんて誰でもできる、と思われがちだが、実際には、消費者に覚えてもらいやすく、好感を得られやすく、誤解もされず、誰からも文句をつけられない商標を考案するのは、とても難しい仕事なのである。(注13)

# 仏ブランドのムチャクチャな言いがかりに日本のロックバンドが完勝！

# ELLEGARDEN事件

## アシェット・フィリパッキ・メディア vs ELLEGARDEN（注1）

### 強欲おフランス人の大暴走

例えばポップスグループのABBAとアパホテルを間違えることがあるだろうか。ロックバンドのクイーンとクイーンズ伊勢丹を間違えることがあるだろうか。これはそういうバカバカしい事件である。

フランスの女性誌『**ELLE**』（エル。**図1**）を発行するアシェット・フィリパッキ・メディアが、日本のロックバンド**ELLEGARDEN**（エルレガーデン）を商標権侵害と不正競争防止法違反で訴えた。バンド名の一部に含まれる「ELLE」を勝手に使うなというわけである。

図1

理解しがたい要求である。「ELLE」と「ELLEGARDEN」では全体としてまったく異なる。しかも「ELLE」という語は、フランス語で「彼女」（She）を意味する平易な単語であり、フランス語由来の商品名や店名などの一部には頻出する言葉だ。「ELLE」そのものはアシェット社の登録商標だとしても、「ELLE」

を含む言葉をすべて独占しようとするのは強欲といわざるを得ない。ちなみに、ＥＬＬＥＧＡＲＤＥＮのバンド名の由来はフランス語の「ＥＬＬＥ」ではなく、ドイツ語の「ＥＬＬＥ」（エルレ。尺骨《しゃっこつ》に由来する長さの単位）とされる。

### 一切交わらない関係では……

そもそも、女性誌とロックバンドではあまりにも業界が違い過ぎて利害関係が成立しない。一万歩譲って、『ＥＬＬＥ』がロック誌やパンクファッション誌だったならまだ分からなくはないが、『ＥＬＬＥ』誌の媒体資料によれば、同誌読者の平均年齢は四三・二歳、世帯年収の平均は一四七〇万円、読者の六割は二〇万円以上のバッグを購入する層だというのだ。これはもう、セレブなマダム向け雑誌である。

翻って、この事件が起きた二〇〇六年当時のＥＬＬＥＧＡＲＤＥＮのファン層は、一〇～二〇代のロックキッズである。**あまりにも顧客層が違い過ぎる**。「ＥＬＬＥ」を一部に含むこと以外の共通項が一切なく、「なぜ訴えた!?」と疑問に思わざるを得ない。

### 理不尽事件のきっかけは？

事件のきっかけは、ＥＬＬＥＧＡＲＤＥＮが活動初期に使用していた「ＥＬＬＥ」と「ＧＡＲＤＥＮ」が二段に分かれたバンドロゴ（**図２**）の入ったアルバム『Don't Trust Anyone But Us』（**図３**）を見つけたアシェット社が、ＥＬＬＥＧＡＲＤＥＮ側に使用中止を求めて警告したことだった。

このとき、バンドの所属事務所は侵害を認めたわけではないものの「メンバーのプライドを守るために、石橋を叩いても渡らないような万全を期す（注２）」べくＣＤを回収し、「ＥＬＬＥＧＡＲＤＥＮ」の一続きのロゴに差し替えて再出荷している（**図４**）。

図２

図4

図3

## 調子に乗ったクレーマー

ここまででアシェット社は矛を収めておけばいいものを、調子に乗った同社は、今度はELLEGARDENのコンサートグッズであるTシャツ、リストバンド、ステッカーやバンドスコアなどにおける「ELLEGARDEN」の一続きの表示にも噛みつき、次々と使用中止を求めて警告したのである。**「悪いと思ってんならコレも止めろ、アレも止めろ」**とは、いかにもなクレーマーである。

この警告にELLEGARDENが応じなかったので、訴訟に至ったというわけだ。なお、前記のアルバム『Don't Trust Anyone But Us』に関しては、述べたように自主回収はされていたものの、CD製造業者の手違いにより、旧デザイン版が一部増刷され市場に出回っていたことから、こちらも改めて差止請求訴訟の対象とされている。

しかしながら、繰り返すが「ELLE」と「ELLEGARDEN」とでは、**シンプルにまったく似ていない**。

また、「ELLEGARDEN」と表示されたコンサートグッズやバンドスコアが、『ELLE』誌と関係する商品だと誤解されることもあり得ない。そもそもこれらグッズは、当然にELLEGARDENが何たるかを十分に理解しているファンに向けた商品である。また、**図5**に示す通り、各グッズにはパンクバンドらしいドクロのモ

図5

チーフや、他のグッズにも、血の滴りや「DEAD」や「SHIT」といった禍々しい表現が伴っているのである。**セレブ向け女性誌とは真逆のイメージ**であり、両者が混同されることなど、常識的に考えられないだろう。

## 苦しい主張のオンパレード

　実際、混同可能性についてのアシェット社の言い分は苦しいものだった。例えば、ウェブ検索で「ELLE」の服飾品を検索したい人が、検索サイトで「ELLE」と入力すると、ELLEGARDENのウェブサイトも検索結果に表示されてしまうなどと被害を訴えている。

　でもこれは、**「インド」と検索して「インドネシアの情報も出てきてしまう」**などと言って勝手にキレているのと一緒である。同じ文字列が含まれている以上は当たり前の話であって、当時のウェブ検索とはそういうものだったとしかいいようがない。それを「インドとインドネシアが似ているのが悪い。インドネシアは改名しろ」などと言う人はいない（なお、今日のウェブ検索は精度が高まっており、入力した検索ワードを接頭に含む別のワードはそもそも検索結果に表示されにくくなっている）。

　さらに、「ELLE」の服飾品をネットで探そうとして、ELLEGARDENのウェブサイトにアクセスしてしまった人は、そこから何クリックかすれば、ELLEGARDENのサイト内のツアーグッズ通販ページに辿り着いてしまうのだから、混同のおそれがないとはいえないとも主張した。……いや、アンタの雑誌の読者は、そんなにバカなのか!? **フィルタリングが必要な子どもか!?** 関係ないサイトに入ってしまったことくらい、絶対に気付くはずである。

**まさかの地裁判決！**

こんな詭弁しか展開できないのだから、ＥＬＬＥＧＡＲＤＥＮが負けるはずのない裁判だ。ところが、東京地裁はアシェット側の主張を基本的に認容し、なんとグッズの大部分の差止請求が認められてしまう。主な理由は、「ＥＬＬＥＧＡＲＤＥＮ」は「ＥＬＬＥ」と「ＧＡＲＤＥＮ」（庭）という別々の単語に分解することができ、「ＥＬＬＥ」は著名ブランドだから印象に残るというのだが、**かなり無理のある判決だ。**『羊たちの沈黙』のアンソニー・ホプキンスを「アン」「ソニー」「ホプキンス」にムリヤリ分解して、著名なソニーの商標権侵害だといっているようなものである。

当然納得できないＥＬＬＥＧＡＲＤＥＮは控訴。ここで彼らは本気を出し、アシェット社と無関係な他社の「ＥＬＬＥ○○」の登録商標や商品名の例を多数提出し、ＥＬＬＥは平易なフランス語で一般的に使われており、アシェット社の「ＥＬＬＥ」は、縦長のロゴタイプ（**図6**）によってこそブランドとして認識されているに過ぎないなどと、怒涛の反論を展開。

さらに、この裁判で揉めている間に、バンド自体はめきめきと躍進を続け、インディーズバンドながらアルバムとＤＶＤが総合ヒットチャートで週間一位を獲得し、シングル盤はインディーズチャートで年間一位、二位を独占するなど、知名度を高めていたことも後押しとなった。

こうした実績を証拠として示しながら、彼らは「ＥＬＬＥＧＡＲＤＥＮ」自体の著名性も力強く主張し、そんな自分たちが、「ＥＬＬ

ELLE

図6

E」とはまったく異なる態様で活動しているにもかかわらず、**バンド名の使用を制限されることは、表現の自由の侵害**だと訴えたのだ。

## 控訴審の判断は……？

こうした主張を受け、知財高裁は、今度はＥＬＬＥＧＡＲＤＥＮ側の主張を全面的に認める至った。

「ＥＬＬＥ」の商標については、「**極めて簡単な構成からなっており、しかも、その原義はフランス語として極めて普遍的な代名詞**」と、その「ショボさ」を認定。

そして、両商標が混同される可能性については、ＥＬＬＥＧＡＲＤＥＮのグッズのデザインが「ＥＬＬＥ」のイメージとまったく異なるパンクロック調であることや、デパートなどの一般市場ではなくライブ会場やバンドの公式サイトで販売されるツアーグッズである点、バンドの活動実績などを踏まえ、「およそ重なる余地がないものといわざるを得ない」「商品の出所の混同を来す場合があるとは容易に想定し難いというべき」と全面否定に転じた。

最終的に、以下のように述べ、「ＥＬＬＥ」と「ＥＬＬＥＧＡＲＤＥＮ」は非類似の別物と認定している。

**以上述べたところを総合的に考慮すると、被告標章「ＥＬＬＥＧＡＲＤＥＮ」は、それ自体の体裁、その現実の使用態様におけるイメージ、実際の販売方法、著名なロックバンドの名称として相当程度の期間使用されてきたという事情等からして、〔…〕本件ＥＬＬＥ商標が著名であることを考慮したとしてもなお、「ＥＬＬＥＧＡＲＤＥＮ」という被告標章を「ＥＬＬＥ」部分と「ＧＡＲＤＥＮ」部分とに分断すべきものと解することはできない。**

## エルレの見事な逆転裁判

こうして、ＥＬＬＥＧＡＲＤＥＮはアシェット社に**見事逆転勝訴を収めたのである**。ただし、唯一、最初のクレームの対象になったアルバム『Don't Trust Anyone But Us』だけは差止請求が認められている。

もっとも、このアルバムに関しては、述べたようにELLEGARDEN側は既に自主回収を決めていたことから、最初から争わないことを彼らは宣言していた。裁判においても「判決の結論にかかわらず、以後についても一切使用する意思などない」とハッキリと表明している。(注3)

つまりこのアルバムの処遇についてはアシェット社に何ら反論せず、自ら請求を丸呑みしたに過ぎないのだ。さらに、このアルバムで使われたロゴ（**図2**）の適法性については、注釈で解説する本件とは別件の訴訟(注4)において、合法と認定されたも同然の判決が出ている。要するにアシェット社の主張は、一から十までエセ商標権だったというわけだ。

## フランス企業の暴走を阻止！

実はこの事件以前から、アシェット社は日本で「ELLE」という言葉を含む商品（JOELLE、ELLECLUB、ELLE MARINEなど）を販売する事業者に対する訴訟を乱発し、事業者から恐れられていた存在であった。しかしELLEGARDENに敗訴した後は、こうした傾向は鳴りを潜めている。

「ELLE」を含む言葉の過剰独占を目論んだアシェット社の暴走を食い止めたロックバンドELLEGARDEN。その功績は大きいといえよう。バンドはこの裁判の勝訴を見届けた二〇〇八年に活動休止したが、二〇一八年に同名で再始動。その後も精力的に活動している。

あわやモノマネ四天王がエセ商標権の標的に⁉ 出版社は自己犠牲！

# グッチ裕三事件

**グッチ・ジャパン・ホールディングス vs 小学館**

## 一流ブランドの気軽な警告

一般人や普通の企業が何かしら権利侵害の被害に遭った場合、警告書ひとつ送るにしても、弁護士に相談したり、見通しや費用対効果の心配をしたりと一大事である。

だが、グッチやルイ・ヴィトンなどの高級ブランドの会社は違う。これらの会社は、模倣品やブランド無断使用の被害に遭うことが多く、そうした不正商品への警告や摘発などは日常茶飯事の業務である。

もちろん、悪質な偽ブランド品に迅速に対処できるのはよいことだが、中にはあまりに気軽に警告書を送り過ぎじゃないか⁉ と疑わざるを得ない事案もある。

## あのグッチさんが標的に……

小学館の週刊誌『女性セブン』で料理コーナーの連載を持つタレントのグッチ裕三が、連載をまとめた冊子を『**グッチなごはん**』（図1）の題号で刊行したところ、なんと高級ブランドのグッチ（以下、GUCCI）の日本法人であるグッチ・ジャパン・ホールディングス（現・ケリングジャパン。以下、グッチ社）から警告書が届いたというのだ。

小学館で法務・ライツ局でゼネラルマネージャーを務めた大亀哲郎によれば、グッチ社は「該当書は、『**グッチ**』の表示を使

図1

**用して、グッチの名声にただ乗り行為をしている。また、タレントが手軽で簡単な料理を作るコンセプトで、グッチの高級イメージが汚される**」などと主張し、『グッチなごはん』の発売停止と回収を求めたというのである。(注1)

しかし、グッチ裕三の料理本を捕まえて、GUCCIの名声にただ乗りしているとは、論理の飛躍が過ぎるというか、もはや被害妄想のレベルではないだろうか。「ただ乗り」と批判するからには、『グッチなごはん』を目にした人が、GUCCIブランドを少なくとも想起する必要がある。

## クソリプみたいな警告書

だが、「世界一の料理人グッチ裕三お料理ライブ」のコピーが躍り、グッチ裕三本人の写真が（一〇パターンも！）使われているこの表紙を見て、いったい誰がGUCCIのことを思い浮かべるというのだろうか。**むしろ、イヤでもグッチ裕三の顔が思い浮かんでしまってむさ苦しいほどである。**そして、読者がGUCCIを想起することがなければ、本の内容がどうだろうと、GUCCIのイメージを汚すことなどあり得ない。

どう考えても、送る必要のなかった警告書なのである。書店で『グッチなごはん』を見つけて、ろくに考えもせずに**脊髄反射的に警告書を送りつけたのではないか**と勘繰ってしまう。まるで、SNSに愚痴を書いたら、「それって私のことですよね？傷つきました！謝ってください！削除してください！」などと誤解され、一方的に送られてくるクソリプのような警告書である。

## 警告行為の妥当性は？

この一件について、大亀は**「『グッチなごはん』全体の印象をみるべきで、その一部を取り出して見分ける人はいない」「グッチが表示の一部に混じっても、これは書籍の内容を表示するもので不正競争行為ではない」**(注2)と、警告の妥当性を否定しており、筆者も同感である。

ただ、小学館としては、クレームがグッチ裕三の芸名に飛び火して本人に迷惑がかかってしまうリスクと、ファッション誌などの他誌編集部とグッチ社の広告取引関係に悪影響を及ぼすリスクを考慮して、グッチ社と揉めることは得策ではないと判断。正面からの反論は避け、要求を受け入れたという。

利害関係者への影響を考慮した小学館の対応を否定する気はないが、**客観的には広告クライアントの横暴クレームに屈したという評価が妥当である。**

## 裕三は名前を変えるべきか？

ここで、小学館が身を挺して守ったグッチ裕三について考えてみたい。もし本当にグッチ社がグッチ裕三にクレームの矛先を向けた時、**裕三は芸名を変える必要があるのだろうか。**結論からいえば、その必要はないだろう。

法的には、ＧＵＣＣＩのような著名ブランドには、普通の商標よりも強い保護が与えられている。不正競争防止法は、著名ブランド表示（著名な商品等表示）と、同一または類似の表示を、無断で自己のブランド表示として使用すること自体を規制している（第二条一項二号）。たとえ間違って買ってしまうなどの混同が生じる余地がなくても、商品名や看板として使用すること自体が違法になり得るのだ。

例えば、ＧＵＣＣＩの名を看板に使用したキャバクラや風俗店を見ても、まさかあのＧＵＣＣＩと公式に関係する風俗店だとは誤解しないだろうが、本法によって取り締まることが可能なのである。

**両者は類似しているか？**

ここまでの解説に基づけば、「グッチ裕三」と「ＧＵＣＣＩ」が公式に関係していると思われる余地がなくても、不正競争防止法違反だと主張することは、一応できそうである。

だがしかし、「グッチ裕三」は、「グッチ」の語は含んでいるものの、「ＧＵＣＣＩ」とは**そもそも類似しないというべきだ。**「ＥＬＬＥＧＡＲＤＥＮ」と「ＥＬＬＥ」の関係（１９６頁）にも近いが、名称の一部に有名ブランドと同一の部分があったとしても、それだけで全体として類似するとはいえない。

「裕三」の文字の有無が大きな違いであることに加え、さらに彼は芸能生活四〇年以上のベテラン芸能人である。デビュー当時ならいざ知らず、今日「グッチ裕三」からＧＵＣＣＩブランドを想起する人など誰もいないのではないか。グッチ裕三といえば**グッチ裕三しか想像できない**のである。そうである以上、グッチ裕三がＧＵＣＣＩにただ乗りをしているという構図自体が成り立たない。

**一般的なイタリア人名では？**

しかも、Ｇｕｃｃｉという語はもともとイタリア系に多い一般的な名前であり、人名に含む場合には単にイタリア人の名（もしくはイタリア人の名に由来する芸名）と認識する方が自然である。

グッチの名を名乗る有名人としては、他にも米ラッパーのグッチ・メイン、メイクアップ・アーティストのグッチ・ウェストマンなどがいる。この事実もグッチ裕三に有利に働くだろう。

ＧＵＣＣＩがグッチ裕三にクレームをつけるのは、日本でいえば「ラーメン二郎」がお笑い芸人のハチミツ二郎に「名前を変えろ！」と迫ったり、「太郎寿司」が作家の西村京太郎や杉作Ｊ太郎に「使用料を払え！」と要求するようなものともいえる。

**単なる出演者表示では？**

また書籍の題号同様、芸名が「自己のブランド表示」といえるかも疑問である。「グッチ裕三」自体が店舗名や商品名になっているのならともかく、テレビ番組やコンサートにグッチ裕三が出演する際の「グッチ裕三」の表示は、単に出演者が誰であるかの説明である。

以上の検討から、グッチ裕三がグッチ社との関係で商標権侵害や不正競争防止法違反となるおそれはないと判断できる。グッチさん（裕三の方）、安心してください(注3)。

ちなみに、小学館がグッチ社から警告書を受け取って以降、グッチ裕三の連載は合計三冊の単行本となり、同社から刊行されている。**『グッチ裕三のうまいぞおザ・ベスト』**（二〇〇七年）、**『元気が飛び出す めちゃうまごはん』**（二〇一一年）、**『まいにち裕三 無敵ごはん』**（二〇一六年）である。

後の二冊の題号に「グッチ」の三文字が入っていないのは、やはりグッチ社への忖度なんですかねぇ。

あの大ヒット曲はアップルのテーマソング？ 世界のりんごは俺のもの！

# ペンパイナッポーアッポーペン事件

**アップル vs エイベックス、ピコ太郎**（注1）

**商標いじめのツートップ**

カリフォルニアのある法律事務所が、「Find a Trademark Bully」（商標いじめの犯人を捜せ）というサイトを運営している。（注2）米国で、他人の商標出願に異議申立をしかけた権利者のランキングを発表しているのだ。異議申立制度自体は、便乗ブランドを排除するために必要な制度だが、件数があまりに多過ぎれば「商標いじめ」の可能性があるというわけだ。そのランキングによれば、歴代いじめ件数第一位はモンスターエナジー（32頁参照）だが、第二位にはアップルが追随している（**表1**）。

アップルが特に腐心しているのは、「アップル」という商標の独占だ。日本の子どもでも、最初に覚える英単語はpenかappleかのどちらかといったところで、このうえなく平易でありふれた単語だ。「アップル」が電子機器において有名ブランドなのは誰もが認めるだろうが、それでも、ありふれた果物の名前の独占に固執し過ぎれば、商標いじめともいわれよう。何せ、その対象はりんごに留まらず、洋梨風のロゴマークや、「PINEAPPLE」（パイナップル）、「BANANA PAY」（バナナ・ペイ）にまで及んでいるからである（**図1〜3**）。**果物全部オマエのものか!?**

pineapple

図2

BANANA PAY

図3

PEAR

図1

各国でアップル社から異議申立を受けた商標

## ピコ太郎にイチャモン

日本においても、アップルは「商標いじめっ子」の称号に恥じない事件を起こしている。レコード会社のエイベックスが商標登録した**「ペンパイナッポーアッポーペン」**に対し、「アップルの商品だと誤解される」「アップルに便乗する意図で採用されている」などと主張して、異議申立を行ったのだ。

「ペンパイナッポーアッポーペン」とは、二〇一六年に世界を席巻したピコ太郎の楽曲名だ（**図4**）。曲にのせて、ピコ太郎がりんごとパイナップルをペンで刺すジェスチャーでダンスする映像がＹｏｕＴｕｂｅで公開されると、ジャスティン・ビーバーがこれをフックアップしたことをきっかけに大ヒット。再生回数は五億回以上、二〇一六年の新語・流行語大賞トップテン入り、レコード大賞や有線大賞でも特別賞などを受賞し、一大ムーブメントとなった。

しかし、のべ五億人のリスナーのうち、果たしてこの曲をアップルのテーマソングと勘違い

図4

したり、アップルに便乗してけしからんと思った人がどれほどいるだろうか。

## 作詞の着想がアップル製品!?

いるわけねーだろと素朴に思うが、アップルの主張を聞こう。アップルによれば、引っかかったのは後半の「アッポーペン」の部分らしい。この部分が、アップルの周知著名な登録商標である「アップル」「Apple Pay」「Apple Pencil」と混同されるというのだ。

さらに、ピコ太郎の「ペンパイナッポーアッポーペン」が発表される一年前にApple Pencilが発売されているという時系列から、作詞の着想は「Apple Pencil」であり、**アップルの商品をもじることで笑いのネタにした**と指摘している。

おまけに「アップル」が「コミックソングの歌詞の一部」に使用されることにより、商標のイメージが毀損されると主張したのである。

## りんごは全部オレのもの

どう考えても**ムリヤリ過ぎるこじつけ**だ。ここから分かることは、アップル社は、アップルの本来の意味である「りんご」を忘れており、アップルと名の付くものはすべて同社のブランドの影響を受けていると病的に思い込んでいるということだ。

そのうち、聖書のアダムとイヴを描いた宗教画にも**「当社のブランドを禁断の果実扱いしている」**とクレームをつけ、パン屋に怒鳴り込んで**「『アップルパイ』は『Apple Pay』から着想された便乗商品だ」**など言い出すかもしれない。

この異議申立は、特許庁によって全面的に退けられた。ピコ太郎の楽曲「ペンパイナッポーアッポーペン」がよく知られていることを踏まえれば、人々は、そこから「アッポー」ないし「アッポーペン」部分のみを単独で抜き出して意識することもないし、あまつさえ、それらを「アップル」ブランドや、「ＡｐｐｌｅＰａｙ」「ＡｐｐｌｅＰｅｎｃｉｌ」と混同することはないと判断されている。またアップル社に便乗する意図があった証拠も見いだせないと一蹴されている。当然の判断といえよう。

## 自分はピコ太郎に便乗！

ところで、アップルの販売するｉＰｈｏｎｅなどに搭載されている人工知能ソフトのＳｉｒｉに「ペンパイナッポーアッポーペン」と話しかけると、何度かに一回の割合で、「I have a Suica. I have an iPhone. Mmm...Apple Pay!」などと、替え歌を歌ってくれた（図5）。なんと、**便乗だと主張した「ペンパイナッポーアッポーペン」に、自分は堂々と便乗しているのである。**理解に苦しむ身勝手さといえよう。

ペンパイナッポーアッポーペン
いいですね! 私もやってみます...
I have a Suica
I have an iPhone
Mmm...Apple Pay!
I have a card
I have a watch
Mmm...Apple Watch!
Apple Pay...
図5

**表1：米国における歴代「商標いじめ」件数ランキング**

| | | |
|---|---|---|
| 1位 | モンスター・エナジー・カンパニー | 「ポケモン」や「モンスト」も便乗と主張するモンスタークレーマー |
| 2位 | アップル・インク | りんごの独占に血道をあげている異常者。「Pod」や「Mac」を含む他人の商標にも過剰反応 |
| 3位 | ケロッグ・ノースアメリカ・カンパニー | 「コーンフロスティ」などでお馴染みのシリアル大手。商標異議申立件数は2000年代までは多かったが、近年は年一回程度と少ない |
| 4位 | トレック・バイシクル・コーポレーション | 自転車メーカー世界最大手。「TREK」を含む他社の商標をとにかく攻撃している |
| 5位 | E&Jガロワイナリー | カリフォルニア州にある世界最大手のワイナリー。「GALLO」「CARNIVOR」など自社ブランドと似た商標を狙う |

Trademarkia "Find a Trademark Bully" All Time Biggest Bulliesにより作成。（2023年11月現在）
https://register.trademarkia.com/opposition/opposition-brand.aspx

## 似ているが違法ではない！ 出版社はクレームから著者を守るべきでは？

# やせるおかずの作りおき事件

**小学館 vs 新星出版社**

### 週末に降って湧いたトラブル

クレームする気持ちは分かるが、違法性があるかというと、簡単には認められないだろうという事件である。

二〇一七年、小学館が、新星出版社から発売されたばかりのレシピ本**『やせるおかずの作りおき かんたん177レシピ』**（著・松尾みゆき。以下、「新星本」）に対し、販売中止の申し入れを行い、さらに申し入れの事実をプレスリリースで公表した。なお新星出版社への申し入れの日は金曜日で、プレスリリースは翌営業日の月曜日である。つまり小学館は、新星出版社の言い分も聞かずに、実質的には申入書の送付から間髪入れずに公表に踏み切ったということになる。

いったい、何をそんなに問題視したのか。リリースによれば、新星本は、先行する小学館のレシピ本**『やせるおかず 作りおき』**（著・柳澤英子。以下、「小学館本」）と、「タイトル、表紙カバーデザインが〔…〕酷似して」おり、「**弊社ムックをお求めのお客様が、意図せず新星出版社書籍を購入してしまうなど無用の誤解が生じる事態が強く危惧されると同時に、『やせおか』シリーズの著者及び弊社の利益を著しく侵害するおそれがある**（注1）」というのが、申し入れの理由であるという。

### 確かによく似ているが……

小学館本（図1）と新星本（図

図1／口絵4頁

図2／口絵4頁

2）を並べてみると、**確かによく似ている**といえるだろう。上部の赤帯、タッパーに入った料理が並んでいる様を上から撮影した構図、左側の縦書きタイトルというレイアウトも同じだ。

　そのタイトルも、『やせるおかず 作りおき』『やせるおかずの作りおき』なんだから確かに紛らわしいといえよう。新星本の方は「かんたん177レシピ」という文言が続くが、副題の扱いだろう。この類似度は確かに節操がなく、小学館が見過ごせないと思う気持ちは分かる。それにしても、相手の言い分も聞かずに、あたかも不正・不法な出版物でのように公に喧伝するという行動は、**大出版社にしてはスマートとは言い難い。**

### 突然のクレーム公表に困惑

　そして、思いもかけずクレームを公表された新星出版社は立つ瀬がないと思ったのか、しどろもどろな対応に終始している。

　彼らは、小学館のリリースと同日に、釈明のプレスリリースを掲出。「**〔新星本の〕内容は当社独**

**自の編集方針によるものであり、〔…〕判型も含めて内容やコンセプトはまったく異なるものであることをお伝えいたします**(注2)」と、一応反論のような見解を発表している。しかし、「タイトルとカバーデザインが酷似」という指摘に対して、内容や判型、コンセプトは異なるという回答は全然噛み合っていない。もしかすると、「タイトルとカバーデザインが酷似していても、判型と内容が違うんだから問題ない」という意図だったのかもしれないが、いずれにしてもあまり説得力がない。

結局、劣勢を覆せなかった新星出版社は、プレスリリースか**らわずか二日後に、新星本を出荷停止とすること（取次・書店に出荷済み書籍の回収は無し）を決定**し、小学館と和解に至ったことを発表した(注3)。これは、異例のスピード決着である。この様子では、いったい何がどの程度の問題なのか、本当に違法性があるのかといった議論は、社内でほとんどなされなかったのではないだろうか。

## 実はありふれたデザインだ

実際、書籍のタイトルが似ている、カバーデザインが似ているというだけで、裁判で勝つのはそう簡単なことではない。

小学館本のカバーデザインに著作権があることは確かだが、それほど強い独占権を認めるべきかというと、かなり微妙である。

同書のカバーデザイン上の最も大きな特徴は、「タッパーに盛り付けた料理を真上から撮影して並べた構図」だろう。しかし、「作りおき」というコンセプトである以上、皿ではなくてタッパーに料理を盛りつけるのは必然的なアイデアといえるし、料理を真上から撮影する構図も、ＳＮＳ映えする料理の撮り方として流行して以降、誰でも考えつくありふれた手法といわざるを得ない。

その証拠に、「タッパーに盛り付けた料理を真上から撮影して並べた構図」の写真をカバーデザインに採用したレシピ本など、**新星本の他にも、他社からいくらでも出ているのだ**（図３～９）。

図3

図4

新星本と小学館本には、タイトルの位置や赤帯のヘッダーという共通点もあり、これが他の類書よりもデザインの類似性を高めている要因だが、これらも

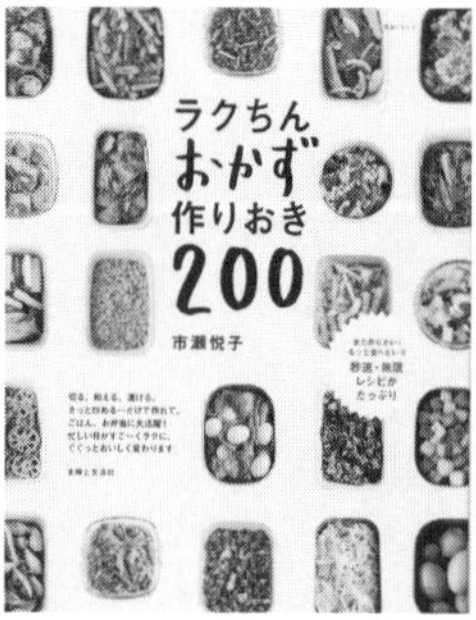

図5

図6

また特定人の独占に適さない、ありふれたレイアウトであろう。

以上の「タッパーに盛り付けた料理を真上から撮影して並べ

図7

図8

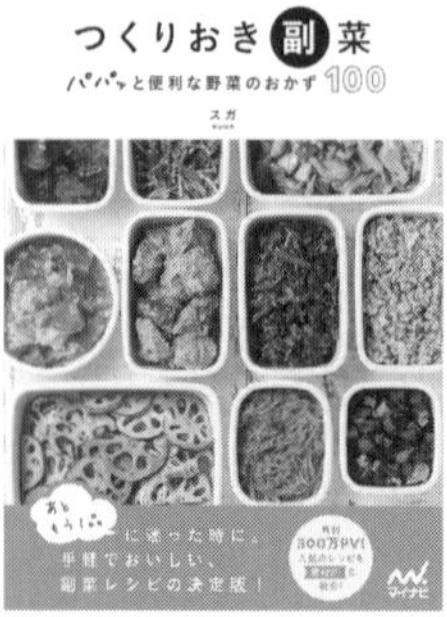

図9

た構図」「タイトルや赤帯のレイアウト」は著作権で保護されないから、新星本の適法性を評価するには、これらの要素は除外して検討しなければならない。すると、小学館本と新星本とでは、料理の入った容器の数や配列、被写体の大きさ、タイトル文字の色、イラストの有無などといった違いが目立ってくる。**著作権侵害にあたらないという評価は十分に可能であろう。**

## タイトルも独占できない

なお、ベストセラー本などの場合、タイトルやカバーデザインが「周知な商品表示」と評価できるレベルで、かつ間違って買われたり、同一シリーズの本などと間違われるおそれがあれば、類似本は不正競争防止法違反となる場合がある。事件当時、小学館本の発行部数は約八〇万部であった。文句なしのベストセラーである（最終的にはシリーズ累計二六〇万部にのぼる）。

もっとも、レシピ本のような実用書によくある説明的なタイトルや、ありふれたデザインは、その普遍性ゆえに、特定人に帰属する「商品表示」としては認められにくい。

かつて一世を風靡した、ゴムバンドを使ったダイエット法の解説本『巻くだけダイエット』（幻冬舎）の著者・山本千尋が、宝島社の類似本を不正競争防止法違反で訴えた事件では、同書は提訴時に実に二〇七万部の発行部数を誇っていたものの、裁判所は、「巻くだけダイエット」のタイトルについて「書籍の内容を表現したもの」に過ぎないとして、商品表示とは認めなかった。(注4)

これを踏まえると、「やせるおかず 作りおき」が商品表示として保護される可能性は低いと考えざるを得ないだろう。

## デザイナーが同じ人だった⁉

加えて、新星出版社にはいくつかの「情状酌量」の余地がある。まず新星本は、実は同社の「作りおきレシピ」シリーズの第四弾の書籍であり、同書の前に三冊のシリーズ本が刊行されているのだ。そしてそのシリーズのレイアウトは、基本的にすべて同じなのである。

第一弾『野菜おかず作りおき かんたん217レシピ』は緑帯＋黄緑色のカバー（**図10**）、第二弾『簡単おかず作りおき おいしい230レシピ』はオレンジ帯＋薄いオレンジ色のカバー（**図11**）、第三弾『レンチンおかず作りおき おいしい188レシピ』はピンク帯＋黄色のカバー（**図12**）。そして、第四弾の新星本『やせるおかずの作りおき かんたん177レシピ』は赤帯＋灰色のカバーで、これが小学館本に似てしまったのである。

しかし、第三弾までは、色彩が異なることから小学館本と殊更に似ている印象までは受けない。新星出版社は、第四弾で露骨に小学館本に似せようと企図したわけではなく、半分は**シリーズのレイアウトを踏襲する必要性**からこのデザインを採用したのではないだろうか。

さらに、小学館本と新星本の奥付を見ると、**なんと装丁者（表紙のデザイナー）が同じ人物なのである。**どちらにも、フレーズ社という、実用書のデザインを多く手掛ける会社の代表者が、アートディレクションとしてクレジットされている。同じ人のデザインなら、手癖もあるだろうし、そのセンスや雰囲気が似てしまうのも仕方がない、ともいえるのではないだろうか。（注5）

図10／口絵4頁

図11／口絵4頁

図12／口絵4頁

## たった二日での判断は拙速だ

以上の通り、新星出版社にも酌むべき事情があり、同情の余地はあるものの、結果として出来上がったカバーデザインがかなり似ていたことは確かである。法的評価はさておき、「結果的には配慮を欠き、不手際だった」と判断して、新星出版社が非を認めたのも分かる。

しかしながら、違法性を問うことは難しく、他社からも類似本が出ている状況にあって、たった二日でクレームを丸呑みし、自ら出荷停止を即断してしまうとは、あまりにも慌てすぎというか、拙速な判断ではなかろうか。**非を認めるにしても、違う解決策を探ることもできたのではないだろうか。**

例えば、次の版からカバーデザインを変更するとか、現行版についても、本の帯を差し替えて、そこで出版社名や著者名を強調することで、小学館本と混同される可能性を低減するといった工夫もできたはずなのである。先行書籍には配慮しつつも、もう少し粘って、出版を継続する可能性を模索してほしかった。

何より筆者が気の毒に思うのは、本の中身にはまったく問題がないのに、**せっかく書いた自著が発行間もなく出荷停止の憂き目にあった**新星本の著者・料理研究家の松尾みゆきである。何せ、初版発行日から出荷停止の決定日まで、たったの二〇日間なのだ。知人に献本などもしていただろうし、出版記念パーティとかやっていたらどうするんだ⁉ 切な過ぎるではないか。

新星出版社が警告書を受領してから出荷停止を決定するまでの、わずか二日余りの間に、果たして彼女は版元から納得のいく説明を得られたのであろうか……。

2023年（令和5年）

1月13日（金曜日）

**二本も四本も「三本」だ!? 稀代のとんちき野郎の独占欲をどこまで認める？**

# アディダス三本線事件

**アディダス vs ニッセン、テスラ、トム・ブラウンほか**

## スニーカーの雄が大暴れ

アディダスといえば、スポーツシューズを代表する巨大ブランドで、そのブランドの特徴は、同社が**「スリーストライプス」**と称する三本線のデザインである（**図1**）。一九四九年以来、同社の商品に採用されている歴史あるデザインだ。

昔からのユーザーは、アディダスのロゴといえば同社が「トレフォイル」と呼ぶ**図2**の三つ

図1

図2

葉調のデザインが思い浮かべるかもしれない。これは一九七二年に採用され、後にコーポレートロゴとなったが一九九七年に廃止され、現在はスリーストライプスをモチーフとした**図3**のコーポレートロゴが使われている（トレフォイルは一部商品にのみ使用されている）。

## 三本線を独占できるのか？

　このスリーストライプス、**極めて単純な三本線**であるがゆえに、商標権や著作権による独占は困難である。七二年にトレフォイルが採用された理由は、知的財産権による保護がしやすい特徴的な商標を採用することで、類似品などに法的に対処できるようにする必要があったからともいわれている。

　しかし一九九七年以降、改めてスリーストライプスをブランドの基礎と位置付けたアディダスは、**本来的には無理筋な「三本線の独占」を積極的に主張するようになった。**二〇〇八年から二〇二一年頃までの集計で、アディダスは三本線の無断使用について世界中で二〇〇以上の警告書を送り、二〇〇以上の当事者間の和解合意を得て、九〇以上の訴訟を提起しているという[注1]。

図3

　本物と紛らわしい模倣品や類似品への権利行使ならやるべきだ。だが同社は、実態として誰もアディダスの商品とは間違えようのない他社のデザインに対しても「スリーストライプスと紛らわしい」などと言いがかりをつけている。明らかに行き過ぎといえるものも多く、**もはやクレーマーの域**といえるのである。

## 四本線に異議申立！

例えば、アディダスは二〇一〇年に日本の通販大手ニッセンホールディングスが商標登録した、靴に関する「四本線」の商標（**図4**）に対して無効審判を提起し、裁判までして争っている。(注2) しかし、**三本線と四本線ではかなり違うのではないか**。線の傾斜角度などの基本構成の共通性から似た印象を与える場合があるとしても、紛らわしいというほどのレベルではないように思える。事実ニッセンも「**二本線以下及び四本線以上で構成されたものまで請求人〔アディダス〕の商標の範ちゅうに含まれるものではない**」と反論し、特許庁も「四本線と三本線の差は歴然」と判断し、一旦これを認めている。

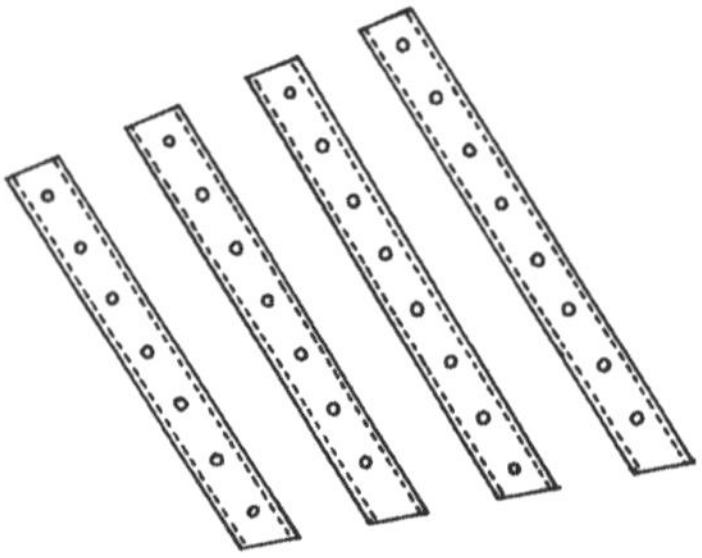
図4

## 稀代のとんち野郎アディダス

ところが、知財高裁に出訴したアディダスはこれに堂々と反論。「四本か三本かの違いは大きな相違点とはいえない」とブチ上げ、その理由を以下のように説明した。

本件商標〔ニッセンの商標〕を構成する4本のストライプの間には3つの余白部分が存在する。当該3つの余白部分は〔…〕必ずしも「余白」として認識されるとは限らず、むしろ3つの余白部分が〔…〕「3本のストライプ」、「3本線」として認識される可能性を否定できない。

つまり、四本線のデザインというが、**線と線の間の余白部分に着目すれば「三本線」に見える**、というのである。

アディダスよ、**お前は一休さんか!?** 「このはし渡るべからず」と告げられておきながら「端ではなく真ん中を渡ってきました」と平然と言ってのける小坊主の顔がどうしても浮かんでしまう。しかしこれには思わず一本取られた。確かにそうとも言えなくもない。知財高裁もアディダスの主張を受け入れ、ニッセンの商標権を無効としている。う〜む。あっぱれじゃ一休。

## 二本線も三本だ？

　とはいえ、このとんち作戦も常に成功しているわけではない。アディダスは、二〇一八年には大手商社・丸紅の子会社で各種靴を販売する丸紅フットウェアが商標登録した「二本線」の商標（**図5**）に対して異議を申し立てた。[注3] そこでも彼らは「**本件商標〔丸紅フットウェアの二本線商標〕が使用された場合、商品の地色等との配色如何により〔…〕ほぼ同幅の『3本のストライプ』を均等間隔で互いに平行に並べた構成の商標として看者を印象づけるものとなり、申立人〔アディダス〕の3本線商標と相紛らわしい**」などと主張している。

図5

## アディダス一休とんち失敗！

　要するに、二本線の間の余白と、二本線の外側に注目すれば「三本線」に見えるという「とんち」なのだが……。う〜む。**これはいくらなんでも苦しいだろう。**線の間の余白を「一本線」というならまだしも、外側は下地として横に広がっているわけだから、これを「線」と捉えるのは無理がある。これを言われたらさすがに殿様も「は？一体何言ってんの？」と返すだろう。

　特許庁も「**わずか2本の図形から構成される本件商標〔丸紅フットウェアの商標〕にあっては、いずれが地色でいずれが商標構成部分かが紛らわしくなることもな**」いとして、アディダスの異議申立を退けている。

## あの大物経営者も標的に

さらに、こうしたスポーツシューズへのクレームのみならず、アディダスの商標いじめは、もはやスポーツシューズとは無関係の事業者までもがターゲットになっている。

例えば二〇一七年、アディダスは電気自動車のテスラに異議申立を行った（注4）。な、なんで？ スニーカーと電気自動車とではまったくもって関係がない。きっかけは、テスラが一六年に発表した新車「テスラ・モデル3」のロゴマークだった。同社が当初発表したロゴは、「モデル3」の「3」を三本線で表現したデザインになっていた（**図6**）。これを自動車の分野のみならず、関連グッズとして計画していたアパレル分野で商標出願したことで、アディダスが噛み付いたのだ。

しかしこれは、三本線といってもアディダスのスリーストライプスとはまったく異なるデザインだ。線の向きも太さも形状も全然違うではないか。しかもこの三本線は、テスラが創業当初から使用する「TESLA」のコーポレートロゴ（**図7**）の「E」の部分のデザインを流用したものである。その経緯を踏まえると、**どう考えてもアディダスに便乗しようだなんて意図は見出せない**し、そもそも、自動車業界で確固たる地位を築いているテスラが、わざわざアディダスに便乗する動機も必要性もないだろう。消費者から紛らわしいと思われる余地もなく、アディダスには何の不利益も与えない。

図6

図7

かなりのイチャモンと思われるのだが、意外なことにテスラはあっさりと引き下がっている。アディダスの異議申立に何ら反論することなく自ら商標出願を取り下げ、「モデル3」のロゴマークに三本線を使うのも中止した。現在は普通に数字の

「3」を使った「MODEL3」のロゴを使用している（**図8**）。テスラのCEOイーロン・マスクは、強気な発言で経済界に物議を醸すことで知られているが、**意外と腰抜け**なんじゃなかろうか？

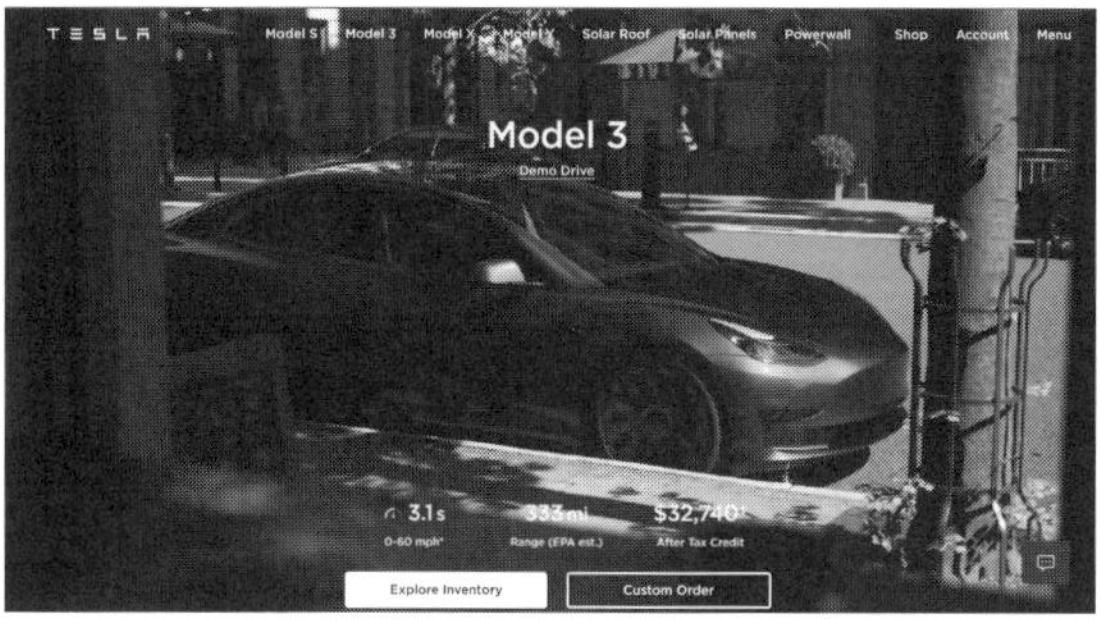


図8

## アディダスに反撃する中小企業

テスラへの異議申立から、アディダスはデザインに関係なく**抽象的に直線が複数並列しているもの**ならすべて自分のものだと思っていることがうかがえる。そしてその憶測が正しいことは、以下の事件の中で明らかになっている。

世界中で他人の「三本線」の商標に異議を申し立てまくっているアディダスだが、二〇一四年に、逆にアディダスがEUで保有する登録商標に無効審判が請求されるという事件が起きた。[注5]散々他人の商標を攻撃してきたアディダスだが、今度は自分自身が攻撃を受ける側に回ったというわけだ。

アディダスに牙をむいたのはシュー・ブランディングというベルギーのスポーツ用品企業で、もともと自身がEUで二本線のロゴを商標登録したことで、例によってアディダスから異議申立を受け紛争になっていた。

この紛争ではアディダスに軍配があがったのだが、一矢報いようとしたシュー社は、アディダスの商標権に対して**「単なるありふれた三本線の図形で、商標権は無効だ」**と、逆に商標権の無効審判請求を行ったのだ。

おお、イーロン・マスクよりもよっぽど気骨があるじゃないか、シュー！

## 大量の証拠で防御を図るも……

対象となったアディダスの商標は**図9**のものだが、権利無効化を免れるには、アディダス側がこれを「ありふれていない図形」であることを立証しなければならない。そのために同社は実に一万二〇〇〇頁にも及ぶ膨大な証拠を提出している。それはスリーストライプスを採用したアディダス商品の歴史や、EU諸国での売上、広告、市場調査の結果などであった。

アディダスの主張を要約すると、一見単純な図形でも、スリーストライプスの長い歴史と莫大な広告投資、高いシェアを踏まえれば、決してありふれた図形ではなく、「アディダス固有のブランド」として十分に認識されているというものだった。

図9

だが、これらは**結果として登録商標の有効性を立証するにはほとんど役に立たなかった。**なぜならば、アディダスが提出した証拠には、**図1**のように斜めの線が連なっているデザインなど、さまざまなバリエーションの三本線が含まれており、登録商標である「**図9**そのものの、黒色で、長い直線が、縦に三本、平行に並んだデザイン」はほとんど含まれていなかったからである。

アディダスは、自社商標の保護対象は、線の長さや切断方法などに関係なく、三本線を等間隔に並べた図形すべてに及ぶと主張していた。つまり**「三本線だったらなんでもアディダスの商標じゃい」**と考えており、だからこそあらゆる形状、スタイルの三本線の使用証拠を提出したのである。

ところがEU一般裁判所はこれを一蹴。アディダスの使用するデザインのほとんどは登録商標と著しく異なり、使用実績として考慮できないと切り捨てたのだ。

## とんちで逆襲されたアディダス

中でも注目すべきが、裁判所が**図10**の使用証拠を切り捨てた理由である。アディダスの登録商標（**図9**）は「白地に三本の黒い線」が並んだ図である。対して**図10**の八つの商品は、いずれも「黒地に三本の白い線」を配したデザインなのだ。これらを裁判所は**「三本の黒い線が並んでいる」**か、そうでなければ「配色が登録商標と逆である」と評価し、どちらにしても証拠としては却下すべきと判断したのだ。わはは。さんざん他人の

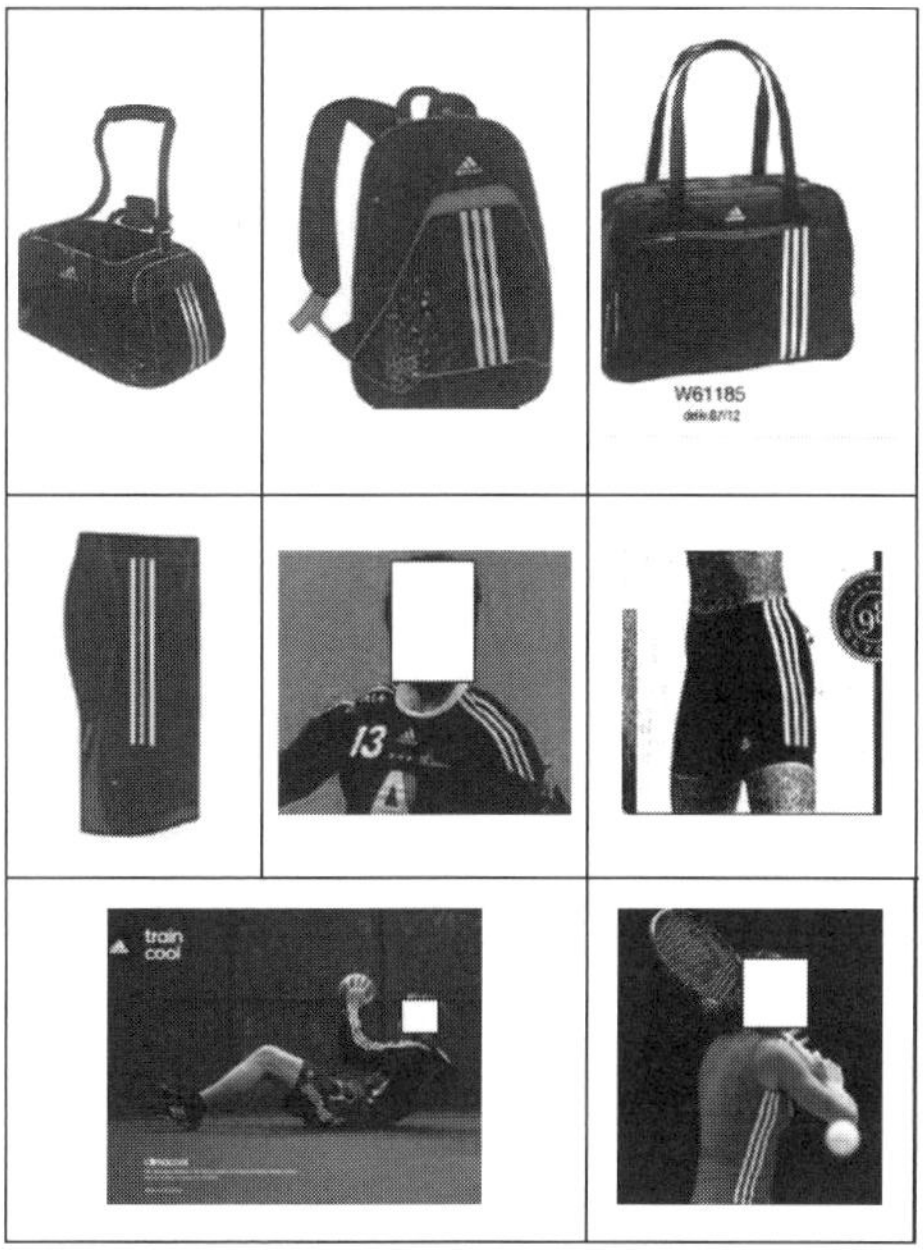


図 10

四本線や二本線をつかまえて**「余白が三本線だ」などと強弁し続けて買った恨みが、仇となって返ってきましたな。**

　こうして、アディダスは登録商標の使用実績の立証に失敗し、二〇一九年に商標権の無効化が決定している。

## 米国では高級紳士服と対決

　これはあくまでEUにおける判断だが、これ以降、各地におけるアディダスの**「三本線狩り」は精彩を欠いてきている**ようだ。二〇二一年、アディダスは米国で高級紳士服のトム・ブラウンをスリーストライプスの商標権侵害で訴えたが、二〇二三年にニューヨーク南部地区連邦地方裁判所において敗

図12

図11

訴している。[注6]

トム・ブラウンは主に二種類のストライプを採用しており、「白・赤・白・青・白」の五本線（「グログラン・シグニチャー」と称される**図11**）と、白の四本線（「フォー・バー・シグニチャー」と称される**図12**）である。

アディダスはこれらをまとめて**「スリーストライプスと紛らわしい二本、三本、または四本の平行線」**と称して商標権侵害を主張。相変わらず「二本だろうと四本だろうと三本線である」という、「いっぽんでもニンジン」を歌ったなぎら健壱以来の**ポンキッキ理論**で、約八〇〇〇万ドル（約一一億円。当時のレートで換算）の損害賠償等を請求した。

## アディダスの敗訴が続く

だが、地裁はアディダスの主張を認めなかった。トム・ブラウンの五本線ないし四本線は、消費者が混同するほどスリーストライプスとは類似せず、また、高級服のトム・ブラウンと、カジュアルスポーツウェアのアディダスとでは顧客層が大きく異なることも考慮して、両ストライプが混同されることはないと判断したのである。[注7]

トム・ブラウンの創業者でクリエイティブディレクターのトム・ブラウン氏は、アディダスとの裁判について「**バカな大企業が、中小企業に対して行った、まったくもって根源的に**

誤った行為だった。**企業がクリエイティブな事をするに際し、カネと時間を使ってこのような行為をする事は正しくない。その事を他のデザイナーに対しても示すために、戦う事が重要だったのだ**(注8)」と述べ、エセ商標権を行使されたことに憤りを述べている。

## 人権団体にはタジタジ

二〇二三年にはアディダスはこんなポカもやらかしている。黒人人権団体のブラック・ライブス・マター・グローバルネットワーク財団が米国で商標出願した「黄色い三本線」(**図13**。なお商標出願の対象は下部の三本線のみ)に対して、異議申立を提起したが(注9)、これをわずか二日後に撤回したのだ。アディダスが三本線に異議を申し立てるのはいつものことだが、**相手が人権団体だとすぐに取り下げる**ことが浮き彫りとなった出来事であった。これはダサい。

人権団体に気を遣うのが悪いというのではなく、二日で取り下げるような異議申立をなぜするのかが問題なのだ。このことは、アディダスが他人の三本線や二本線や四本線に対して権利行使を仕掛けるときは、相手が誰なのか、自社と競合するのか、どの程度の影響があるのかなどはほとんど何も考えることなく、見境なく異議申立や警告書を乱発していることを示している。三本線に見えるものが視界に入ったら条件反射的に襲い掛かっているだけじゃないか。主張内容もほとんど使い回しであり、**これはもうブランド戦略とはいえない。**ほとんど野獣の所業である。それじゃピューマ(プーマ)じゃないか。

図13

## 創業当時の知られざる事情

プーマといえば、最後に一九四九年まで時計の針を戻して、創業当時のアディダスがなぜ三本線を採用するようになったかの経緯について触れておかねばなるまい。

現在スポーツシューズメーカーとして双璧を成すアディダスとプーマは、もともとは同じ会社だったというのは知られた話だ。アディダスの創業者となるアディ・ダスラーと、彼の兄でプーマの創業者となるルドルフ・ダスラーが一九二四年に立ち上げたダスラー兄弟商会がそれである。

実はこのダスラー兄弟商会のシューズには「二本線」のデザインがあしらわれていた（**図14**）。その後、兄弟の不和が原因で一九四九年にアディが独立して立ち上げたのがアディダスなのだが、このときアディはダスラー兄弟商会の「二本線」から自社商品を差別化するために、三本線を採用したという経緯がある。[注10]

図14

つまり、アディダスのスリーストライプス自体、ダスラー兄弟商会の**二本線からの「派生形」**だったのだ。それなのに、自分は他人の四本線や二本線に対して、本当にケチをつけられる立場なのだろうか。わが身を振り返ってよ〜く考えてほしい。

## ポケモンに言いがかり！スプーン曲げ能力者が事実を捻じ曲げまくる！

# ユンゲラー事件

**ユリ・ゲラー vs 任天堂**

### ポケモン初期のトラブル

「ポケットモンスター」といえば、ご存じ世界中で愛されている日本の作品だ。ハローキティ、スーパーマリオ、ゴジラとともに、世界規模に成功した日本のコンテンツキャラクターとして市民権を得ている。だが人気者の宿命か、海外でわけのわからない言いがかりに巻き込まれてしまったことがある。

　最初期のゲームシリーズから登場する**「ユンゲラー」**というポケモンキャラクターがいる。念力・超能力を使うポケモンで、手にはスプーンを持っている（**図1**）。アニメ版では、ピカチュウを意のままに操るなどして負かしていた。

　何百種類もいるポケモンキャラクターの中では、さほど人気があるキャラクターとはいえないが、ある有名人からのクレームで訴訟沙汰となり、注目を集めた。

　その有名人とは**ユリ・ゲラー**。イスラエル出身の〝超能力者〟で、一九七〇年代に、日本を含む各国のショーやテレビ番組で各種の超能力を披露し、時の人となった。特に印象的

図1

だったのが、手に持ったスプーンを念力で曲げたり折ったりする「スプーン曲げ」の能力であった。ブーム鎮静後も、今日に至るまであらゆる機会を捉えて各国のメディアに登場し続けている。

そんな彼が、ポケモンの「ユンゲラー」は自分の名前とイメージを無断使用しているとして激怒。**「日本を含む複数の国で任天堂を訴える」**と、怒り心頭の決意表明を公にぶちまけたのである。

## モデルにしちゃいけないのか？

なるほど。名前とイメージ（念力、スプーン）の一致度を考えると、確かに「ユンゲラー」が、ユリ・ゲラーをモチーフにした可能性は高いだろう。

実は最初期のポケモンキャラクターには、有名人をモチーフにしたものが少なくなかった。例えば、「サワムラー」はキックが得意なキックボクサーの沢村忠、パンチが得意な「エビワラー」はボクサーの海老原博幸がモデルだといわれている（**図2、3**）。

また、ユンゲラーはゲーム上の経験値に応じて姿を変える（進化する）。進化前のキャラクター「ケーシィ」は、米国の予言者、エドガー・ケイシーを想起させるし、進化後のキャラクター「フーディン」はマジシャンのハリー・フーディーニを思わせる。「念力を使う」という設定から、世界の予言者・超能

図2（サワムラー）

図3（エビワラー）

力者・マジシャンからそれぞれ名前を拝借したことが想像できる。

しかし、沢村、海老原、ケイシー、フーディーニの関係者（沢村以外は当時すでに故人だったが）は、いずれもこれらを問題視した形跡はない。この事実からすでに、ゲラーの主張が普通ではないことがうかがえる。

## 誰も法的根拠について答えられない！

実際、この騒動は各国のメディアで報じられたものの、ほとんどのメディアは、ゲラーの訴えの法的根拠について何も述べていない。例外的に、ゲラーの日本人弁護士が英紙取材に対して「これは明らかな著作権侵害だ[注1]」と断言したことがある。しかし、明らかな間違いである。ゲラーは別にユンゲラーの元となったイラストを描いたわけでもなんでもなく、著作権は何ひとつとして関係がない。

これ以外では、ほとんどのメディアが、ゲラーの「私のイメージを無断使用された」との主張をそのまま紹介するにとどまっている。要するに、明確な法的根拠なぞ誰も説明できない単なるイチャモンなのだ。言い換えれば、ゲラーは何ら法的根拠もなく、**単にお気持ちを害してやたらと怒っているだけ**なのである。

## 怒る理由も見当たらない！

そもそも、怒るようなことも思えない。ゲラーは東京滞在中に、「ポケモンカードゲーム」の中の「ユンゲラー」のカード（図4）を目にしたこ

図4

とでこの件を認識したという。まず**「日本語が読めるんだ」**と感心するが、日本語を母国語としないイスラエル人が、日本語で書かれたおもちゃのカードに対して、訴訟を起こすほどの怒りを覚える感覚は理解しがたい。いくら自分の名前とはいえ、異国の言語で書かれたカタカナの「ユリ・ゲラー」に、そんなに思い入れがあるのだろうか。

逆にいえば、中東のアニメにおいて、両手を広げて手前にかざした格好のキャラクターにアラビア語で名前をもじられたMr.マリックが、「ハンドパワーのイメージを無断使用された」とサウジアラビアで訴訟を起こすようなものだが、容易には想像しがたい。

おまけに「ユンゲラー」というキャラクター名は、日本でしか使われていないのだ。実は多くのポケモンキャラクターは、欧米圏では日本語名とはまったく別の名前になっている（中国、韓国では日本語名に近い音の現地語表記が使われることが多い）。当時ゲラーが住んでいたイギリスや、出身地イスラエルを含む欧米圏では、このキャラクターは「ユンゲラー」ではなく、「Ｋａｄａｂｒａ」（カダブラ）という名前なのである。

にもかかわらず、ゲラーは米国、南米、ヨーロッパ、オセアニアでの訴訟を弁護士に指示していたという。いずれの地域にも「ユンゲラー」はいないのに！冷静さを欠いているとしかいいようがない。

## ナチスにこじつけ言いがかり！

さらにゲラーの言いがかりは止まらない。彼は、言うに事を欠いて「ユンゲラー」は自分のイメージを無断使用したうえに、**ナチズムと反ユダヤ主義を連想させるキャラクター**だと任天堂を痛烈に非難したのである。ユンゲラーの額には、ナチスがユダヤ人を迫害するために付した黄色い六芒星（**図5**）に似た模様が描かれており、腹にはナチス親衛隊（ＳＳ）のシンボルマーク（**図6**）に似た模様が描かれているというのだ。(注2)

とんでもない言いがかりである。一目見比べれば分かるが、

図6

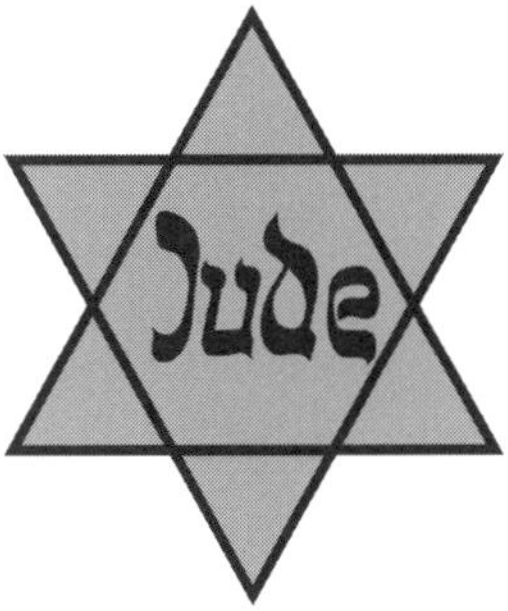


図5

図7

ユンゲラーの額にあるのはただの一般的な星のマークだし、腹にあるのは三本の波線である（**図1、図7**）。全然違うマークなのである。ちなみに、星も三本の波線も、超能力実験用のESPカード（ゼナーカード）で使われるマークだ（**図8**）。

図8

念力を使うキャラクターという設定を考えると、ESPカードから取った模様と考えるのが自然だろう。

## イケアにも過剰クレーム！

いくらスプーンを曲げられるからといって、**ここまで事実を捻じ曲げていいわけがない。**ゲラーの発言の方がよっぽど任天堂に対する信用毀損である。

ゲラーなりに、自分の理不尽なクレームになんとか説得力を持たせようと画策したのかもしれないが、これでは理不尽に理不尽を重ねただけであり、かえって**ゲラーの主張の異常さが強調された**だけである。

いかにも、異常なのである。

実はこの頃のゲラーは、訴訟マニア、**クレームマニア**というべき精神状態にあった。当時、自身の超能力に懐疑的なメディアや批評家に対する名誉毀損の訴えを連発しており、加えて、名前や〝イメージ〟の無断使用にも過敏に反応していた。

例えば、この事件と同時期には、脚が湾曲した（曲がった）デザインのスツールを「URI」という商品名で売っていた

図9

**（図9）**家具店のIKEAに対し、やはり訴訟をほのめかしてクレームをつけている。(注3)お前が曲げた脚でもあるまいし！どう考えてもイカれた主張である。

## 米国で無理筋訴訟を提起！

このような法的根拠のないクレームは、いくら威勢がよくても実際に訴訟沙汰にまで至ることは少ない。訴訟になれば勝てないのだから当然だ。ところが、ゲラーは米国において実際に任天堂を訴えている。まぁ、世界各国での訴訟を予告していた割には、小規模に収まったともいえるが、米国だけでも十分にバカである。

彼は「ポケモンカードゲー

ム」の「ユンゲラー」のカードを対象に、数億ドル（数百億円）の損害賠償を求めて、カリフォルニア中央地区連邦地方裁判所に訴訟を提起したのである。

気になる法的根拠だが、彼は主にはパブリシティ権を侵害されたと主張したようだ。だが、ちょっとカードゲームのキャラクターのモチーフにされたくらいで、果たしてそんなものが認められるのだろうか。

**誰でも予知できる敗訴**

米国におけるパブリシティ権侵害の成否は、そのパブリシティを使用した表現や商品の性質を分析し、「有名人側のパブリシティ権」と「パブリシティを利用する側の表現の自由」のどちらを優先すべきかを検討したうえで判断される。

有名人をモチーフにしたキャラクターやアートワークに関しては、大雑把にいえば、その有名人の名前や肖像をそのまま使うような場合にはパブリシティ権侵害が認められやすい。一方で、キャラクター化、アート化に伴い新たな独創が加えられている場合には、表現の自由による保護が優先され、パブリシティ権侵害は認められない傾向がある。

かかる傾向からすれば、ゲラーの敗訴なぞ、**超能力者でなくとも予知できる**といってよい。

ユンゲラーというキャラクターに占めるユリ・ゲラーの要素など、「念力」「スプーン」という、ゲラーに固有の特徴ともいいがたい抽象的な要素が被っているだけである。名前が似ていることを考慮しても、キャラクターとしての独創性は十分にユリ・ゲラーの個性を利用した部分を凌駕している。まして、一〇〇体以上のキャラクターのカードがある「ポケモンカードゲーム」の商品全体と比較すれば、ゲラーの貢献度などゼロに等しい。

**本論に入ることなく敗訴！**

さて、裁判所はどのように判断したか。なんと、「表現の自由とパブリシティ権のバランス」という本題に入る前の段階で、ゲラーの訴えを退けたのである。

ウェブメディア「VICE」のドイツ版（注4）は、本件の裁判記録を確認し、イスラエル国籍でイギリス在住（当時）のゲラーは、カリフォルニア州でパブリシティ権侵害訴訟を起こす適格性が認められなかったことを明かしている。

さらには、先に述べたように「ユンゲラー」のカードは日本で発売される日本語のカードゲームにしか入っていないことも裁判では指摘された。任天堂や任天堂アメリカが、このカードを米国で販売していない以上、任天堂を訴えるのはお門違いとされたのである。

考えてみれば当たり前の話だが、イギリスに住むイスラエル人が、日本で売られている日本語のカードゲームを、米国で訴えるなんて、**それ自体が意味不明**なのである。以上の理由で、この裁判は二〇〇三年で棄却されたとされる。なんともカッコ悪い結末である。

そして、どうもその後、ゲラーは自分の感情まで曲げてしまったようだ。二〇一四年の新聞でのインタビューで、彼は「**〈スプーン曲げは〉アニメ『ポケットモンスター』のキャラクターにもなったし、映画『マトリックス』にも出てきた。スプーン曲げは世界的な文化に昇華したんだ。すごいことだよね**（注5）」と満足げに語っている。

どうやら、九〇年代から二〇〇〇年代にかけて起こしまくった訴訟で芳しい成果を上げられなかった経験を経て、その後は、批判者や自分をモチーフにしたキャラクターなどには寛容な態度を取るようになったようなのである。同紙では「**私が有名になったのは、私を否定し、批判した人たちのおかげ。無料で宣伝してくれるのだから、花を贈りたいぐらいさ**」とまでいっている。意固地で偏狭な信念を曲げてくれてよかったですね。

## 勝手な和解宣言!?

さらに二〇二〇年には、彼は突如としてポケモンの版権を管理するポケモン社に手紙を送り、「今後ユンゲラーのキャラクターを使っても構わない」と

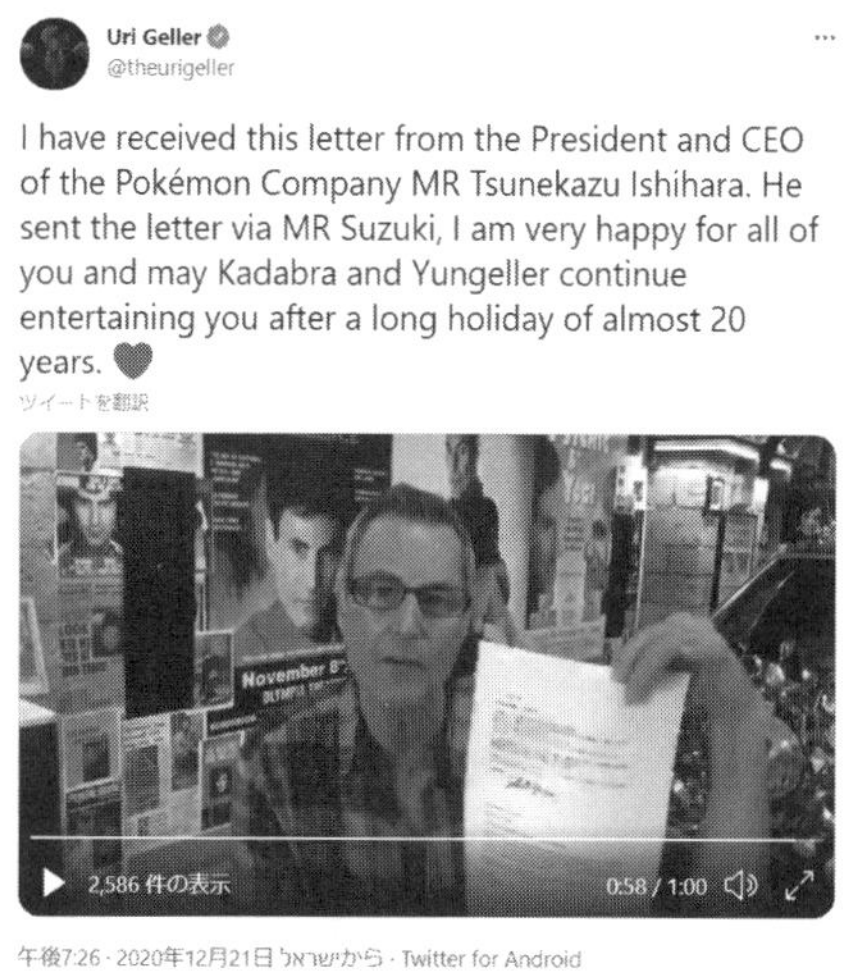
Uri Geller
@theurigeller
I have received this letter from the President and CEO of the Pokémon Company MR Tsunekazu Ishihara. He sent the letter via MR Suzuki, I am very happy for all of you and may Kadabra and Yungeller continue entertaining you after a long holiday of almost 20 years.
ツイートを翻訳
November 8
2,586 件の表示
0:58 / 1:00
午後7:26 · 2020年12月21日 ישראל から · Twitter for Android
図10

通告している。いや、ユンゲラーに何ら問題がないことは二〇年も前に確定しているのだが、記憶まで曲がってしまったのか!?「使っても構わない」なんて、上から目線でいえる立場じゃないぞゲラー。

実際、この間ユンゲラーは、「ポケモンカードゲーム」にこそ登場していなかったようだが、ゲームシリーズやアニメ、「ポケモンGO」などのアプリやグッズなどでは特に問題なく登場し続けてきたのである。

ともあれ、ポケモン社としてもこの申し出を突っぱねる理由はなかった。ご丁寧にも、社長の石原恒和名義で、申し出に対する感謝の返事を送っている。

するとゲラーは、このやり取りを**「二〇年越しの和解」**としてSNS上で公表(注6)（**図10**）。当時の因縁を知る人々の間で話題となり、各国のニュースサイトなどで報じられ、多くのポケモンファンから歓迎された。

うーむ。ユンゲラーに対する勝手なクレームも、勝手な和解表明も、全部この人のプロモーションに上手く利用されているような気がするのは、筆者だけだろうか……。

もっと考えて名付けんかい！ 被って当然の社名が被って訴えるも敗訴！

# ビジネスサポート事件

## ビジネスサポート協同組合VS協同組合ビジネスサポート（注1）

### 同名企業の不毛な争い

当事者は真剣かもしれないが、ある意味バカバカしいというか、なんでこんなことで裁判までしてるの？ というべき事件である。

一九九四年設立の**「ビジネスサポート協同組合」**という団体がある（**図1**）。主に中小企業の組合員に対し、高速道路利用料の清算代行、事務用品の購買代行、教育研修などの事業支援

図1

を行う団体だ。

それとほぼ同じ内容の業務を行う別の協同組合が、二〇一六年に設立された。その名も**「協同組合ビジネスサポート」**（図2）。ほとんど同じ名称だ。

ほとんど同じ名称で、ほとんど同じ事業を営まれては紛らわしい、ふざけるな！ ということで、二〇一九年に、「ビジネスサポート協同組合」が、「協同組合ビジネスサポート」を訴えたという事件である。

**ややこしい**ので、以降訴えた

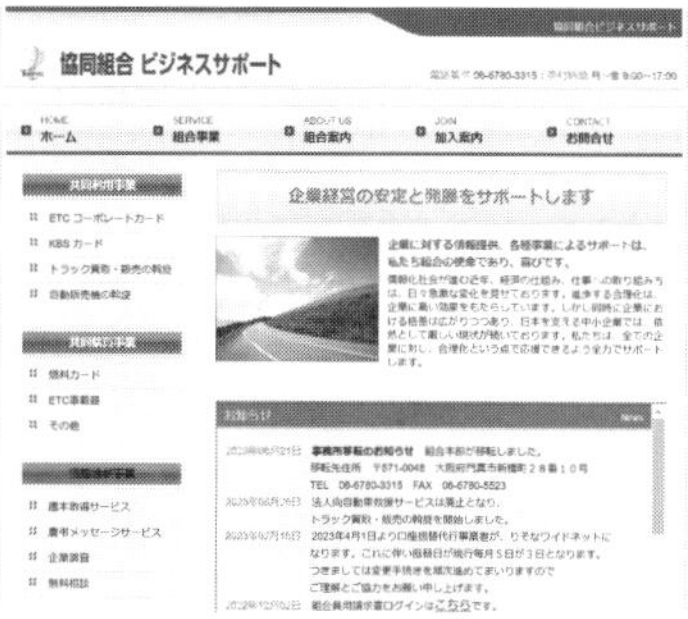


図2

方を「原告ビジネスサポート」、訴えられた方を「被告ビジネスサポート」と書く。

## 間違い電話はありそうだが……

確かに紛らわしいし、間違い電話などもあるかもしれない。実際、原告ビジネスサポートは裁判において、間違い電話が頻繁にかかってくるという「被害」を訴えている。被告ビジネスサポートにしても、似た名前の同業者がいれば**困るのはお互い様**だろうし、設立時にちゃんと調べれば原告ビジネスサポートの存在は認識できただろうから、多少でも違う組合名をつければよかったのに、という気はしなくもない。

とはいえ、被告ビジネスサポートを責める気持ちにはなれない。被告ビジネスサポートが、原告ビジネスサポートに便乗する動機など考えられないからだ。

これが例えば、町の消費者金融事業者が、大手金融機関とは無関係なのに「三井住友ファイナンス協同組合」や「三菱UFJローン協同組合」を名乗るというのであれば、動機は分かるのである。大手金融機関の信用にあやかって、消費者を安心させよう……というか「騙そう」という狙いが透けて見える。

そして、このように有名企業名を勝手に自らの商号に拝借して営業し、顧客に対して、自社がその有名企業と関係のある企業であるかのように誤信をもたらす行為は、不正競争防止法違反や、商標権侵害にあたる可能性がある。

## あまりにも普通の名前過ぎる

しかし、本件で争点となっているのは「ビジネスサポート」なのである。もちろん有名企業名ではないし、それどころか、業務内容を表すこのうえなく普遍的な言葉ではないか。

両ビジネスサポート組合の業務は、組合員のための事業支援、すなわち、まさにビジネスサポートであり、業務の内容そのものを表す言葉でしかない。

被告ビジネスサポートとしても、原告ビジネスサポートに便乗したのではなく、自己の業務の内容をストレートに表す言葉を素直に採用したに過ぎないだろう。

そんなありふれた言葉を特定の一組織が独占できる道理もなければ、法律もないのである。

いってみれば、熱海に「熱海観光ホテル」という名前のホテルが二軒あって争っているようなものだが、そんな名前じゃカブるのが当たり前である。最初から**もっとよく考えてネーミングしろよ！**というほかない。

## どう考えても理不尽な訴訟

ところが、原告ビジネスサポートは、何も考えずにネーミングした自分の落ち度を棚に上げ、被告ビジネスサポートの商号使用差止、登記抹消、それに六〇〇万円もの損害賠償金の支払いを求めて、不正競争防止法に基づき提訴したのである。

しかしこれは無理筋である。

仮にも、被告ビジネスサポートが「ビジネスサポート」を名乗ることが、原告ビジネスサポートに対する不正競争行為であり、法律違反であるというためには、「ビジネスサポート」の語が一般的表示ではなく、「原告ビジネスサポートのことを指す営業表示」として広く認識されていることを立証しなければならない。

## 言えば言うほどドツボに……

だがそんなことは不可能だから、どうしても原告ビジネスサポートの主張はめちゃくちゃなものになる。

彼らはまず、「ビジネスサポート」の語が一般的ではなく、独自性があるとの旨を主張している。その理由というのがすごい。「ビジネスサポート」の語句は、「ビジネス」と「サポート」という**「複数の語が組み合わさったものであり、各単語の選択、語順に個性がある」**からだというのだ。しかし「ビジネス」と「サポート」を並べたことに、果たしていったい何の個性があるというのだろうか？　**むしろ無個性も甚だしい。**

続けて「(「ビジネス」と「サポート」の)各単語に意味的関連性があるとは認められない」とも主張しているのだが、「ビジネスサポート」をストレートに訳せば**単に「事業支援」**である。ちゃんと関連して意味のある言葉になってるではないか。そしてしまいにはこうだ。

「ビジネス」と「サポート」の語は外来語である

だ、だから何？　**あんた江戸時代の人？**　外来語がそんなに珍しいか!?　こんなにも苦し過ぎる主張もなかなかない。あまりにも説得力がなく、かえって、言えば言うほど「ビジネスサポート」が一般的な名称であることが浮き彫りになっていくのだ。

## 他にも百社以上ある！

こうした主張に対し、被告ビジネスサポートは、名称に「ビジネスサポート」を含む協同組合は、原告、被告の他にも「アジアビジネスサポート協同組合」「JCビジネスサポート協同組合」「ビジネスサポート事業協同組合」「全国ビジネスサポート協同組合連合会」と多数存在することを挙げて、極めて一般的な名称であると反論している。

なお、筆者が調べたところ、株式会社などを含め、商業登記されている「ビジネスサポート」を名乗る法人・団体は、執筆時現在、**全国で一四八社もあった。**あんた、これ全員訴える気？　これはもう、あまりにも一般的というほかない。

## 自分が名前を変えた方が早い

また、原告ビジネスサービスは、業界において自組合の知名度が高いことを示そうと、加盟する組合員数が三四二事業者にのぼることなどをアピールしたが、これも裏目に出た。

裁判所は、両組合の事業エリアに存在する中小企業の総数と比較すれば、三四二事業者という組合員数は「極めて僅かなもの」と切り捨て、広告宣伝規模についても「控訴人（原告ビジネスサポート）」の宣伝、広告の規模、程度は極めて小さなものであり、また、その効果も極めて小さいもの」と断じ、知名度（周知性）を否定したのである。

こうして、原告ビジネスサポートの主張はすべて認められず、彼らは敗訴した。**今も、二つの「ビジネスサポート」という名の協同組合が併存し続けている。**

ありふれた一般名称を商号に採用すれば、事業内容や事業コンセプトが顧客に分かりやすく伝わるというメリットはあるだろう。しかし、**分かりやすさと独占のしやすさはトレードオフの関係になる**と考えるべきであり、競合他社との差別化も困難である。自ら他社とカブって当然のネーミングをしておいて、カブったからといって怒るのは都合のいい話だ。

一般名称をムリヤリ独占しようと画策し、屁理屈を展開して恥をかくくらいなら、今からでも自分がもう少し独創的な組合名に商号変更した方が、世話がないのではなかろうか。

ベストセラー本の出版社は、チーズをどこまで独占できるのか？

# バターはどこへ溶けた？事件

**扶桑社 vs 道出版**(注1)

## 二番煎じが許容される理由

ヒットしたコンテンツの二番煎じや便乗企画は、どこまで許されるのだろうか。慣例的に、出版業界では多い(注2)が、その割に、元ネタの著者や出版社が怒ってトラブルになったという話はさほど多くない。

それは、「常識的な便乗本」であれば、元ネタ本に対するパロディやアンチテーゼ、発展企画として別個に成立するものであり、**決して元ネタ本の代替品にはならないからである。**つまり便乗本が出たからといって、それによって元ネタ本が売れなくなることはないのだ。かえって、関連本が多く出版されることで、書店でフェアが開かれやすくなったり、ブームや話題化につながったりして、元ネタ本の売上に寄与することもあるだろう。

すなわち経済合理性からすれば、元ネタ本の権利者が便乗本を権利侵害で訴える理由はあまりないのだ。トラブルになるとすれば「便乗されて気に食わない」という**感情的な動機**によることが多い。

これは、ベストセラーの版元が、おそらく感情的に便乗本を訴えたために、主張に合理性が伴わず、大部分において敗訴したという事件である。

## あのベストセラーのパロディ

米国のコンサルタント、スペンサー・ジョンソンの『**チーズはどこへ消えた？**』（翻訳／門田美鈴）という本がある。日本では扶桑社が出版している。身の回りの変化を察知し、変化に臆さず行動することの大切さを、チーズを失ったネズミと小人にまつわる寓話の形で分かりやすく説いたビジネス書である（**図1**）。

二〇〇〇年代初頭にベストセラーになった本だが、今日の視点で読んでもまったく古びれておらず、今でも毎年版を重ねて、四〇〇〇万部を超えているという。

これだけ売れれば当然便乗本も多く、『ひまわりの種は誰が食べた？』（中央アート出版）、『チーズはここにあった！』（廣済堂出版）、『チーズは探すな！』（ディスカヴァー・トゥエンティワン）などが出版されている（ちなみに、本国米国でも、原題の"Who Moved My Cheese?"に対して、"Who Cut the Cheese?"というパロディ本が出版されている）。その中で、なぜか一冊だけ訴えられた本がある。道出版の『**バターはどこへ溶けた？**』（著／ディーン・リップルウッド）である（**図2**）。

図1／口絵5頁

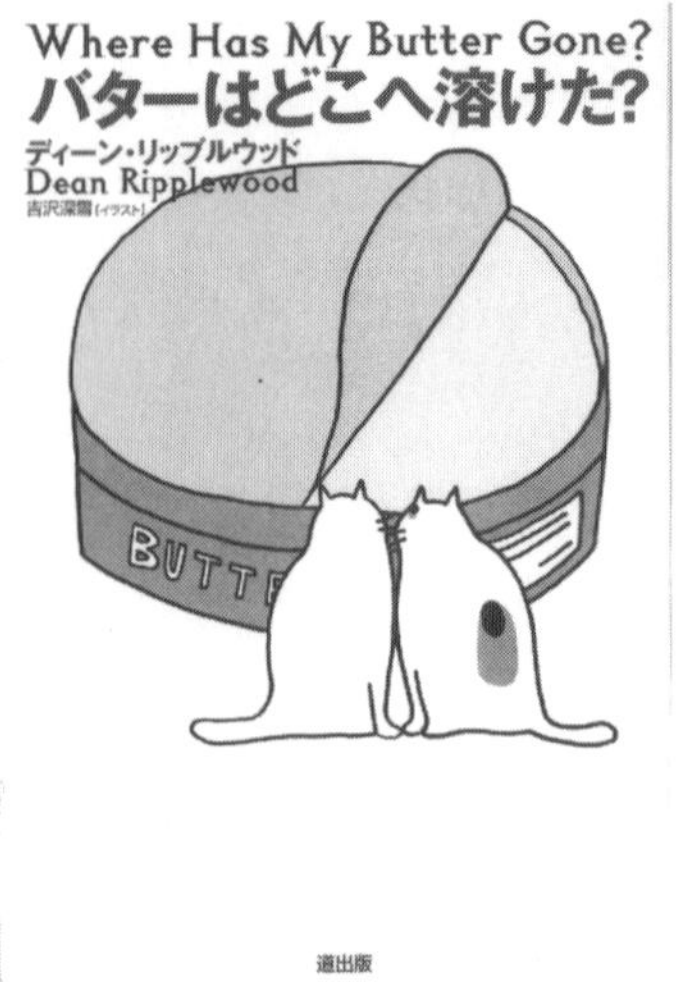

図2／口絵5頁

扶桑社は、『バター』だけを標的にした理由として、「**あまりに似過ぎており、続編などと間違われる**」との主旨を述べているが、それだけではないだろう。

実は『バター』は便乗本でありながら二〇万部以上を売り上げており、このセールスは他の便乗本の比ではない。書評でも『チーズ』と比較されることが多く、どうかすると本家よりも評判がよかったのである。例えば齋藤美奈子は「**おもしろいのは読書家の反応だった。みんな『バター』の方がいいというのだ**」と述べているし、(注3)岡崎武志は、『朝日新聞』の書評で『バター』のパロディの巧みさを買い、「**私の軍配は『バターはどこへ溶けた?』に挙げる**(注4)」と評している。

こうした評価から、扶桑社は、『チーズ』と『バター』が似ていることよりも、『バター』が便乗本のくせに、本家を食おうとせんばかりの勢いを見せたことが気に食わなかったのではなかろうかと勘繰ってしまう。

## 買い間違えるかなぁ？

ともあれ、扶桑社は『バター』の題号やカバーなどが『チーズ』に類似しており、読者が買い間違えるなど混同を生じているから不正競争防止法違反であると主張し、裁判所に販売差止等の仮処分申立を行ったのだ。

しかし、**図1、2**のカバー画像を比較すれば分かる通り、**似ているのはあくまで雰囲気やレイアウト**に過ぎない。雰囲気やレイアウトを独占するのは法的に困難であり、「雰囲気が似ているからけしからん！」というのは、感情的な怒りでしかない。

## バターとチーズは「酷似」？

実際、扶桑社の主張は感情先行で理屈がイマイチと言わざるを得なかった。同社はまず、以下のように主張している。

**債務者〔道出版〕**出版物の書名**である「バターはどこへ溶けた?」**は、**債権者〔扶桑社〕出版物の書名である「チーズはどこへ消えた?」に酷似している。**

酷似……しているだろうか。

「バター」と「チーズ」では全然違う言葉であり、聞き間違える余地はない。**スーパーでチーズをバターと間違えて買って帰ったら、かなりバカである。**ましてバターと間違えてチーズを食パンに塗った日には、家族から本気で痴呆の心配をされるだろう。

　この点扶桑社は、**「バターもチーズも食用乳製品として食卓に上る」**という「共通点」をアピールしているが、「本庶佑《ほんじょたすく》と落合陽一は実は同一人物である。どちらも教授として教壇に上る」と言うかのような怪主張である。「ヨーグルトはどこへしまったっけ？」でも酷似していると言われかねない。

## デザインもそんなに似てるか？

カバーデザインについては、扶桑社は、題号のフォントや大きさ、配置といったレイアウトや、カバーの色づかいの類似性を主張している。

　言いたくなる気持ちは分からなくもないのだが、レイアウトや色づかいが似ていたとしても、書名や著者名等の文字列も違えば、**図1、2**の通り**イラストもまったく違う**のである。ここまで具体的表現が異なれば、類似しないとするのが合理的判断というものである。

　要するに、扶桑社の主張は道理にはなっておらず、感情論を振り回しているようにしか思えないのだ。挙げ句の果てに、**「定価も同一である」**とまで主張しているのだから参ってしまう。

『チーズ』と同じ値段で本を売って何が悪いんだとしかいいようがない。

## ダブスタも発覚？

さらに、道理がないばかりか一貫性もなかった。扶桑社は、『バター』が『チーズ』の続編や関連本だと勘違いされると被害を訴えていた。その一方で、同社はちょうど同じ頃、当時流行しベストセラーになっていた小学館の占い本『**動物占い**』シリーズの向こうを張って、『**新動物占い**』なる本を出版していたのだ。人の便乗をとやかくいえる立場じゃないのでは……。

　このダブルスタンダードについては、道出版も当時大いにあげつらっており、メディアの取材に応じて「**それこそ、読者に小学館の続編と思わせるもの。その扶桑社が当社の『バター』を訴えるとは、厚顔もはなはだしい**(注5)」「**そっち〔『新動物占い』〕の方が、よほどパクリだ**(注6)」などと応酬している。

　こんな調子では、扶桑社が裁判に勝つのは難しかった、裁判所は、扶桑社の主張を全面的に退けている。「書名が酷似する」との主張については、「**『チーズ』と『バター』で共通するのは乳製品であるという点だけであり、語感やその意味する内容、それから連想されるものは大いに異なる**」とバッサリ切り捨てている。

　カバーデザインについても類似性を否定し、「**両社が別の本であることは一見して明らかというべきである**」などとして、不正競争防止法に基づく扶桑社の申立は却下されたのである。

## 本文の著作権では扶桑社に軍配

　ただし、実は結局、『バター』は販売差止の憂き目にあっている。扶桑社は、この仮処分申立とは別に、『チーズ』の翻訳者である門田美鈴と共同で、本の「内容」が著作権侵害であるという申立もしており、**こちらは部分的に認められた**のである。

　この判決の妥当性を確認するにあたって、実際に二冊を読み比べると、『バター』の本文は、『チーズ』の明確なパロディになっていることが分かる。

　『チーズ』の内容は、米国人・マイケルが同窓会で集まった友人たちに聞かせた、『チーズが消えた』という変化に応じ、自ら行動して次のチーズを探し回ることの大切さに気付く小人の話」である。

　対して『バター』は、日本人・剛史が同窓会で集まった友人たちに聞かせた、「『バターが消えた』という変化に対して、動かず焦らず構えた方が幸せになれると気付くネコの話」である。

　このあらすじの比較からうかがえるように、『チーズ』と似た設定と言い回しで、真逆の主張を繰り広げるというのが、パロディ本としての『バター』の面白さといえる。

## 疑惑の判決文を精査すると……

パロディである以上、一定程度の類似性が生じるのは必然であるが、通常、その類似箇所が、設定や言い回し、あるいはありふれた表現部分に留まる限りは、著作権侵害にはあたらない。

しかし、この著作権裁判では、裁判所は、『バター』の本文中に、『チーズ』の創作的な具体的表現と類似する箇所が複数あると指摘し、著作権侵害を認めたのである。

もっとも、**この認定には疑問が残る。**何せ、裁判所が類似すると認定した「創作的な表現部分」とは、例えば以下のような部分なのだ。

**〈チーズはどこへ消えた？〉**

「確かにね」ネイサンも言った。

**〈バターはどこへ溶けた？〉**

「たしかにね」健二も言った。

**いや似てるけども！**

似ているが、約一〇〇頁のビジネス書の中の、この極めて短い一文節を「創作性のある表現部分」と評価するのはおかしい。登場人物が「確かにね」というセリフを発する場面を短く書こうとすれば、誰が書いてもこのような表現にならざるを得ないではないか。（注7）

## 専門家が一様に批判

こんな調子で、一四箇所の「細切れの文節」の類似性により、『バター』は著作権侵害とされたわけだが、この決定には専門家から**「ずさんな判示」「大きな問題が潜んでいる」「無理がある」**といった強い批判の声が多い。（注8）本書も著作権侵害を認めるべき事案とは思わない。

裁判所の決定も粗雑だが、道出版側が、『チーズ』の各翻訳文の創作性や類似性について突っ込んだ反論をせず、設定上の違いがあることや、「パロディの表現の自由」を反論の中心に据えていたことも敗因になったのかもしれない。

## 扶桑社の主張はことごとく却下

また、この裁判で認められたのは、あくまで翻訳者である門田の文章に対する著作権侵害であり、**扶桑社の主張はやはり認められていない**ことにも触れておこう。同社は著作権裁判においても、以下のような無理のある主張をしている。

**本件著作物（『バター』）と債務者書籍（『チーズ』）は、（…）縦書き形式を採用している点、各頁の行数が最大でも16行、通常はそれ以下であり、空白部分が多い点、文章の下段が大きく空けられ、40字程度に押さえられているため読みやすくなっている点、いずれもアメリカ本が原作という体裁をとっている点などにおいて共通する。**

だから扶桑社の編集著作権を侵害する、という理論なのだが、**「縦書き」「行数が一六行」「アメリカ本が原作」**であることをもって著作権侵害というのだからたまらない。いうまでもなく、認められていない。

こうした姿勢から、扶桑社は、是が非でも『バター』が「自社の権利」との関係で権利侵害していることを認めさせたかったように思われる。現実には、翻訳者を引っ張り出したことで、どうにかムリヤリ部分的に勝ったというところだ。

もしかすると同社には、『チーズ』からの恩恵を享受できるのは、出版権を獲得した自分たちだけだという譲れないプライドがあったのかもしれない。しかし、プライドの表れというよりは、肥大化した独占欲と余裕のなさの露呈にしか思えないのだ。君たち、**ちょっとチーズを追いかけ過ぎじゃないかね？**

ちなみに、『チーズ』の原著者であるスペンサー・ジョンソンは、一連の裁判には一切関わっていない。すでに原著が世界で数千万部のベストセラーになっていた余裕からくる態度なのかもしれないが、日本の版元と比べると、器の大きさが違いますな。

# コラム④　一流ブランドは何をきっかけに「商標いじめ」を開始する？

## ブランド保護が商標いじめか

　大手企業や一流ブランドの一部には、自社商標をほんの少しでも連想させる他人の商標にクレームをつける企業がある。本書ではモンスターエナジー、アップル、インテル、東京スカイツリー、アディダス、ルイ・ヴィトンなどを取り上げている。

　客観的に見てまったく似ておらず、各社のブランドに不利益をもたらすとも思えず、実際に多くの事案でブランド側が負けているのに、彼らはこうした「商標いじめ」を止めようとしない。

　なぜだろうか？　彼らは「ブランド保護のため」という抽象的な大義名分を掲げることが多いが、その実、ブランド保護の何たるかをよく分かっていないからだ。

　商標に宿った信用やイメージは、それらが権利者自身と強く結びつくことで権利者に利益をもたらす。これがブランドの経済的価値である。したがって、その信用を損ない、イメージを汚し、あるいは権利者との結びつきを弱めるのを食い止めることが「ブランド保護」である。

　モンスターエナジー社が「ポケットモンスター」を「モンスターエナジーに対する便乗」などとのたまうようなことはブランド保護ではない。誰も最初から関連があるだなんて思っちゃいないからだ。それを、あたかも関連があるかのように自らこじつけてイチャモンをつけ、挙げ句負けているんだから、ご苦労なことである。

## 商標いじめの標的の見つけ方

　とはいえ、イチャモンをつけられる側、特に中小企業や個人事業主からすれば、急に大手企業や外国のラグジュアリーブランドから「便乗」「公序良俗に反する」などといった強い表現の異議申立や警告書が届いたらビビってしまうむきもある。当局の判断が出る前に、自主的に商標を取り下げたり、使用中止を判断してしまうこともあるだろう。これが「商標いじめ」の構図である。

では、大手企業は、何をきっかけに「いじめ」の標的を見つけているのだろうか。自ら市場や見本市など監視して見つけたり（特にECサイトは監視も容易である）、消費者からの通報がきっかけになることもあるが、圧倒的に多いのは「商標出願のウォッチング」である。

## 大手知財部の地道な仕事

大手企業の知財部や法務部の中には、新たに出願された商標をいちいちチェックする仕事をしている人がときどきいる。地味なようにも思えるが、本当に悪質な便乗商標も少なくなく、そうした商標出願を早期に捕捉して、然るべき対処を進めるためには、大事な仕事である。

商標の出願件数は、日本だけでも、一年間で約一七万件である。これを全部チェックするとなると大変そうだが、実際はそうでもない。

あらかじめ自社ブランドに関係しそうなキーワードや分野を絞り込んだうえで、AIや調査会社に抽出させたものを確認するだけでよいからだ。例えば、アップル社であれば「りんご」に関係する出願のみをチェックする、といったことである。

## カジュアルに異議申立を乱発

それらの中から、どの商標出願がブランドを脅かし得る存在かを見極めるのが、本来の専門職としての役割である。しかし「商標いじめ」の常連企業は、ほとんど何も考えずに、リストアップされた商標出願に対して見境なく異議申立や警告書を乱発しているだけなのだ。

その主張内容も、事案ごとに吟味されているわけではなく、大抵は同じ内容の使い回しだ。「当社の商標は有名である」「当社の商標に類似している」「フリーライドである」「公序良俗に反する」の繰り返しなのである。

それで、相手が自ら商標出願を取り下げれば自分の手柄になるし、争われて負けても「類似商標への警告を続ける地道な活動こそが、ブランド保護のためには重要なのです」などと社内で言い訳して、また同じことを繰り返すのだから楽な仕事だ。

## ほぼ認められない異議申立

このようなヌルい「ブランド保護活動」に対し、いちいち臆すのは損である。法的に落ち度がないと正しく判断できれば、警告書には反論するか、無視してもよいだろう。

自社商標に対して異議申立が提起された場合、日本の異議申立制度では、申し立てられた側は基本的に反論する必要がない。異議申立の内容を特許庁が審理して、特許庁が商標権を取り消すべきと評価した場合に限って、申し立てられた側に反対意見を述べる機会が与えられるのだ。

そして、エセ商標権に基づく異議申立は、大半が特許庁の審理段階で退けられているから、実際には何も応答する必要がない場合がほとんどである。

大手企業からの無理筋な異議申立があまりにも多過ぎるせいもあり、日本で商標に対する異議申立が認められる割合は極めて低く、統計上、六～一〇％程度である(注1)。筆者自身も、大手企業から電話帳五冊分くらいの分厚い異議申立書を受け取った経験が何度かあるが、いずれも紙のムダとしか思えなかった（なお、米国の商標制度においては、異議申立への応答は訴訟対応と同等の負担を強いられることがあり、その点で米国で商標いじめを行う大企業は悪質である）。

このような大手企業の「ブランド保護活動ごっこ」に付き合う必要はない。彼らのムチャクチャなクレームに屈さず、自らの選択した商標を守ることこそ、中小企業にとっての「ブランド保護活動」である。

# 第3章

## 騙されるな！
## 商標権に万能の力はない

**悪銭身に付かず！「阪神優勝」を商標登録して虎党を敵に回した男の末路！**

# 阪神優勝事件

**田澤憲仁 vs 阪神タイガース**(注1)

## うぬぼれと不安は表裏一体

ある言葉を商標登録しておけばあらゆる場面で独占できるといううぬぼれと、ある言葉が商標登録されてしまったらもう使えなくなってしまうという不安は、表裏一体の関係にある。だが、どちらも思い込みで、どちらも誤解である。商標権にそのような万能の力などない。これはそうした**うぬぼれと不安の衝突が生んだ不毛な事件**だ。

## 優勝目前の盛り上がりに冷や水

二〇〇三年初夏、プロ野球の阪神タイガースのリーグ優勝が現実味を帯びてきた。リーグ優勝となれば、当時の阪神タイガースにとって一八年振りの快挙となることから、スポーツ紙やテレビの報道は、ペナントレースの終わらぬうちから阪神優勝を期待するムードで過熱していた。

そんな中、『デイリースポーツ』があさっての方角からこのムードに冷や水を浴びせる記事を掲載した。「『阪神優勝』商標登録されていた」「球団 勝手に使えない！」との見出しで、「阪神優勝」の文字が千葉県在住の個人にすでに商標登録されており、阪神が優勝しても「グッズなどに使用する『阪神優勝』のロゴが使用できない(注2)」と報じたのだ。

事実、**「阪神優勝」**と書かれたロゴ（**図1**）は商標登録されていた。登録したのは、「子どもの頃から大の阪神ファン」だという衣料販売業者の田澤憲仁。事件当時、複数の週刊誌やスポーツ紙において、この件の取材に実名で応じている。

　前掲紙を皮切りに、「『阪神優勝』が使えない」という論調で報じたメディアは多かったが、

図1

結論からいえば、「阪神優勝」が商標登録されたからといって、**阪神タイガースの優勝記念グッズに「阪神優勝」が使えなくなるということはない。**マスコミ各社の誤報といえる。だが、まずは事件の経緯を振り返ろう。

## 田澤、カネ儲けに目覚める

　二〇〇一年三月、田澤は、阪神タイガースが四年連続で最下位を喫しており、優勝など誰も期待していなかったこの時期に「阪神優勝」を商標出願。翌二〇〇二年二月に登録された。同年四月には早くも阪神タイガースはこの商標登録情報を捕捉し、**五〇万円で商標権を買い取りたい**と田澤に持ちかけている。しかし田澤が応じず、この時は引き下がっている。

　おそらくこれをきっかけに、田澤は**「この商標はカネになる」**とよこしまな考えを抱いたのではないだろうか。自らこの商標を前面にプリントしたTシャツ（**図2**）の販売を開始するとともに、遅くとも二〇〇三年七月頃には、他のメーカーにも商標をライセンスして、同じデザインのTシャツや靴下などを販売させている。

　なお、このとき田澤が販売業者に要求したライセンス料は、販売価格の九％だったとされる。通常、キャラクターグッズの販売に際しキャラクターの権利者に支払うライセンス料は、だいたい販売価格の二～三％程

図2

度から、どんなに高くても六～七%程度である。九%などというライセンス料は、ディズニーの人気キャラクターでも徴収しない金額で、**バカ高い**としか言いようがない。後に阪神タイガースは、このライセンス料について**「非常に高額なロイヤリティーの支払いを求める等不正な利益を得ようとしている」**と評し、その悪質性を訴えている。(注3)

## ついに阪神との交渉決裂

そして翌二〇〇三年七月八日、前述の通り阪神タイガースのリーグ優勝が見えてくると、球団は再び田澤に接触。田澤にTシャツ等の販売と「阪神優勝」の使用を止めるよう要求したうえで、譲渡対価を一〇〇万円に増額している。一時期は話がまとまりかけたものの、田澤がTシャツの販売と「阪神優勝」の継続使用権を要求し、阪神タイガース側がこれを受け入れなかったことから交渉が決裂した。

八月二〇日に、阪神タイガースの野崎勝義社長は「**交渉は決裂しました。**〔今後は〕**法的措置による対応をしていくことになります**」とマスコミに公表している。対する田澤も「**おカネはいらないから、愛着のある商標の使用権を今後も認めてほしい**」「**いまでも星野監督や選手は大好きだが、ファンの夢を壊す球団は絶対に許せない**」(注4)とマスコミに言い分をぶちまけた。

## 阪神タイガースの逆襲

八月二八日、阪神タイガースは、特許庁に対し、「**田澤の『阪神優勝』商標権は『公序良俗に反し、阪神タイガースの業務に関係する商品と混同を生じるおそれがある』**」として登録を無効にするよう審判請求を行った。そしてこの主張が無事に認められ、一二月二四日に田澤の商標権は**無効・取消が決定**し、田澤の完敗で事件は終結したのである。

特許庁は、「阪神優勝」の商標登録を無効とする理由について、「阪神優勝」の「阪神」とは「阪神タイガース」の略称を表したものとして一般消費者に認識され、プロ野球球団がリーグ戦や日本シリーズで優勝した際には、球団運営会社や関連会社が「優勝セール」と称してさまざまな商品を販売している実情があることなどから、以下のように結論付けている。

**本件商標〔田澤の「阪神優勝」〕は、これを〔…〕使用する場合には、〔…〕需要者をして、該商品が阪神タイガース（請求人）又はこれと経済的若しくは組織的に何らかの関係を有する者の業務に係る商品であるかのように、商品の出所について混同を生じさせるおそれがある**

つまり、田澤の「阪神優勝」グッズを見れば、阪神タイガースの公認グッズであるかのように混同されるおそれがあり、商業秩序を乱すから、そのような商標権は無効である、ということだ。

## 優勝イベントに全く混乱なし

なお、この無効審決はその年の**セ・リーグ優勝戦には間に合わず、**無効審決が確定する約三ヶ月前の九月一五日に、阪神タイガースはリーグ優勝を決めている。この際、球団は**図３**の「優勝記念マーク」を大きく打ち出し、「阪神優勝」は使用しなかった。

もっともこのマークは、前回一九八五年のリーグ優勝時のマークを踏襲したもので、阪神側は「もともと『阪神優勝』をマークに使用するつもりはなかった」としている。また、公式ライセンスグッズでは「阪神タイガース優勝」などのキャッチフレーズが使われ、商標トラ

図３

ブルなどは生じていない。

**どっちも商標の効力を過信**

以上が事件の顛末だ。ハッキリ言えば、田澤は自身の商標権にうぬぼれ過ぎだし、**阪神タイガースは田澤の商標権にビビり過ぎ**で、どちらも間が抜けている。本来、こんな大騒動になるような話ではないのである。

まず田澤だが、彼が本当に阪神ファンで、純粋に阪神タイガースを応援したくて、そのために「阪神優勝」をプリントしたTシャツを作りかったのであれば、そもそも商標登録などする必要はない。なぜならば、野球チームの優勝を記念して、あるいは祈念する趣旨でTシャツにプリントするメッセージやイラストは、商標、すなわちブランド表示ではなく、単なる装飾だからである。

ある言葉を商標登録したとしても、それを装飾として使用する場面では、他者の使用を排除することも、独占することもできない。商標権による独占が認められるのは、あくまでブランドとして認識される表示に限られるからだ。

そしてTシャツなどの被服におけるブランド表示とは、複数商品に統一的に使用するロゴデザインやシンボルマークのことである。典型的には襟の織ネームや胸元などに表示するマークだろう。そのような表示ではない、**装飾にしか使わないメッセージやイラストなど、商標登録する必要はないのである。**

**田澤が商標登録した動機は？**

ではこの人はいったい、何のために商標登録したのだろうか。田澤は登録の動機についてこう語っている。

**大の阪神ファンで、小学生のころから「阪神優勝」というのは漠然と頭の中にあったんです。実際に商標登録しようと思ったのは15年ぐらい前からです**（注5）

子どもの頃から漠然と頭の中に浮かんでいた言葉を、一五年間なんとなく商標登録しようと思っていたから商標登録した、というのだ。商標登録をするために商標出願をするというのであれば、典型的な**「手段の目的化」**であり、理解に苦しむ。単に手間とカネの無駄遣いである。

### 盛大なカネの無駄遣い

田澤は、この「阪神優勝」の商標登録のために三〇万円以上を費やしたという。しかもその後、他にも阪神関連の商標を七件も新たに出願している（後にすべて特許庁から登録を拒絶された）。そのうえ、阪神タイガースからの無効審判への反論の答弁もしていることなどを考えると、一連の商標のために彼が費やした金額は、三〇〇万円を超えているだろう。無意味な商標登録に三〇〇万円もの大金をつぎこみ、**挙げ句の果てにすべて無効**になったのだからバカ過ぎる。

### 阪神タイガーズもビビり過ぎ

一方で阪神タイガースの行動も悪手だった。「阪神優勝」の商標を登録されたからといって、**ホイホイ札束を積んで買い取ろうとするなよ。**そんなことをすれば、相手が自分の商標権に価値があるとの誤解を深め、調子に乗るだけである。

そもそも、述べたように「阪神優勝」が商標登録されたからといって、優勝記念グッズに「阪神優勝」が使えなくなるわけではない。阪神タイガースの優勝記念グッズに「阪神優勝」と表示しても、それは「阪神タイガースが優勝した」という客観的事実を示す趣旨のメッセージに過ぎず、メーカーなどを示すブランド表示として捉えられる余地はないからだ。当時多くの専門家が、阪神タイガースが**「阪神優勝」を使用しても商標権侵害にはならない**と見解を述べている。（注6）

田澤の商標があろうとなかろうと、グッズなどに合法に「阪神優勝」を使うことができる以上、阪神タイガースは、田澤の商標登録など無視して、慌てふためかずにどっしりと構えていればよかったのである。

### エセ商標権者とは交渉するな

もっとも、報道が過熱していく中で、田澤は、自分こそが

「阪神優勝」を使える正当な権利者であるかのように振る舞い始め、単なる応援のメッセージではなく、あたかもブランド表示であるかのような態様で「阪神優勝」のアパレルグッズを実際に製造したり、高額のロイヤリティを伴うライセンスビジネスを画策するなど、あからさまに調子に乗り出した。

こうした状況の変化を踏まえれば、世間の誤解を解き、田澤の鼻をへし折る必要はあっただろうから、そのために遅まきながら無効審判請求に踏み切ったことは評価できるし、その結果も妥当といえよう。

それにしても、**最初から譲渡交渉なんかせずに**さっさと無効審判請求をしておけば、リーグ優勝までに間に合ったのではないだろうか。エセ商標権者と、対等な立場で交渉のテーブルにつくのは悪手である。相手がつけあがるだけで、かえって解決は遠ざかるのだ。

**田澤、訴えられる！**

なお、商標権を無効化されて、カネ儲けの源泉を失った田澤だが、その後、さらに泣きっ面にハチという目に遭っている。自身が以前「阪神優勝」をライセンスしていた靴下業者から、ライセンスの根拠となる商標権が無効になったことで損害を受けたとして、損害賠償請求訴訟を提起されたのだ。

そしてこの靴下業者の訴えは認められ、田澤は判決で一〇〇万円の賠償を命じられている。無意味なエセ商標権によって得たライセンス収入まで、損害賠償金として没収されてしまったのだ。まさに丸損。

**まさに悪銭身に付かず**である。

奇しくも、この裁判で田澤敗訴の判決が出た二〇〇五年、阪神タイガースは再びリーグ優勝を果たしている。果たして田澤は、どんな思いでこの「阪神優勝」を眺めていたのだろうか。その頃には、とっくに巨人ファンに寝返っていたかもしれませんなぁ……。

とんだ茶番！ユーチューバーの浅知恵が引き起こした騒動で大迷惑！

# ゆっくり茶番劇事件

**柚葉 vs 上海アリス幻樂団、ドワンゴ（注1）**

## 迷惑ユーチューバーの大暴れ

業界で当たり前に使われる言葉を商標登録して批判を集めるエセ商標権者は、本書で紹介する通り数多いが、その中でもここまで露悪的に振る舞い、猛批判にさらされた者も珍しい。それが**「ゆっくり茶番劇」**を商標登録したユーチューバーの柚葉《ゆずは》である。

「ゆっくり茶番劇」といってもピンと来ないむきがあるが、インターネット動画配信の業界で使われる一種の業界用語である。抑揚の独特な音声合成ソフトを用いた、ゲーム『東方Ｐｒｏｊｅｃｔ』の二次創作の寸劇動画の総称だ。

ニコニコ動画やＹｏｕＴｕｂｅで「ゆっくり茶番劇」と検索すると、さまざまな投稿者によるこの種の動画を見ることができる。

もともとは、『東方Ｐｒｏｊｅｃｔ』のキャラクターをモチーフにした「ゆっくり」と通称されるアスキーアートをもとにしたイラストを用いた、ゲーム実況やさまざまな事象の解説動画が「ゆっくり実況」「ゆっくり解説」などと呼ばれており、そこから派生した呼称である。

## 堂々たる金銭請求にドン引き

ネット動画愛好者がみんなで使うものと認識しているジャンル名「ゆっくり茶番劇」を、一介のユーチューバーが商標登録してしまったという事件である。それどころか、柚葉はSNS上で「**ゆっくり茶番投稿者各位 この度、当社は『ゆっくり茶番劇』商標権を取得いたしました**」(注2)などと高らかに宣言。さらにはYouTubeや自社サイトで、全一四条からなる「ゆっくり茶番劇の商標使用に関する要綱（ガイドライン）」なる**自作の条文**を発表した。

読めば「**本件商標を使用しようとする者は、あらかじめ『ゆっくり茶番劇』商標使用許可申請書（様式第1号。以下「申請書」という。）を提出し、当社の許可を受けなければならない**」（第二条）、「**本件商標の使用料は、有料とする。商標の使用料は年単位とする。年間使用料100，000円（税別）**」（第九条）、「**使用者は、許可を受けた事項以外の目的に本件商標を使用し、又はその権利を譲渡し、若しくは転貸することができない**」（第一〇条）などと一方的な宣言が書き連ねられている。

## ほとんど原野商法も同然

後述するが、この商標権はそもそも無効であったことが後の特許庁の審判によって確定している。つまり柚葉は、法的に無効なエセ商標権を根拠に「**申請書を出して一〇万円払え**」などと世間に向けてブチ上げていたというわけだ。

こんなものは、「消防署の方から来ました。購入は法律上の義務なんですよ」などと出まかせを言って、お年寄りに不要な消火器や火災報知器を買わせる詐欺師の口上と何ら変わらない。

それにしても、詐欺師なら普通はもっとコソコソと悪事を働くところ、ネット上で堂々と手口を開陳したのだから柚葉には詐欺師としての才覚すらない。

## 柚葉の自作「条文」を読み解く

しかもこの「要綱」、あたかも法律条文や契約書のような体裁を繕っているが、読めば**素人の浅知恵**で作られたことがすぐに分かる。例えば、YouTubeに投稿された第一条の条文**（図1）**を見てほしい。

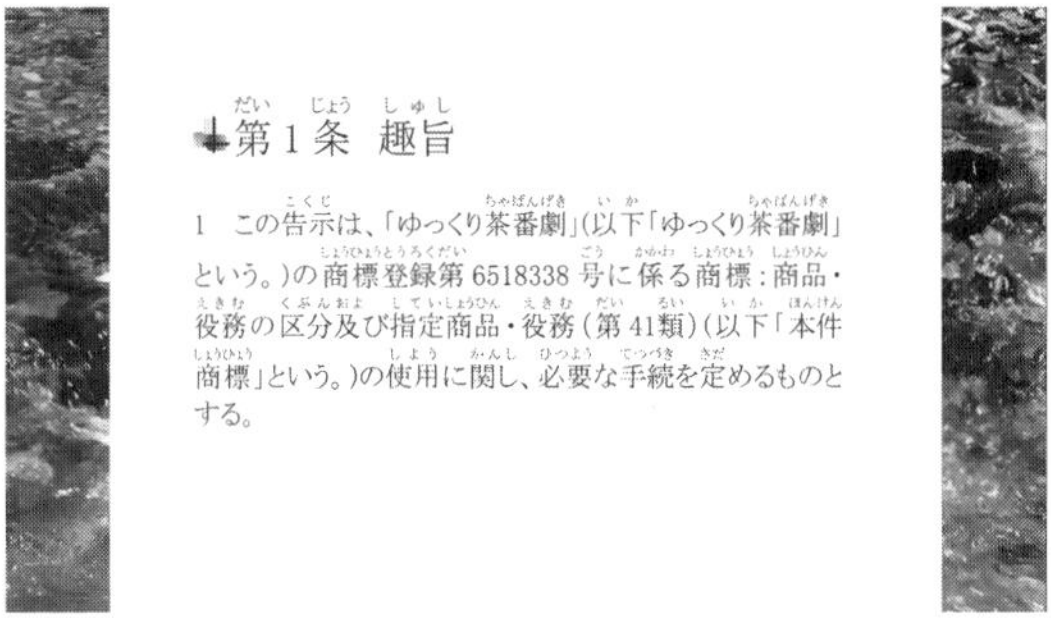

第《だい》1条《じょう》　趣旨《しゅし》

1　この告示《こくじ》は、「ゆっくり茶番劇《ちゃばんげき》」(以下《いか》「ゆっくり茶番劇《ちゃばんげき》」という。)の商標登録第《しょうひょうとうろくだい》6518338号《ごう》に係《かか》る商標《しょうひょう》：商品《しょうひん》・役務《えきむ》の区分及《くぶんおよ》び指定商品《していしょうひん》・役務《えきむ》(第《だい》41類《るい》)(以下《いか》「本件商標《ほんけんしょうひょう》」という。)の使用《しよう》に関《かん》し、必要《ひつよう》な手続《てつづき》を定《さだ》めるものとする。

図1

「ゆっくり茶番劇」（以下「ゆっくり茶番劇」という。）

この冒頭からしてバカである。**同じ言葉を繰り返すならこのカッコ書きいらねぇだろ。**また「告示」とは、国や地方公共団体などの公的機関が一般に周知すべき事項を示す行為のことであり、私人間の取り決めには通常用いない。契約書などにおける「～ものとする」は、通常「～することを義務とする」を意味するので、自分で勝手に決めたルールに「必要な手続を定めるものとする」と書くのはおかしい。「必要な手続を定めたものである」でよい。

第一条の時点で、これが**読む価値のないマイルール**だということが分かる。だいたい、一介のユーチューバーが、自分で考えた「ルール」をいくら「告示」したって、何の効力も発揮せず、誰の行動も拘束しない。「この告示は、公布の日から施行する」などという「附則」までついている。**なんだお前は。立法権でも持ってるんか？**

## すぐさま猛批判を浴びる柚葉

この行為に対する動画投稿者や利用者、『東方Ｐｒｏｊｅｃｔ』のファンや関係者の主な反応は、当然、拒否感と嫌悪感のオンパレードだった。法的妥当性や、商標権が本当に有効かどうかという疑問よりも、そもそも「ゆっくり茶番劇」を独占し、しかも使用料を徴収するなど積極的に自らの管理下に置こうという姿勢を隠そうともしない柚葉のスタンス自体が、ネット上で大きな批判を受けることとなった。

一方でネット動画のユーザーの中には、彼の許可なしには「ゆっくり茶番劇」の言葉が使えなくなってしまうのではないかという不安や動揺の声も見受けられ、自主的に動画を削除する動きもあったようである。こうしたユーザーの動揺を収めるために立ち回ったのが、動画投稿サイト「ニコニコ動画」を運営するドワンゴだった。

## ドワンゴの救済措置

もともと、ゆっくり茶番劇を含む一連の「ゆっくり動画」は、ニコニコ動画から流行したという経緯があったことから、ドワンゴが救済措置に名乗りを上げたのだ。同社はプレスリリースで以下の声明を出している。

> **投稿者の方が「自分の動画を削除しなくてはいけないのか」「ゆっくり劇場という単語も使えないのか」などさまざまな不安にかられている現状に、ドワンゴ（以下、弊社）としても心を痛めています。〔…〕弊社は、コミュニティが築き上げてきた文化を独占・私物化するような行為に憤りを覚えています。**（注3）

ドワンゴはさらに対抗策として、柚葉に対して商標権の放棄を求める交渉をすること、商標権に対して無効審判を請求すること、使用料を請求されたユーザーに対する相談窓口を設置すること、不安からゆっくり動画を自主的に削除してしまったニコニコ動画ユーザーの動画について復旧措置を取ることなどを発表した。

また、ジャンル名として「ゆっくり茶番劇」を使用する行為について商標権の効力は及ばず、そもそも商標権自体に無効性があるとの見解も公表した。

## 関係者が動き、大手も報道

同時期に、『東方Ｐｒｏｊｅｃｔ』の制作元である上海アリス幻樂《げんがく》団も弁護士の意見書を取得し、「ゆっくり茶番劇」がジャンル名として定着していることから、ゆっくり茶番劇動画に「ゆっくり茶番劇」の語句を使用しても商標権の効力は及ばないとの見解を示している。（注4）

　こうした対応は、ユーザーの動揺を抑えるうえでかなりの成果を出したといえる。一方、大手企業を含む関係者が対策に乗り出し、公に見解を表明したことでニュースバリューを持ち、本件はＮＨＫなどの大手メディアなどでも報じられるに至った。

## あっという間に登録抹消放棄

　こうして多方面から猛批判を浴びた柚葉は、商標登録の公表からわずか一日後に使用料を徴収するという方針の撤回を余儀なくされ、その一週間後には、ドワンゴからの交渉を待つことなく、**商標権を放棄する抹消登録申請に追い込まれている。**完全なる三日天下であった。

　ちなみに柚葉は抹消登録を報告する投稿において、その証拠として個人情報を消した抹消登録申請書の画像を添付しているが、その画像について「無断使用及び転載を禁ずる」などと主張し閲覧者を牽制している（図

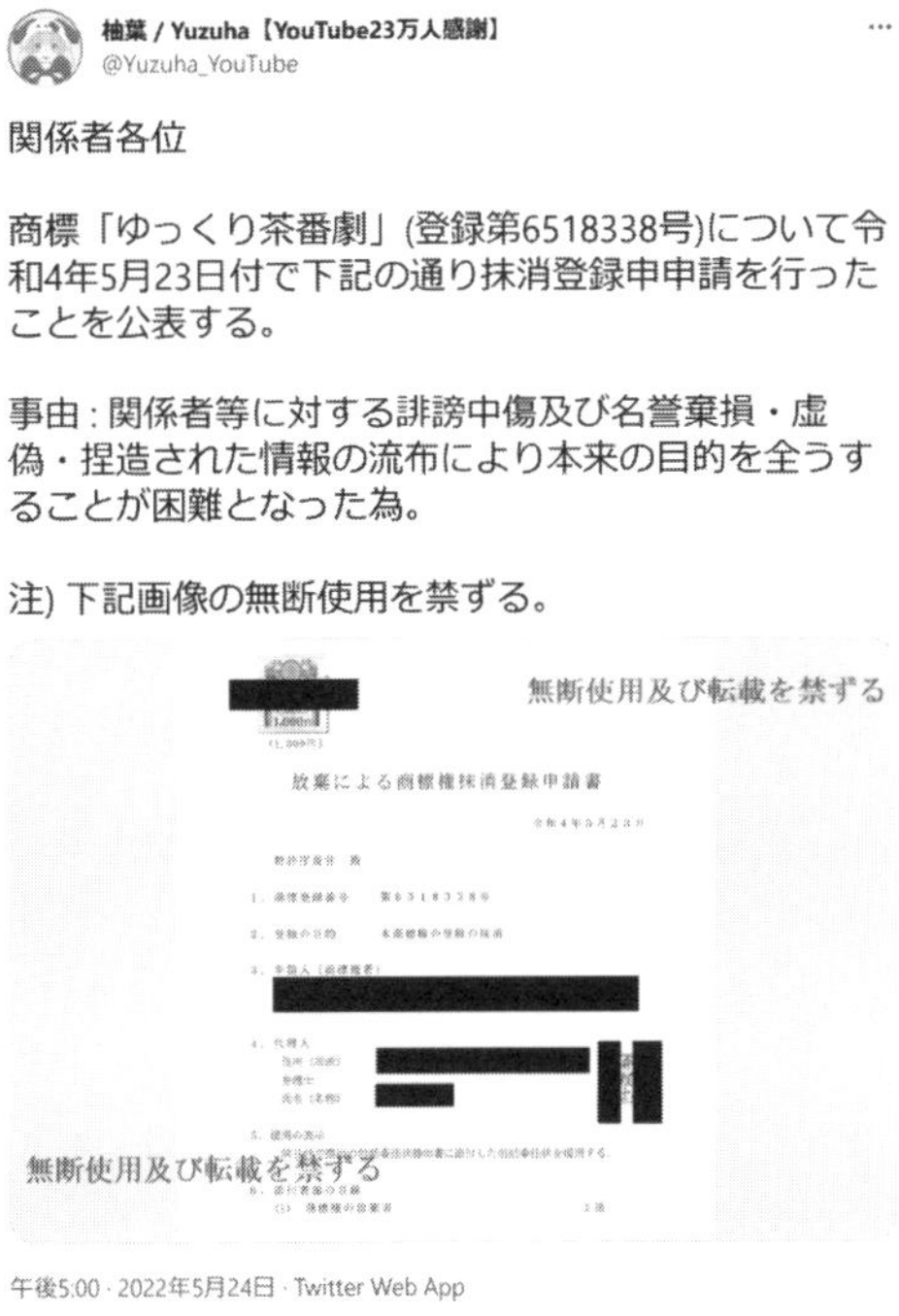
柚葉 / Yuzuha【YouTube23万人感謝】
@Yuzuha_YouTube
関係者各位
商標「ゆっくり茶番劇」(登録第6518338号)について令和4年5月23日付で下記の通り抹消登録申申請を行ったことを公表する。
事由：関係者等に対する誹謗中傷及び名誉棄損・虚偽・捏造された情報の流布により本来の目的を全うすることが困難となった為。
注) 下記画像の無断使用を禁ずる。
無断使用及び転載を禁ずる
放棄による商標権抹消登録申請書
無断使用及び転載を禁ずる
午後5:00 · 2022年5月24日 · Twitter Web App
図2

2)。しかし、こんな申請書の書式に著作権があるはずもなく、無断使用や転載を禁ずる根拠はない。エセ商標権を散々振り回した挙げ句、**最後にはエセ著作権をまき散らしている**のだ。自分のやったことの問題点に自覚があるのか、極めて疑わしい。

## 柚葉の商標登録の動機は？

登録されるや否や大勢に嫌われ、挙げ句せっかく登録した商標権を速攻で剥奪されるとは、**まったくもって徒労**だ。本人にとっても百害あって一利なしである。この結末が少しも想像できていなかったとしたら浅はかだが、いったい、このようなリスクを背負ってまで、柚葉が「ゆっくり茶番劇」の商標登録をたくらんだ理由はなんだったのであろうか。

## カネ目的か、それとも私怨か

これについては、金銭目的と、ゆっくり関連動画の投稿を巡ってトラブルになっていた他の動画投稿者への私怨を晴らす目的という見方があり、筆者はその両方の側面があったのであろうと見ている。

柚葉自身は、後述する商標無効審判において、後者の理由を強調して述べている。曰く、ゆっくり関連動画の投稿者のコミュニティでは、「**自身と異なる考えの者を動画の中で中傷したり、嫌がらせで通報したり、脅迫まがいな行為を行なったり、集団で無視したりといったようなまるで学校のいじめのような行為がありふれている**」そうであり、「被請求人〔柚葉〕も多々被害を被っていた」というのである。

そして、続けて「**そのような〔いじめのような〕行為をなくしたい、そのためには商標権を取得し、被請求人〔柚葉〕と価値観を共有できる者にのみ『ゆっくり茶番劇』の使用を許可することが必要と考え**（注5）」たから商標出願をしたというのだ。

本気でこれを言っているのだとしたら、かなり稚拙というほかない。柚葉の言い分は、表面的には「ゆっくり動画投稿者コミュニティの秩序を正したい」というもっともらしさをまとっている。

だがその実は、エセ商標権を振りかざして自分の意に沿わない者をゆっくり茶番劇動画のコミュニティから排除し、自分と価値観を共有できる者だけが動画を投稿できる、自分にとってのユートピアをつくりたいという**幼稚な独裁者の妄想**でしかない。**デスノートを拾ったクソガキの思考回路**である。それをあたかもコミュニティの秩序であるかのようにうそぶくとは、図々しいにもほどがある。

## コンサル崩れの浅知恵も

しかも、自分と「価値観を共有できる者にのみ『ゆっくり茶番劇』の使用を許可することが必要と考え」た割には、**その使用料として一〇万円を要求しているわけで、**金銭収受の目的があったことも間違いないのである。

実は当時の柚葉はユーチューバーといっても、さほど積極的な動画投稿はしておらず、ゆっくり茶番劇の動画を投稿する他のユーチューバーに対するチャンネルの運営代行やコンサルのような仕事をしようとしていたようなのだ。騒動後に閉鎖された柚葉のウェブサイトには、業務内容として「**主にYouTubeチャンネル（ゆっくり茶番劇系）の個人運営者向けとして、運営委託契約制度を実施致しております」「ゆっくり茶番劇用の小説台本（単発動画・連続動画）の受発注先選定及び受発注管理を行い、ビジネス運用をサポート致しております**[注6]」などの案内が記載されていた。

このことからすると、彼がゆっくり茶番劇の愛好者で、そのコミュニティの秩序を守ろうという意図を持っていたかどうかすら、疑わしい。

自分と相容れない動画投稿者を排除するとともに、自分と価値観を共有する動画投稿者は金づるとして捉え、コンサル料や、不正な商標登録に基づく商標使用料を巻き上げようという目論見があったことは想像に難くない。**まさしく商標ゴロの発想**である。

## 浅はかな「儲けのノウハウ」

なお、商標登録を公表し騒動になる三週間前に、柚葉は自身のSNS上で、「**ゆっくり茶番劇で稼ぐためのノウハウを発売したら欲しい人居る!?**」（注7）と投稿している。

とにかくゆっくり茶番劇をダシに儲けることしか考えていないことがありありと伝わってくるが、その「ノウハウ」とやらが、『ゆっくり』関連の用語を商標登録して一人あたり一〇万円徴収すりゃ簡単に稼げるぜ」だったとしたら、呆れる話である。お前ひとりでも十二分に迷惑なのに、**人に広めようとすんな。**

## 商標権侵害にならない理由

最後に「ゆっくり茶番劇」の商標権の効力や商標登録されたことの適切性について、簡単に述べよう。ドワンゴや上海アリス幻樂団の見解の通り、この商標権は実質的にゆっくり茶番劇動画を配信することに対して何ら効力を発揮しない、すなわち商標権侵害にはならないと考えるべきである。

たとえ商標登録されていても、事実上、一般名称だったり、**内容を説明する語句と認識されている言葉を、その趣旨や態様で使用しても商標権侵害にはならない。**このことは商標法においても定められている（商標法第二六条一項）。

そうでなくとも、本来自分のブランドでもないのに、あからさまな金儲け目的で商標登録した商標権に基づく権利行使など、「権利の濫用《らんよう》」として認められないだろう。保有するだけ無駄なエセ商標権である。**こんなものに臆する必要はない。**

## 商標登録自体が誤り

そもそも、**商標登録されたこと自体が間違い**である。もしこれが「ラブロマンス」「韓流」「感動秘話」「衝撃エピソード」といった商標だったら、商標出願しても登録は間違いなく拒絶されるだろう。動画のジャンルや内容表示と認識されている名称を、動画関連のサービスについて商標登録すること自体ができない（審査を通過しない）と商標法で定められているからだ（商標法第三条一項三号、六号）。

だが「ゆっくり茶番劇」が、特定のゲームの二次創作動画というサブカルチャー領域でしか通用しないジャンル名だったことが、過誤登録を引き起こしたといえる。商標登録の可否を審査するのは特許庁に勤務する人間であり、このようなマイナーなジャンル名を見過ごすことはあり得る。

## 柚葉の権利の無効性が明らかに

なおドワンゴは、柚葉が商標権を自ら抹消放棄したにもかかわらず、そもそも商標登録されたこと自体が誤りだったことを確認する目的で、消滅した商標権に対して特許庁に対し無効審判請求をしている。

その結果、特許庁は「ゆっくり茶番劇」について「動画のジャンル又はカテゴリーのひとつ」と認識されるに過ぎないと判断を改めている。**要は最初から商標登録されるべきではなかったことが確認されたのだ。**加えて、柚葉の商標登録行為については以下のように評している。

**被請求人〔柚葉〕が本件商標に係る商標権に基づいて、「ゆっくり茶番劇」の語の使用を制限し、年間使用料10万円を徴収しようとすれば、不特定多数の投稿者に対して、無用な混乱を起こさせることは、被請求人にとって当然に予想できたことといえる。そして、〔…〕実際に、混乱を招いている。**

この評価に基づき、柚葉の商標登録は**「社会公共の利益に反し、社会の一般的道徳観念に反する」**と判断。この観点からも商標登録は無効にされるべきと判断した。

なお、「ゆっくり動画コミュニティにおける嫌がらせやいじめのような行為を正したかった」という柚葉の出願動機に関する主張に対しては、「仮にそのようなことがあったとしても**〔…〕『ゆっくり茶番劇』に関する動画を投稿していた者又は同動画をこれから投稿しようとする者の全てに対して、無用な混乱を招いてよいものではな**

**い**」と斬り捨てている。

仮にコミュニティ内でトラブルがあったのだとしたら、当人同士で解決すべきであり、**他の関係ないユーザーを巻き込んで全方位に迷惑をかけんなこの野郎！**　ということだ。当たり前の話である。

## ネットミームの商標審査を強化

こうして、「ゆっくり茶番劇」商標問題は解決に至った。この騒動以降、特許庁はいわゆるオタク用語やインターネットミームについてもより慎重な審査をするようになり、例えば「同人・漫画・イラスト・二次創作に関する辞典」を標榜するネット辞書の「ピクシブ百科事典」などのサブカルチャー系の資料を参照し、「童貞を殺すセーター」「ラブライバー」「推しごと」といった用語の商標出願を拒絶している。

**なぜそんなにエラそうなのか⁉ 高名漫画家が無実の若者に改名を迫る！**

# 銃夢ハンドル事件

**木城ゆきと vs 龍河銃夢**

## 有名人から突然イチャモンが

ある日、一般人のあなたに社会的地位のある有名人から突然警告が届いたらどう思うだろうか。ましてやそれが、**根拠のないエセ商標権に基づくイチャモンクレームだったら……**。これはインターネット個人メディア黎明期に起きた、有名人が個人にふっかけたエセ商標権事件である。

今日では、SNSや画像・動画投稿サイトの隆盛により、個人がネット上で情報発信を行うことは当たり前ともいえる状況だが、本事件の起こった二〇〇〇年において、ネット上の個人メディアといえば、一定の専門知識を持つ人が開設する「個人ホームページ」が主流であった。ウェブコンテンツ自体が今よりもずっと少なかった時代、個人が開設するコラム、写真、芸能人のファンサイトなどはネット上の貴重な娯楽であり、コミュニティの場でもあった。

個人ホームページのオーナーは「ハンドルネーム」と呼ばれる仮名を名乗ることが常であり、自身のサイトではもちろん、同じハンドルネームを用いて他のサイトの掲示板などにも書き込むなどして、ネット上でのコミュニケーションを取っていた。

## ほのぼの個人HPが標的に

ハンドルネーム・**龍河銃夢**《たつかわがんむ》は、一九九七年から個人ホームページ「龍河写真コレクション」を開設していた二〇代後半の個人で、一眼レフを趣味としていた彼は、主に自分で撮った写真をほのぼのと掲載し、サイト上の掲示板で同好の士と交流していた。

この何の変哲もない穏当で牧歌的なホームページに、**明後日の方角からクレームを投げかけた**のが、漫画家の木城ゆきとである。

掲示板で中傷されたとか、写真が著作権侵害といったトラブルは当時からしばしば見られたが、彼のクレームはそれらとは一線を画していた。「龍河銃夢」という**ハンドルネームの使用を中止せよ**というのである。その理由というのがすごい。以下は木城が、自身のスタッフで弟の木城ツトムをして龍河に送った警告メールの抜粋だ。

**用件は、あなたがハンドルネームとして使用している「銃夢(がんむ)」についてです。「銃夢(がんむ)」とは、木城ゆきとの代表作のタイトルです。日本のみならず、世界8ヶ国で出版されている漫画のタイトルをあなたが無断で使用することは、当方としては放っておけない重大な問題です。**

**早急に「銃夢（がんむ）」という名称の使用を中止してください。これは、あなたが「銃夢（がんむ）」という作品を知っていたか否かとはかかわりなく使用の中止を要求するものです。**（注1）

## 知らん漫画を振りかざされても

そ、そんなことを言われても。『**銃夢**《がんむ》』は確かに木城の代表作ではあるものの、青年向けSF漫画でターゲット層は限られているし、OVA化や後述の映画化などもされているが、同ジャンルの『AKIRA』や『攻殻機動隊』ほどにメディアミックス作品が高い評価を受けているわけでもない。知らねぇよという話である（実際、龍河も『銃夢』のことは知らず、ハンドルネームは別の『真・女神転生』というゲームのキャラクターをモチーフにしたものだと述べている）。

その『AKIRA』の作者・大友克洋でさえ、EXILEのAKIRAやお笑い芸人のアキラ100%に向かって『AKIRA』とは大友克洋の代表的な作品です。早急に『AKIRA（アキラ）』という名称の使用を中止してください」などとのたまうようなムチャクチャをしていないのに、**木城にそんなことを言われる筋合いはない。**

そもそも、いきなり偉そうに「重大な問題」「名称の使用を中止してください」などと要求を押し付けているが、何の正当な根拠も示さずに居丈高な態度を取ること自体、人間性に問題がある。下手に出てお願いされるなら考えてやらなくはないが、**失礼千万な態度**ではないか。

ところが、いきなり「世界八ヶ国」で活躍すると豪語する漫画家から、予想だにしていなかった高圧的なクレームを受けた龍河は、すぐさま謝罪。「**早急にHN〔ハンドルネーム〕の使用を中止いたします**」とし、「龍河写真コレクション」の一時閉鎖、ネット仲間へのハンドルネーム使用中止の連絡、さらには、ホームページのURLに「ganmu」が含まれていたことから、これを変更する手続きまで行うと報告した。身勝手な言いがかりで、よくもまぁ一個人にこんなにも迷惑と手間をかけさせたものだ。

## 龍河銃夢の逆襲が始まる

だが、事件はここで終わらなかった。修正作業などをしているうちにだんだん龍河は「**これはおかしい**」と気が付いただろうし、腹も立ってきたのだろう。翌日、木城と当時『銃夢』を発行していた集英社へ「**ハンドルネームを決めるときは、ありとあらゆるメディアから重ならない名前を探し出せということか?**」「**使ってはいけない名前を教えてほしい**」などと見解を質すメールを送信している。

さらに、ホームページの閉鎖について多数の問い合わせが来ていることを理由に、木城からのメールを自身のサイトに転載し、閉鎖の経緯を公に説明してもよいかと尋ねている。この際龍河は「**あなたが正しいことを言っているのならば、公開しても全く問題はないと思いますが…どうでしょう**」と木城を煽っている。龍河の逆襲開始だ。

## どこまでも偉そうな木城

これに対する木城の返答が噴飯ものであった。まずここに至って、龍河にハンドルネームの使用中止を迫った理由について、以下の二点を挙げて説明している。

**1．インターネット上での匿名性**
**あなたが僕の代名詞ともなっている「銃夢」という名前を使用してインターネット上で発言することにより、事情を知らない人間がそれを見て、「木城ゆきと」の発言だと思いこむ恐れがあります。あなたはそれと意図せずして僕の名を「かたる」ことになるのです。**
**2．商標化の可能性**
**僕の作品『銃夢』については、現在大きなプロジェクトが進行しており、近い将来作品のタイトルや主要なキャラクター名は商標登録される可能性が大きいです。商標は法律で保護されていますので、無断使用はできなくなります。**

いかに無根拠なクレームであったかがよく分かる説明だ。

前者については、まず誰も木城のことを「銃夢さん」なんて呼んでいないし、木城も自称していないのである。だいたい、尾田栄一郎のことを「ワンピースさん」、鳥山明のことを「ドラゴンボール先生」なんて呼ぶか!? バカにしてるだろそんな呼び方するヤツは。「銃夢」が「僕の代名詞ともなっている」という説明は、前提からして破綻している。

## 間違えるヤツなんているか？

そしてそうである以上、「銃夢」の名前をネット上で名乗ったとしても、それを木城本人だと勘違いするヤツなんかいない。**ましてや龍河のハンドルネームは「龍河銃夢」であって、「銃夢」ではないのだ。**木城本人とは十分に区別できるネーミングである。

しかも、龍河のホームページは、『銃夢』の作品批評をしているわけでもなければ漫画を掲載しているわけでもない。本人が撮った趣味の写真をほのぼのと掲載しているだけなのである。木城は、検索サイトで「銃夢」とエゴサーチして龍河のページに辿り着いたことから本件を問題視したと述べている。だが、仮に木城の『銃夢』を検索したつもりで龍河のページに辿り着いたユーザーがいたとしても、その内容を一瞥すれば、木城の『銃夢』とは何ひとつ関係ないことなど、誰でも分かることである。

　これを「木城ゆきとのホームページだ」と思い込む人間はかなりのバカであり、木城がこれを本気で心配しているのだとしたら、**自分の読者の知能をかなり低く見積もっていることになる。**

## むしろ法的根拠がないと白状

後者の商標に関する見解も、何から何まで間違っている。まず「**近い将来〔…〕商標登録される可能性が大きいです**」ってことは、この時点で商標登録していないということだろう。じゃあもう先日のクレームは何の権利上の裏付けもありませんと白状したようなものである。要するに「その名を名乗るな！　近い将来、俺が商標登録するから！」というわけで、**もはやエセ商標権以前の問題だ。**

　しかも、実際には当時すでに「銃夢」は商標登録されていたのだが、木城は関与しておらず、『銃夢』を原作にしたゲームソフト「銃夢～火星の記憶～」（**図1**）を販売していたバンプレストの名義で登録されていたのである。[注3]

図1

　つまり木城は自分の「代表作」の商標登録状況すら管理も把握もできていなかったことになる。その程度の認識で、よく商標を振りかざそうと思えたよな。

## 商標権侵害はあり得ない

　なお、仮に木城が「銃夢」を商標登録していたとしても、他人がハンドルネームとして使用することに対し権利行使はできない。商標権の効力は、登録した商標を、登録の対象商品について、商品名やブランド名として使用することについてしか及ばないからだ。

例えば前記バンプレストの商標権であれば、ゲームソフトなどの商品に「銃夢」という商品名やレーベル名をつけることについてしか権利行使できないのである。

商標権の効力は、「言葉の使用」全般のうちの、相当限定的なシチュエーションにしか及ばない。これが「商標権で言葉の独占はできない」といわれる所以である。**ハンドルネームは商標法の範囲外なのだ。**

## どうしてこんなに偉そうなのか

どうも、木城は龍河に問い質されてから、慌てて後付けでチグハグな理由をでっち上げたような印象が拭えないのだが、引くに引けなくなったのか、彼は強気の姿勢を崩さなかった。龍河の「**ハンドルネームを決めるときは、ありとあらゆるメディアから重ならない名前を探し出せということか？**」という質問に対しては、以下のように堂々と回答している。

**なるべく重ならない名前を探した方がいいでしょう。どうしても重複が心配な方は、本名を使うことをおすすめします。**（注4）

いや、お前が意味不明なクレームさえしなければ、誰もそんな心配しなかったよ！ 無用の心配をさせた当の張本人の言うセリフか。さらに「使ってはいけない名前を教えてほしい」という質問には、「**ご自分でお調べなさい。面倒なら自分の本名か、本名をアレンジしたHNを使いなさるがよいでしょう**」と、どこまでも偉そうな態度を貫いている。

それでも、このメールのやり取りを公開したいという龍河の申し出に対しては、自分も同じく自身の公式サイトで同時公表するという条件で承諾している。肝が据わっているというか、**よっぽど自分の言い分に自信があった**ということなのか……。

## さて共感を集めたのはどちら？

　こうして、木城と龍河のここまでのやり取りは、龍河のホームページと木城の公式サイト「ゆきとぴあ」の双方で公開されることになった。木城は合わせて、作品名についてハンドルネームやペンネームへの使用を禁ずる旨などを記したガイドラインも公表している。その結果、どうなったか。**木城はネット上から総スカンを喰らうことになったのである**。

　そりゃそうだろう。「作品を知っていたか否かとはかかわりなく使用の中止を要求する」「ご自身でお調べなさい」といった高圧的で一方的な物言いで**マイルールを押し付ける**木城の姿勢も反感を招いたが、それ以上に、もしここで木城の言い分を通してしまったら、ハンドルネームを使ってウェブ上で活動をするすべてのユーザーは、「ありとあらゆるメディアから重ならない名前」を探し、商標登録の有無を調査しないといけなくなる。そんなことは不可能だし、する必要もないのだが、こんなクレーマーに成功体験を与えて理不尽な前例をつくることは阻止しなければならないという思いで、インターネットユーザーは連帯を示したのである。

## 揚げ足取られまくりの木城

　木城への批判の中には、彼の公式サイト名「ゆきとぴあ」が、**新潟県のスキー場運営会社によって商標登録されている**と指摘するものもあった[注5]。実際には、スキー場についての商標権の効力が、漫画家の公式サイト名に及ぶことはあり得ない。

　だが「商標登録されている語句は、ネット上の自己表示として無断使用できない」という木城の**トンデモ理論**を肯定するならば、木城のサイト名こそ商標権侵害になってしまうのだ。さらに、木城の『銃夢』の作画構図に、米国のコミック作家フランク・ミラーの作品に類似する箇所があったことなどから、『銃夢』を盗作と指摘する声まで上がった。

　エセ商標権者、エセ著作権者にありがちだが、誰もが当たり前に行う正当行為に対して、権利侵害やパクリなどと不用意で身勝手な非難を展開したがために、**今度は自分の過去の正当行為が同様のロジックで非難を受け、何も言い返せなくなることは多い。**非常にダサく、カッコ悪い事態である。

## 木城、全面謝罪

こうした批判を受けて、木城は認識を全面的に改めている。木城龍河とのメールのやり取りから二ケ月、メールの公開から一ケ月後に、公式サイト上にお詫び文を掲載した。以下はその抜粋である。また、その後龍河にも直接面会して謝罪をしたことを報告している。

**当サイトで掲載した、「ガイドライン」は全面的に撤回いたします。**あきらかな行きすぎであり、ここにあやまちを認め、関係者各位の方々に謝罪いたします。僕の作品のタイトル・キャラクター名などの使用は、利用者の方々の善意と良識の裁量にゆだねることといたします。

〔…〕龍河氏へのハンドルネーム不使用要求はもちろん全面的に撤回し、氏におかけした迷惑や、メールのやり取りの中で高圧的と受け取られた部分もふくめ、ここにあらためて謝罪いたします。〔…〕今回、さまざまな方のご批判を受け、指摘された点について考えたとき、自分の主張が法的な部分も含めて誤っていたという認識にいたり、今回の謝罪に至りました。(注6)

**かなり真摯な謝罪**といえるだろう。前作『エセ著作権事件簿』でも書いたが、エセ著作権者やエセ商標権者が、自分の主張が誤りだったと認め、心から考えを改めることは稀である。裁判で敗訴してもなお、納得せずにグチグチと不満を訴え続けることもまったく珍しくない。

そんな中にあって、木城が全面的に認識を改め、自らの言葉で謝罪を表明したことは素晴らしいといえる。こうしてこの騒動は収束したのである。

## 一八年後の答え合わせ

ところで、木城が龍河へのメールで述べていた、『銃夢』に関して進行中の「大きなプロジェクト」というのは、ハリウッドでの映画化のことだといわれている。実際、二〇〇〇年当時から映画化権の交渉が進められており、それから長い製作準備期間を経て、『タイタニック』『アバター』のジェームズ・キャメロンの製作・脚本により、二〇一九年に『アリータ：バトル・エンジェル』として公開された。

ところが、メールで木城が示唆していた「作品のタイトルや主要なキャラクター名」の商標登録を、**結局、木城自身はこの間「銃夢」を含めて一切行わなかった**のである（製作会社の二〇世紀フォックス社が「ALITA BATTLE ANGEL」を二〇一八年に商標登録している）。二〇〇〇年の騒動の教訓から、作品名やキャラクター名を商標登録したところで、その言葉自体を独占することはできず、**大して意味がない**と、木城が正しく商標権の効果を認識した結果ではないか……と筆者はニラんでいる。

# 漫画での商標使用。得意先のお気持ちにどこまで「配慮」すべきか？

# BamilyMart事件

**ファミリーマートvs小学館、矢島正雄、中山昌亮**

## 漫画の商標、なぜ伏せ字？

漫画やエッセイなどの作品中で、実在の商品や会社がネタにされるとき、伏せ字が使われたり、敢えてぼかした表現で書かれることがある（例えば「ディズ○ーランド」「某ネズミのテーマパーク」）。こうした措置は「商標上の問題」が理由であると説明されることが多いが、**実は商標法上はまったく問題がない。**

典型的な商標権侵害とは、商品やサービスに他人の登録商標を無断使用することによって、その商品やサービスが、本来の登録商標の主体者が関与しているとの誤解（「出所の混同」という）のおそれを生じさせることである。例えば、本来は出版社のロゴが載る漫画本の背表紙に「Ｄｉｓｎｅｙ」と表示したり、帯で事実に反して「ディズニー公認」などと謳えば商標権侵害となるだろう。

しかし、漫画や小説の中身で、登場人物が「ディズニーランド」という言葉を発したとしても、そのことによって、その書籍をディズニー社やオリエンタルランドなどの特定の事業体が発行しているなどといった誤解を生じさせる余地はない。すなわち、商標権侵害にあたる可能性もないのである。

では、なぜ作中の商品名は伏せ字にされるのか？　それは単に商標権者からの**クレーム防止のための自主規制に過ぎない。**

特に、商品を茶化したり、ネガティブな印象を与える可能性のある描写においては、著者や編集者、出版社の判断により、「気を遣って」商標が伏せ字にされることは珍しくない(注1)。

気を遣っているのだから、商標権者にはむしろ感謝してもらいたいくらいだが、伏せ字やもじりを加えても、なおもクレームが飛んでくることがある。だがこうした問題は**「気遣いをどこまですべきか」**という話に過ぎず、法的な論点はないため、裁判沙汰にまで至ることはまずない。通常はひっそりと処理され、それが公になることはない。だが、当事者によって顛末が明かされている貴重な事例があるので紹介したい。

## 抗議を受けた漫画の内容とは？

原作・矢島正雄、作画・中山昌亮《まさあき》の刑事漫画『PS（ポリスステーション）—羅生門—』という作品がある。小学館の漫画雑誌『ビッグコミックオリジナル』で連載されていた。主人公の刑事たちによるさまざまな犯罪捜査を通じて、善悪では簡単に割り切れない人間の複雑さを描くという内容だ。

その第六三話「立て篭る男。」は、コンビニ強盗事件を描いている。コンビニで二人の店員を人質にして立てこもった男。その男は、実は以前別のコンビニ強盗殺人事件で殺害された被害者の兄だった。犯罪被害者である彼がなぜ、同じ犯罪を——。

といったストーリーである。

このエピソードの事件の舞台となったコンビニの描写が問題となった。作中のコンビニの名称は**「Bamily Mart」（図1）**。もちろん、コンビニ大手のファミリーマート（Family Mart）をもじった名称だろう。この名称にファミリーマート社がブチ切れたのだ。小学館に送られた警告書の内容を、同社の大亀哲郎が著書で明かしている。それによれば、

**〔ファミリーマートの〕商標・標章の営業表示に極めて類似する営業表示を使用している〔…〕あたかもF社〔ファミリーマート社〕の加盟店舗において、そのような監禁事件が発生したかのような印象を与えてい**

図1

るが、まったく同種の犯罪が起こったことはない。しかもF社の防犯体制が整わず、容易に類似した犯行を許す状態であるかのような誤解を与える。このような作品は**F社の営業上の信用ないしは利益を大きく損なう。またコンビニにおいて強盗事件が多発する昨今の状況で、特にファミリーマート店をねらった強盗事件を誘発しかねない**（注2）

といった指摘だったという。

これに対し、小学館は回答書で「遺憾の意」を表明するとともに、単行本化に際しては描写を修正することを約束したが、ファミリーマート社は納得しなかった。彼らは、さらに文書で「**F社の事業上の権利・利益を侵害するもので、『遺憾』ではすまない**」と矛を収めず、修正内容の事前確認まで要求してきたというのだ。

## 実態はお気持ちクレーム

よりにもよってコンビニ強盗事件の舞台に使われたとなれば、ファミリーマート社が不愉快に思う気持ちは分からなくはない。しかも「ＢａｍｉｌｙＭａｒｔ」にもじったといっても、実は店の外観を描いた多くのコマでは、看板の「Ｂ」の部分に反射光が描かれており、「ＦａｍｉｌｙＭａｒｔ」とも読める描写になっていたのだ**（図2）**。

「配慮が足りない」といわれれば、それは確かに否めなかろう。それはそうだが、しかしこの問題は**どこまで突き詰めても「お気持ち」「配慮」の問題に過ぎない。**本来であれば、「気分を害しているから止めてほし

い」と率直に伝えるに留めるべきことなのである。それを、説得力を持たせようとしたのか、権利侵害や不法行為であるかの

図 2-1

ように主張しようとすると、どうしても内容に無理が生じてきてしまう。

## 主張にムリが生じまくり

まず「ファミリーマートの商標・標章の営業表示に極めて類似する営業表示」を、漫画に出てくるコンビニ店舗名として使

図 2-2

用したことについては、それ自体には何ら法的な問題はない。その理由は冒頭に書いた通り、漫画や雑誌自体の発行にファミリーマートが関与していると思われる余地がないからである。

続く「**あたかもF社の加盟店舗において、そのような監禁事件が発生したかのような印象を与えている**」「**F社の防犯体制が整わず、容易に類似した犯行を許す状態であるかのような誤解を与える**」「**コンビニにおいて強盗事件が多発する昨今の状況で、特にファミリーマート店をねらった強盗事件を誘発しかねない**」との畳みかけはどうだろう。

頭ごなしに叱られた小学館の担当者は、勢いに呑まれて丸め

込まれてしまうかもしれないが、冷静に考えると**「そんなバカな」**というべき主張である。

**影響を受けるヤツなんていない**

実話であることを匂わせるような描写も一切なく、この作品を読んで「これはファミリーマートで実際にあった事件なんだ」と信じる読者がいるとは思えない。まして、この作品を読んで感化され、**「よし。ファミリーマートの防犯体制は緩いらしいから、強盗に押し入ってやろう」**などと誘発される人間が果たして存在するのだろうか。

世の中には、二次元のキャラクターなどに入れ込み過ぎる人について、比喩的に「漫画と現実の区別がついていない」と揶揄するむきもあるが、ファミリーマート社は、文字通り、本気で〝漫画と現実の区別がつかない〟読者が、漫画を読んで本当にファミリーマートの防犯体制を見くびり、強盗に押し入ったらどうするんだ⁉と主張しているのである。**漫画と現実の区別がついていないのはファミリーマート社の方**ではないかと思わざるを得ない。

**言葉を選んでクレームすべき**

あまりにもあり得ない仮定をブチ上げて、それを前提に自己のクレームの正当化を図ろうとし、あまつさえ「事業上の権利・利益を侵害する」などと権利侵害、不法行為であるかのように主張するのだから、「コンビニ強盗事件の舞台に使われて不愉快だ」という心情自体は理解できるとしても、**「何をメチャクチャな因縁をつけてるんだ⁉」**という気持ちにさせられる。文句をつけるのはいいとしても、それこそ出版社や作者のお気持ちに配慮して、もっと言葉を選んでクレームしろよ！という話である。

**小学館の対応は？**

だいたい、そこまで漫画の影響を受けやすい架空の読者を想定しているのであれば、作中で最後に犯人は逮捕されているんだから、「たとえファミリーマートに強盗に入っても、逮捕される」と正しく認識するだろうよ、そいつは。おお、**犯罪抑止に役立つ漫画**じゃないか。警告書じゃなくて、感謝状を送りつけるべきではなかったか。

そんな風に皮肉たっぷりに小学館が応戦してくれたら痛快だったのだが、そうはならず、ファミリーマート社の要求に素直に従ったようである。『PS―羅生門―』の単行本では、Bamily Martは「shop24」というまったく異なる架空の店名のコンビニに描き換えられている（**図3**）。

## 優越的地位の濫用という説も

ま、小学館にとっては、ファミリーマートは、『PS―羅生門―』の掲載誌『ビッグコミックオリジナル』を始め、漫画その他の雑誌を販売する大得意先である。主張の妥当性がどうあれ、おいそれと争うわけにもいかなかったんでしょうなぁ。

図3

得意先と良好な関係を維持することを優先して妥協することは悪いこととはいえないし、本作のエピソードを通読しても、ストーリーや演出上、舞台がファミリーマートのもじりである必要性もなさそうだ。作者の矢島・中山としてもこだわる点ではないと思われるから、結論として修正は妥当だったと思うが、**ファミリーマート社の圧力のかけ方**が気になる事件ではあった。得意先だからって、ちょっと威張り過ぎじゃないですかねぇ。

なぜキレる？　まったく異なる業種の同名企業を許せない設計会社の敗訴！

# ANOWA事件

感慨を覚えるむきはあるだろうが、怒るようなことでも嘆くようなことでもない。ところが、世の中にはたまたま社名が被っただけのまったくの無関係の他社に異様な怒りと疑いをぶつけ、めちゃくちゃな理屈で裁判にまで持ち込んで敗訴した会社がある。

## アノワ vs アノワ（注1）

### 同姓同名の他人を許せない？

ある日、あなたと同姓同名の他人が世に才能を認められ、ネットを賑わすようになったらどう思うだろうか。ネットで自分の名前を検索してみると、自分のブログやSNSくらいしかヒットしなかったのに、今ではその他人の華々しい活躍が検索結果に表れる。

自分と同じ名前で、違う人生を送る他人がいる――そんな

### 同名企業の設立にビックリ

株式会社アノワは、埼玉県川口市に所在する、商業店舗のデザイン・設計などを行う会社。一九七七年創業で社員数は一五名。主にアパレルショップの内装を手掛けている。

真面目に信頼を重ねてきたであろう同社だったが、二〇二〇年頃に**怒りに震える**ことになる。愛知県名古屋市に、まったく無関係の他人が、自社と同名の「株式会社アノワ」を設立し、ホームページを開設し、女性のデリケートゾーンをケアするための保湿ジェル「ANOWA41」なる商品を販売していることに気が付いたのだ。しかも、

ANO
SPACE DESIGN PROJECT
WA

図1（埼玉アノワのロゴ）

ANO
DOCTOR'S COSMETICS
WA

図2（愛知アノワのロゴ）

この保湿ジェルのロゴデザインが、なんだか自社のロゴデザインとよく似ていたのである（**図1、2**）。

## 確かに、ロゴは似ているが

ややこしいので、以下本項では内装会社のアノワを**「埼玉アノワ」**、保湿ジェルのアノワを**「愛知アノワ」**と記述する。埼玉アノワと愛知アノワは、同名とはいえ、所在地も遠く離れているし、業種がまったくもって異なる。そしてロゴデザインが似ていることは確かだが、どちらもセリフ体と呼ばれる一般的なフォントで書いた「ＡＮＯＷＡ」の文字を、「ＡＮＯ」と「ＷＡ」で区切って二段にしただけであり、**似て当然の代物**である。

## 業種が異なれば商標権非侵害

もし愛知アノワが、埼玉アノワと同じように内装設計の事業を行っていたら、商標権侵害の問題になるだろう。商標が類似し、かつ商標登録されている商品やサービスの分野が類似するときに、消費者に混同をもたらし商標権侵害になるというのが商標法の法理だからだ。

しかし「内装設計」と「女性向けのデリケートゾーンの保湿ジェル」では、**天と地ほどの違いである。**間違えたくても間違えようがない。どう考えても「埼玉アノワさんに店の改装を頼もうと思ったんですが、間違えてデリケートゾーンに塗る保湿ジェルを買っちゃいましたよ！」なんてことが起きるはずがないのだ。

**あらゆる法律を曲解して提訴！**

そんなことは法律に詳しくなくても、冷静に考えれば分かるはずである。ところが、どういうわけか埼玉アノワはブチギレ。二〇二〇年に商標権を根拠に愛知アノワに警告している。

そして、愛知アノワから「サービス分野が類似しないから商標権を侵害しない」と至極当然の反論を受けると、同年のうちに東京地裁に提訴。**著作権法違反、会社法違反、不正競争防止法違反と畳みかけ、**「ＡＮＯＷＡ」のロゴなどの使用差止、「株式会社アノワ」の商号変更、同社が使用するドメインanowa41.jpの使用差止などを請求したのだ。

**前代未聞**である。いくら商標が同じだからって、アサヒビールがまったく別の業種の朝日新聞を訴えるだろうか。デパートの松屋が、牛丼チェーン店の松屋を訴えるだろうか。ペットフードのサンライズが、アニメ制作のサンライズを訴えるだろうか。そういう話なのである。

なお、愛知アノワの当時の経営者は、名古屋でレストランチェーン「よし川」を経営し、「歩く百億円」の異名を持つ著名実業家の吉川幸江で、「ＡＮＯＷＡ41」も吉川の企画・命名によるものだった。そのため、裁判では吉川の名前も頻出する。

**猛烈な決めつけを連発！**

埼玉アノワの主張を紐解くと、とにかく『「ＡＮＯＷＡ（アノワ）」』という文字列はウチから意図的に盗んだに決まっている」という強烈な思い込みに、病的なまでに支配されていることが分かる。「〔愛知アノワは〕**造語であるＡＮＯＷＡの５文字を使用しており、吉川が、原告標章〔埼玉アノワ〕に依拠せず、この５文字を選定することは確率からみてあり得ない**」「**吉川がこれを独創したとは考えられない**」などと、完全に決めつけている。

そのうえ、いくら吉川が愛知アノワの「ＡＮＯＷＡ」のネーミングの由来を説明しても、「**極めて不自然**」「**後付けで考えた**」

**「控訴人〔埼玉アノワ〕の主張をもとに作出した」**などと、根拠も示さずに否定しているのである。

いや、**極めて不自然なのはお前の猜疑心**なんだよ！　どうして、「アノワ」程度の三音でこんなにも自信たっぷりになれるのか不思議である。

前述のアサヒ、マツヤ、サンライズだけでなく、ライフ、アース、マック、ミツワなど、三〜五文字で同名の商号、商標なんて山ほど併存している。偶然に被ることもあり得ると想像できないのが信じられない。だが、さらに埼玉アノワは畳みかける。

**控訴人〔埼玉アノワ〕の商号と被控訴人〔愛知アノワ〕商号に共通する「アノワ」という部分は三音節からなるところ、五十音図で実際に使用できる音節文字47種による三音節の組み合わせは47の三乗の10万3823通りあるから、吉川が控訴人の商号に依拠することなく独自に被控訴人商号を思い至ったというのは不自然である。**

**めちゃくちゃな理屈である。**

あのなぁ。会社の商号を決めるのに、五十音表に十円玉を適当に三枚投げて**当てずっぽう**に決めてるわけがないだろ！　発音のしやすさや語感、意味などを考慮して選択しているのだ。それを「十万分の一以上のあり得ない確率（ゆえにパクったに決まっている）」であるかのように主張するのは詭弁である。

## アノワに便乗する動機がない

だいたい、どうしてすでに実業家として十分な実績のある吉川が、女性向けのデリケートゾーン用の保湿ジェルを売るのに、埼玉県の内装会社に便乗する必要があるというのか。動機の面から考えてもあり得ないのである。

だがこれについて、埼玉アノワは以下のように邪推している。

**吉川は、自らの会社の利益のため、原告〔埼玉アノワ〕の知名度、信用及び経歴を利用するという積極的な意図を有していた**

**と評価されるべきである。**

あんた本当に何様なんだよ。埼玉アノワなんて会社、**そんなに有名なんですか？**

トヨタやナイキが言うならまだしも、悪いけどアノワふぜいが言うことじゃないだろ！　百歩譲って、店舗内装デザインの業界ではそれなりに知られていると仮定したとしても、デリケートゾーン用の保湿ジェルがその信用を利用する必要性は一切ない。

**訴訟動機は検索順位の低下か？**

一万歩譲って、仮に偶然でなく、愛知アノワが意図的に埼玉アノワと同じ商号をつけたとしても、ここまで業種が違うのに、商号と商標がカブったくらいで埼玉アノワにいったいどんな不利益があるというのだろうか？　これについての埼玉アノワの言い分はこうである。

**現在、インターネット上で「ANOWA41」を検索すると〔…〕「ANOWA」を付した被告〔愛知アノワ〕商品の画像が表示されており、営業主体の誤認混同が生じている。〔…〕インターネット上で「ANOWA」などの文言を検索すると、原告〔埼玉アノワ〕のサイトに加え、被告〔愛知アノワ〕サイトがヒットし、閲覧者は、被告が、原告と資金的又は人的に会社としての関連性を有し、原告が、被告に自己の商号を使用することを許諾していると誤認することになる。**

この発言から、埼玉アノワが愛知アノワにキレている**一番の理由が透けて見える。**ネットで「ANOWA」と検索すると今まで自社サイトしかヒットしなかったのに、愛知アノワの情報もヒットするようになったのが気にくわないようなのである。

しかし、そんなことは自社のSEO（検索エンジン最適化）戦略でどうにかすることであって、同名の会社にクレームをつけ、あまつさえ裁判沙汰にするような話ではまったくない。

**どこまでも止まらない邪推**

しかも、繰り返すが同じ名前

とはいえ、これほどまでに事業内容が異なる以上、検索結果ページで併存したとしても、閲覧者からすれば、単に**「同じ名前の違う会社だ」と認識するに決まっている**のである。ところが、埼玉アノワの邪推は止まらないのである。

**原告〔埼玉アノワ〕が、従来からの店舗設計の事業に行き詰まるなどし、新事業を立ち上げたのではないかとの疑いを抱かせる可能性もある。**

愛知アノワのホームページを見た埼玉アノワの顧客から、**「あぁ、アノワさん。最近経営が苦しいから、デリケートゾーン用の保湿ジェルの販売を始めたんだな」**と疑われるというのだ。んなわけがあるかい！

仮に、再び一万歩譲って、「ANOWA41」が埼玉アノワの新事業だと思われたとしても、「店舗設計の事業に行き詰まったから」という前提を作出しているのが凄まじい被害妄想である。デリケートゾーン用の保湿ジェルって、経営に行き詰まった会社が手を出す事業なのか？

### 根底に相手の事業への偏見も？

どうも埼玉アノワの訴えの根底には、**愛知アノワの事業自体に対する偏見**が感じられる。なんせ、同社はこうも主張しているのだ。

**被告〔愛知アノワ〕サイトのトップページには、〔…〕ブリーフ姿の女性が性器を指し示すようにしている写真がある。当該写真は、アダルトビデオに原告標章が利用されているような不快な気分にさせるものであり、原告〔埼玉アノワ〕が、これを容認していると誤解されれば、原告は、自己のデザインを擁護する意思もないような会社であると評価されてしまうことになる。**

その写真というのは**図3**のもので、別に性的な写真でもなんでもなく、ドサクサに紛れて愛知アノワに**相当失礼な言いがかり**をつけているというほかない。

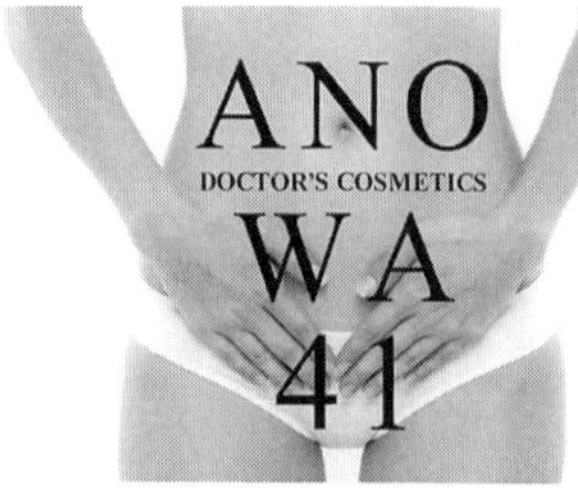

女性のデリケートゾーンケアジェル「ANOWA41」
膣ケアは女性のたしなみ

図3

## 器の大きい愛知アノワ

ここまで言われた愛知アノワこそ、盛大にブチ切れてもよいはずだ。しかし、埼玉アノワと比べると器が広いのであろう。何の落ち度もないのに、警告を受けた当初から円満解決を希望し、裁判になっても「**被告〔愛知アノワ〕は、原告〔埼玉アノワ〕の存在を全く認識しておらず、また、原告と競合関係にもない。そもそも、被告が、原告に損害を加える必要性はないのであり、そのような目的を有していたはずもない**」などと極めて冷静で穏当な反論に留めていた。

あまつさえ、愛知アノワが「ANOWA」のロゴデザインを任意に変更することで和解しようとしたのだ。繰り返すが、愛知アノワには何の落ち度もない。ムチャクチャなクレーマーに対してここまで譲歩の姿勢を示すとは、**仏のような態度**である。同じ社名なのにどうしてこうも差があるのかね。

## 円満解決申し入れを蹴る！

ところがである。ここまで譲歩してもらったにもかかわらず、埼玉アノワは和解による解決を拒否するという暴挙に出たのだ。いやはや、こんな言いがかり裁判で、相手が任意にロゴデザインの変更を受け入れてくれただけでも悪魔に感謝すべきだというのに、それを蹴るとは。**訴訟戦術の観点からもかなりの悪手**である。よっぽど、自分の主張に自信があったんでしょうなぁ。

この結果、裁判所が法的に評価し判決を下すことになったのだが、**もちろん、埼玉アノワの全面敗訴**である。

愛知アノワの商号やドメインの採用に、盗用や便乗といった不正目的があったとの主張に対しては、「**〔吉川が〕業種を全く異にする原告〔埼玉アノワ〕及び原告標章の信用を利用しようとする動機は存在しなかったとみるのが自然**」と当たり前のことを確認。

　そのうえで、両アノワ社のほかにも、「株式会社アノワ」「アノワ株式会社」の商号を有する会社や、同様の屋号を用いる事業者が存在することなどを指摘し、「**被告〔愛知アノワ〕商号の『アノワ』という語は、３音からなるにすぎず、吉川が、原告〔埼玉アノワ〕に依拠することなく、独自にこれを思い至ったとしても格別不自然なところはない**」と切り捨てている。

　また、ロゴデザインが似ており著作権侵害であるという主張に関しても、そもそも埼玉アノワのロゴデザインは「特徴のないフォント」を「業務に関連する単語を添えて」「特定の縦横比に配置したものにすぎない」として、創作性を認めず、著作権で保護されないと判断された。

### 控訴までして再び敗訴！

　和解を蹴ってまで判決に臨んだ埼玉アノワは納得できずに控訴している。そして控訴審では、「ＡＮＯＷＡロゴはポスターと等価値」「漫画は一コマを模倣しても著作権侵害なのに、ロゴが保護されないのはおかしい」などとダダをこねたが、再び敗訴した。

　事業者たるもの、こんなことに時間をかけている暇があったら、ＳＥＯ対策をして本業に精を出すべきだとつくづく思う。

　こうして愛知アノワは勝訴した。しかし、実はなんと当初の和解提案通り、「ＡＮＯＷＡ」のロゴを別のデザイン（**図４**）に変更している。いやはや、

　どれだけいい人なんだキミは。埼玉アノワは、この愛知アノワの度量の大きさから学ぶことがたくさんあるんじゃないんですかねぇ？

図４

イタリア料理界を敵に回す、エセ商標権者の暴走は俺が止める！

# エノテカ事件

## エノテカ vs エノテカ・キオラ（注1）

### 一般名称は独占できない

ある商品やサービスについて、誰もが当たり前に使うような言葉は、原則として商標登録することができない。

例えばファミレスの「イタリアンワイン&カフェレストラン サイゼリヤ」でいえば、「サイゼリヤ」は商標登録できても、単に提供料理の内容やジャンルを意味する「イタリアンワイン」や「カフェレストラン」は、商標登録による独占は許されないということだ。

**ところが、言葉というものは生き物だ。**外来語や新語・流行語に顕著だが、今日では誰もが当たり前に使っていても、ちょっと前には一部の層にしか知られていなかった言葉は多い。その間隙を突いて、抜け駆け的に商標登録をする輩がいる。また、商標登録の可否を審査する特許庁の担当者が、業界では当たり前に使われるような言葉を、誤って商標登録してしまうことも珍しくない。

では、そのようにして商標登録されてしまった一般的名称は、商標登録されてしまった以上、権利者に独占されてしまうのだろうか。使ってはいけないのだろうか。

**否である。**商標登録の状況がどうであれ、現実に「誰もが当たり前に使うような言葉」を当たり前のように使うシチュエーションにおいては、**その言葉の**

**独占は許されない。**エセ商標権である。

商標権自体が無効になることもあるし、また仮に訴えられたとしても、商標権者の方が敗訴する。それは「特定事業者のブランドと認識されない、当たり前の言葉の使い方には、法的保護を与えない」ことが、商標法の法理だからである。

## 一般名称登録にイタリア人激怒

この道理が分からず、たまたまラッキーにも一般名称を商標登録できたに過ぎない権利者が、エセ商標権を振り回して敗訴した事例を紹介しよう。

ワイン商社のエノテカ社は、ワインバー「ENOTECA」（エノテカ）を運営しており、一九九五年に、飲食店の分野において**「ENOTECA」**を商標登録している。

しかし、これが商標登録されたこと自体がそもそも誤りだったといえる。なぜならば、エノテカとは、イタリア語で**「ワインバー」程度の意味**であり、飲食店の種別を表す一般名称だからだ。

リストランテ（高級レストラン）、トラットリア（大衆レストラン）、タベルナ（食堂）、バル（喫茶店）などと同じような位置づけの言葉なのだ。そしてイタリアはもちろん、日本においても、「エノテカ○○」を称するイタリア料理店やワインバーは全国に多数存在するのである。

この商標登録については、「**一般名詞に商標登録なんて、イタリア文化の冒瀆《ぼうとく》だ**」（注2）とのイタリア人のコメントが週刊誌で紹介されたことがある。逆にいえば、イタリアで「Sushi Bar」や「Teppanyaki」が商標登録されて、知らないイタリアの会社に独占されるようなものだから、イタリア国民の怒りももっともだろう。

## ワインバーに警告書乱発の無礼

商標登録だけでも怒りを買っているのに、さらにエノテカ社は、一時期、この商標権を根拠に、「エノテカ○○」を名乗る全国のワインバーに、使用差止を求める警告書を送りまくっていたのだから図々しい。

述べたように、本来であれば、このような警告を受けたからといって、各ワインバーが「エノテカ」の語を使うことを止めねばならない法的な道理はない。

現に商標登録がある以上、一見すると正当な権利行使に見えてしまうが、**実体はエセ商標権に基づくイチャモンでしかないのだ。**

しかし、飲食店には個人経営の店が多い。納得できない思いを抱きながらも、裁判に応じるだけの余裕がないことから、当時泣く泣く店名を変えた店も少なくなかったという。エノテカなのに「エノテカ」を名乗ることができないという理不尽がまかり通っていたのである。

## 理不尽に立ち向かった店がある

そんな中、一店舗だけ、エノテカ社に屈さず、「エノテカ」は誰もが使える一般名称であるという信念を持って裁判で戦った店があった。東京は麻布十番のワインバー**「エノテカ・キオラ」**を運営していたグラナダ社だ。同店の看板の態様は**図1**、**2**の通り。「ＥＮＯＴＥＣＡ」の表示も小さいし、どう見ても「ＫＩＯＲＡ」（キオラ）の方が店名である。どうしてこの店が文句をつけられなければならないのか、理解に苦しむ。

「エノテカ」がワインバーという意味で当たり前に使われている以上、裁判になればエノテカ社に勝ち目はない。

キオラは、自店の他にも「エノテカ○○」を称するワインバーが多数存在していることを裁判で主張。特に、本場フィレンツェに本店を持ち、名古屋にある**「エノテカ・ピンキオーリ」**は、ミシュラン一ツ星の高級店で知名度も高い。

図1

図2

## エノテカ社のうぬぼれ反論！

しかし、有名店を含む多くのイタリアンワインバーが当然のように「エノテカ」を冠しているという事実を突きつけられたエノテカ社は、これに対しトンデモない反論をかましている。

近年、「エノテカ」という標章を用いるイタリアレストランが増加してきたのは、控訴人「エノテカ社」が多くの媒体に露出し、周知、著名になってきたからであり、たまたま「ENOTECA」がイタリア語において一般名称であることを奇貨《きか》として、控訴人の知名度にただ乗りして短期に収益を上げようとする者が増えてきたからである。

と言い切ったのだ。つまり「エノテカ○○」を名乗るワインバーは、**どこもかしこもエノテカ社への便乗店舗だというのである。**一般名称を使っているだけなのに！

しかも、エノテカ社の設立は一九八八年だが、先のエノテカ・ピンキオーリの本店がフィレンツェで創業されたのは一九七三年である。もともとエノテカを名乗っていた本場の名店に対して、どうして、エノテカ社へのただ乗りなどといえるのだろうか。

「たまたま『ENOTECA』がイタリア語において一般名称」という言い分もスゴい。**「たまたま一般名称」**って、一般名称のエノテカの方が先に厳然と世の中に存在していたのである。そして一般名称だからこそ、ごく自然に、多数の事業者が「エノテカ○○」の名称でワインバーを開業しているのである。

それをたまたま商標登録できたのをいいことに、本来独占にそぐわない一般名称を独占しようとしているのはエノテカ社の方である。「チャイニーズレストラン」「立ち呑み屋」「お食事処」「純喫茶」のようなレストランのジャンル名を独占しようとしていることに、**自分で気付いていないのか!?**

この主張に対し、キオラの運営会社であるグラナダ社の社長・下山雄司は「**エノテカは**〔…〕**一般用語。先方はブランドにただ乗りされたというけど、先方こそ一般用語にただ乗りしている**（注3）」と、至極真っ当な反論をしている。

## 一般人からの認知度は……

一方、エノテカ社はこうも主張した。日本におけるイタリア語の浸透度を考えれば、世間一般的には「エノテカ＝ワインバー」だとは理解されておらず、造語と変わらないというのだ。

実際、同社が実施した街頭アンケートによれば、アンケートを取った一〇三人のうち、「エノテカ」を一般名称だと回答できた者は一三人しかいなかったという。

なるほど。確かに、飲食店業界人やワイン通以外で、「エノテカ」をワインバーのことだと正しく把握できる日本人は、今日においても多数派とまではいえないだろう。エノテカ社のいう通り、一〇人に一人くらいかもしれない。

## ブランドと思われなければよし

しかし、商標としての効力の無さを認定するには、その商標が「誰もが当たり前に使うような言葉だろう」と理解されていればよく、**必ずしも、その意味が万人に正しく理解されている必要はない。**

ここで大事なポイントは、まず、店がワインバーであることを表すために「エノテカ〇〇」という店名を採用しているワインバーが、現に日本に多数存在していることである。加えて、飲食店業界では、例えば「ビストロ〇〇」「トラットリア××」「立ち呑み屋△△」のように、自店がどのような店なのかを客に伝えるために、店の固有名称の頭に、店の種別名を表す名称を付記する慣行があり、そのことは一般的にも常識だということだ。以上の事実を踏まえて、裁判所は以下のように認定した。

**「ENOTECA」の正確なイタリア語の意味やいわれまでは周知となっていないとしても、「ENOTECA」の部分が店舗の種類ないし性格を意味する用語であり、この「ENOTECA」の部分によっては、個々の店舗（営業主体）を識別することが困難である。**

つまり、たとえ世間一般に、正確にエノテカの意味が知られていないにしても、通常「エノテカ○○」の看板を見れば、それが何らかの店の種別を意味する一般的な言葉であろうことが認識され、また特定の飲食店のブランド名であるとは認識されないということだ。

## イタリア料理業界を救った判決

この認定を踏まえ、裁判所はエノテカ・キオラの「エノテカ」部分は商標権侵害を認定するうえでの比較対象にならず、「エノテカ・キオラ」と「ENOTECA」は非類似の商標であると結論付けたのである。

今日でも、日本中に「エノテカ○○」と称するワインバーは多数存在する。だがもし、このときエノテカ・キオラが裁判でエノテカ社に立ち向かわなければ、日本のイタリアンレストランから「エノテカ」というジャンル自体が消滅していたかもしれない。**イタリアのワイン業界からキオラに感謝状が出てもいいくらいである。**

## エノテカ社、業界を去る

なお、エノテカ社は二〇〇四年にこの裁判で敗訴したが、その年のうちに飲食店事業を他社に売却して撤退している。エセ商標権を振り回して日本中のイタリアンレストランに混乱をもたらした挙げ句、敗訴した途端に自ら業界を去っていった格好だ。**立つ鳥跡を濁しまくり**である。これでは、店名を変えさせ

2004年（平成16年）

3月18日（木曜日）

られた多くのエノテカワインバーも浮かばれまい。

一方キオラを運営していたグラナダ社は、その後も白金や銀座、丸の内などに多くのレストランを構え、活躍中である。

二〇一五年にエノテカ社はアサヒビールに買収され子会社になり、現在では経営するワインショップに併設する形で飲食店経営にも再進出している。しかしさすがに、よその「エノテカ」にクレームをつけるようなことは、もはやしていないようである。

ストレッチトレーナーを名乗れるのはオレだけ！ 強欲トレーナーの敗訴

# ストレッチトレーナー事件

**ＳＳＳ（兼子ただし）vs 国際ボディメンテナンス協会、メイド・イン・ジャパン**[注1]

## 当たり前の肩書を独占したがる

「ストレッチトレーナー」を商標登録していると**自称する**インストラクターが、ストレッチ運動の指導員を養成するための「ストレッチトレーナー資格講座」を商標権侵害で訴え、しかし完全に敗訴した事件である。

訴えたのはＳＳＳ（スリーエス）という会社で、ストレッチトレーナーとして著書も多数あり、テレビのワイドショーやバラエティ番組の健康コーナーなどの各種メディアへの出演経験もある兼子ただしが代表を務めている。

兼子は、自身のブログなどで「**この『ストレッチトレーナー』、弊社の商標登録済の知的財産となっています**（商標登録第５８４０７２９号）。**しかし、これを知らずか？知ってか？経験と知識の不十分な方々が、この職業を語って経済活動している方や、びっくりするくらいマネしている方がいる現実があります**（笑[注2]）」などと訴え、同業者が「ストレッチトレーナー」を名乗ることを牽制していた。

「ストレッチトレーナー」くらいの**一般的な言葉でそんなに威張るなよ！**と思うが、この思いがエスカレートして、ストレッチトレーニングの講座と、ストレッチトレーナーの養成事業を行うメイド・イン・ジャパン社と国際ボディメンテナンス協会を相手取り、「ストレッチトレーナー」の使用差止と二二〇万円の損害賠償を求めて、二〇一八年に訴訟を提起するに至ったのである。

## 登録されているとは言えない

しかし、このような一般的な言葉を商標権によって独占することはできない。そもそも商標登録すること自体が不可能だし、仮に商標登録されていたとしても商標権侵害は成立しない。訴えるだけムダの、典型的なエセ商標権である。

　まず、兼子が「弊社の商標登録済の知的財産」と称するSSSの登録商標を実際に確認してみると、その内容は**図1**の態様であった。**案の定、「ストレッチトレーナー」そのものではない。**「筋伸張施術者」などという言葉も組み合わさった一種のロゴとして登録されている。こんなもので『ストレッチトレーナー』は弊社が商標登録済み」などと喧伝するのはハッキリ言って**虚偽宣伝**である。

Stretch Trainer
ストレッチトレーナー
【 筋伸張施術者 】

図1

　ちなみに兼子は「ストレッチトレーナー」という文字そのものも、訴訟に先駆けた二〇一七年に商標出願しているが、商標登録は拒絶されている。

## 一般名称は権利侵害にならない

なお一般論として、商標権者は、自身の登録商標に類似する他人の商標の使用に対しても差止請求などを行うことが可能である。したがって、「ストレッチトレーナー」の使用行為は、「Ｓｔｒｅｔｃｈ Ｔｒａｉｎｅｒ」の語が大きく表示されている**図1**の登録商標に類似する商標の使用であるとして、権利行使の対象になると考えることも、一応、形式的には可能である。

　だが、実際にはこれはまったく成り立たない。商標法の法理は、現実に世間から一般名称として認識されているに過ぎない表示に対しては、決して商標権侵害を認めないのである。

## 権利侵害にならない理由

まず、**図1**のように登録商標の一部に一般名称が含まれている場合、その一般名称部分は権利範囲から除外される（「商標の要部ではない」といわれる）。その結果、他人の商標と一般名称部分が共通していても「非類似」と認定されるのである。

また、商標の使用行為が、あくまで一般名称や説明表示としての使い方であり、受け手から単なる一般名称や説明表記として認識され、ブランドとして認識されない場合は、そうした使用行為には商標権の効力は及ばないと定められている（商標法第二六条一項）。要するに、**「誰が見ても一般的な言葉を、一般的な意味で使ってるだけじゃん」という状況ならば、商標権侵害は成立しない**のである。

## 一般的な意味で使っているだけ

ここで兼子がキレたメイド・イン・ジャパン社と国際ボディメンテナンス協会の「ストレッチトレーナー」の使い方を確認してみよう。それは**図2、3**の通りであり、両社は、「ストレッチ運動を教える指導員（つまりストレッチトレーナー）としての資格を取るための講座」を紹介する趣旨で「ストレッチトレーナー」という言葉を使用していることが分かる。

図2

図3

これはまさしく、一般的な言葉である「ストレッチトレーナー」を、その一般的な意味で使っているに過ぎない典型例である。これを商標権侵害というのは**ヒドい言いがかり**だ。

### 信じ難い自意識過剰っぷり

ところがである。裁判における兼子の主張からは、信じがたい自己認識がにじみ出ていた。なんと「ストレッチトレーナー」は一般用語ではなく、兼子自身を指す固有のブランドだというのである。**あまりにも一般常識から乖離した主張**に思えるが、兼子の言い分はこうだ。

> 原告代表者〔兼子〕は、トレーニングとしてのストレッチという新たなスポーツ領域を開拓し、自らを「ストレッチトレーナー」と称してTV等のメディアに頻出した結果、「ストレッチトレーナー」という語は原告を示すものとして取引者・需要者に広く認識されている。〔…〕「ストレッチトレーナー」という用語は一般的な役務を示す名称ではなく、原告又は原告代表者が各種メディア等において広く需要者に知らしめたものであって、原告代表者、ひいては原告を示すものとして広く需要者に知られるところになった。

要するに、**「ストレッチトレーナーといえばオレのことだろうが！」**というわけである。しかしながら、まず**「本当に？」**という話である。そんなにストレッチトレーナーとして有名なんでしょうかこの方は。テレビに出たことがあるから有名というのは幼稚な主張である。テレビに出て、したり顔で一席ぶってる評論家やコメンテーターを見て、「誰だコイツ？ そんなにエラいんか」と思うことなんかいくらでもあるぞ。

### 有名人でも肩書は独占できない

仮に、兼子が業界においてス

トレッチトレーナーの第一人者として評判を得ていたとしよう。だが、それでも兼子と無関係にストレッチトレーナーを名乗る者や、「ストレッチ運動を指導する人」という一般的な意味での使用例が他にもたくさんあれば、「ストレッチトレーナー」が一般名称であることは揺るがない。

考えてみてほしい。いくら料理家の陳健一が「中華料理の第一人者」と呼ばれていても「中華料理」は一般名称だし、脳科学者の茂木健一郎が「脳科学の第一人者」と呼ばれていても「脳科学」は一般名称でしょう？ そういう話なのである。なぜ兼子がこの理屈を分からなかったのか、不思議である。

## 被告らの説得的な反論

これについて、国際ボディメンテナンス協会らは、ストレッチは一九六〇年代から日本に普及し、「ストレッチトレーナー」という語の用例は、インターネットに限っても早くも一九九八年のウェブサイトに使用例があり、二〇〇四年頃には求人サイトなど多くのメディアで使用されているなど、証拠も示しながら説得的な反論をしている。

その結果、裁判所は兼子の主張を一切認めず排斥。国際ボディメンテナンス協会らの示した証拠を採用し、「『ストレッチ』及び『トレーナー』はいずれも一般的に広く使用される用語であり、両者が結合した『ストレッチトレーナー』という語は〔…〕現在では、ストレッチの指導をする者又はそのような職種を意味する一般的な用語として広く使用されている」と、当たり前の事実を認定している。

## ショボい証拠しか出せず……

対する兼子は、「ストレッチトレーナー＝自分」であるとの認識が広く世間に浸透していることの証拠を出すよう求められたが、よっぽど何もなかったのだろう。**自社の従業員の陳述書**を提出するにとどまっている。

だが、自分の部下に書かせた陳述書が証拠になるわけがなく、裁判所から「**同証拠は客観的な裏付けに基づくものではなく、**

ている。

**採用し得ない**」と切り捨てられ

こうして、**「ストレッチトレーナー」が一般用語であるとの認定**に基づいて、**図1**の商標のうち「Ｓｔｒｅｔｃｈ Ｔｒａｉｎｅｒ」「ストレッチトレーナー」は商標としての要部ではないとして切り捨てられ、**図1**全体と国際ボディメンテナンス協会らの使用する「ストレッチトレーナー」を比較しても非類似であると認定された。

また、国際ボディメンテナンス協会らによる「ストレッチトレーナー」の表示方法についても、一般用語を用いた単なる説明であるから、**商標権の効力が及ばないことも確認されている。**兼子の全面敗訴である。

敗訴以降、兼子は「ストレッチトレーナー」を称することは控えており、代わりに「ＤＳストレッチトレーナー」を肩書として称している。まぁそんな肩書を名乗るのは兼子ぐらいだろうから、これなら一般用語ではなく、商標登録すれば独占もできるんじゃないでしょうか。

# 殴られっぱなしでいいのか!? 市民の税金を怪しい商標に差し出す罪

# ボクサイズ事件

## 三迫将弘 vs 神奈川県藤沢市

### 商標の普通名称化とは

一般用語について商標権を主張する輩は少なくない。しかし、まさしく「客観的に一般用語を一般用語として使っている」のであれば、それはエセ商標権なので無視して構わない。

そもそも、例えば出版分野における「週刊誌」「電子書籍」「ムック」などのような、事業分野における一般用語は商標登録できないことになっている。

だが、**言葉は生き物だ。**もともとは造語で商標登録されていても、やがて一般的な用語として世間に認知されれば、**「登録商標なのに一般用語」**という状況が生まれることもある。これが専門的には「登録商標の普通名称化」「登録商標の識別力喪失」などと呼ばれる現象だ。こうなると、たとえ登録商標であっても、一般用語を一般用語として表示しているに過ぎない状況が多々生まれる。そしてこうした他社の使用に対しては、商標権の効力が及ばず、権利侵害にはならないのである（商標法第二六条一項）。

例えば「ホームシアター」という単語は、かつて富士通ゼネラルがカラーテレビすら普及していない一九六三年に商標登録していた。だが、一九九〇年代に大画面テレビとサラウンドスピーカーが普及すると一気に普通名称として広まり、今日では、誰も特定のブランド名や商品名だとはゆめゆめ思わないだろう。もはや権利行使はできないし、その必要もないと考えたのであろう同社は、一九九九年に自ら商標無償開放宣言（注1）を行い、その後商標権も失効させている。

## 複数自治体に小銭をせびる

以上を踏まえて紹介するのが、**「ボクササイズ」**を巡る商標トラブルだ。**図1**の商標権を保有する元プロボクサーの三迫将弘が、自治体が市民向けに公民館などで行うボクササイズ講座に対して商標権侵害のクレームを行い、**賠償金をせしめる**という事件が頻発したのだ。

二〇一六年に神奈川県藤沢市が二〇万円、同年、京都府宇治市が二〇万円、二〇一七年には青森県弘前市が三万円を、それぞれ三迫に賠償金として支払ったと報道されている。いずれも裁判などを経たものではなく、当事者間のやり取りのみで和解に至ったものだ。

**ボクササイズ**
**BOXERCISE**

図1

## 市民向け行政サービスが標的に

このうち藤沢市では、二〇〇六年から二〇一五年にかけて、市内の公民館で「ボクササイズ」の名称を用いた講座を定期的に開催し、広報誌やポスター掲示等で案内していた。当時の広報だよりを確認すると、確かにボクササイズ講座がしばしば開催されていたことが分かる（**図2**）。なおこれらは市民を対象とした行政サービスであり、受講料の徴収などはされていない。

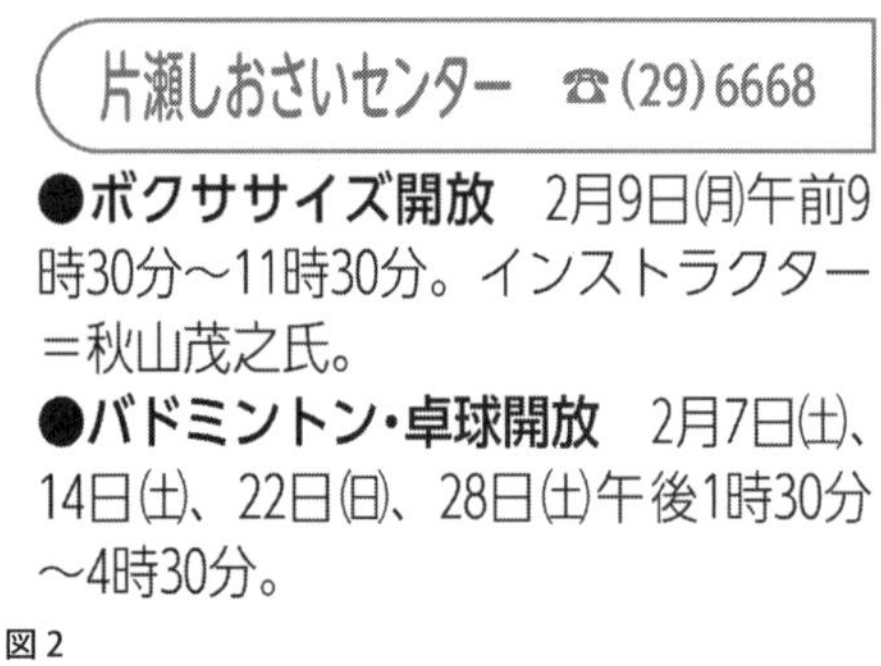
片瀬しおさいセンター　☎(29)6668

**●ボクササイズ開放**　2月9日(月)午前9時30分～11時30分。インストラクター＝秋山茂之氏。

**●バドミントン・卓球開放**　2月7日(土)、14日(土)、22日(日)、28日(土)午後1時30分～4時30分。

図2

## 議事録を確認してみると……

藤沢市で公民館講座を所轄する市の教育委員会は、この事件の顛末を議事録にまとめている。(注2) それによれば、同市は三迫の弁護士から警告を受けると、直ちに商標権侵害であったと認め、市のウェブサイトから「ボクササイズ」の語を削除するとともに、ポスターやチラシの掲示、配布も取りやめ、おまけに翌年度から、ボクササイズとして実施していた**フィットネス講座自体を中止**してしまったという。

そのうえ三迫に損害賠償金まで支払ったのだから、**もう白旗も白旗。**警告を受けた瞬間に慌てふためいて、完オチしてしまった様子がうかがえる。だが、ここまでストレートに相手方の言い分を丸呑みしてカネまで払ってしまったのは、あまりにも軽率である。

## もはや一般名称なのでは？

三迫が「ボクササイズ／BOXERCISE」を商標登録しているのは事実だ。(注3) また、三迫の経営するボクシングジムのウェブサイトには、「ボクササイズ」のネーミングは三迫が駒沢公園をジョギングしていたときにひらめき、一九八七年に商標登録を取得したとの説明が掲載されている。(注4)

この説明が正しいとすれば、一九八七年当時、「ボクササイズ」は独自性のある造語だったのかもしれない。しかしどうだろう。現在の一般的な感覚では、ボクササイズは**「ボクシングの動きを取り入れたエクササイズ」**程度の意味の一般名称といった方がしっくりくるのではなかろうか。

## 一般的使用例が無数にある

指導メニューにボクササイズコースを有するボクシングジムやフィットネスジムは数多く存在するし、ボクササイズに言及するダイエット本なども多い。健康雑誌などでも、ボクササイズは一般的な意味で使用されている**（図3、4）**。「暗闇ボクササイズ」（暗闇で行うボクササイズ）、「キックボクササイズ」（キックボクシングの動きを取り入れたエクササイズ）、「ボールボクササイズ」（バランスボールを用いたボクササイズ）などの派生エクササイズも、多くの事業者が並列的に展開している。

これらの使用例は、「ボクササイズ」が三迫の事業とは無関係の、**単なるエクササイズの一手法**として広く認識されていることを示している。

図3

図4

## 自治体は十分に反論できた

こうした客観的事実を踏まえれば、藤沢市が市民講座のメニューのひとつとして、広報誌やウェブサイトなどに「ボクササイズ」と表示して案内することは、「ボクシングの動きを取り入れたエクササイズ」という実施講座の内容を、一般用語を用いて説明したに過ぎないといえるのである。

藤沢市としては、「**非営利の行政サービスにおいて、一般用語を一般用語として使っていただけで、商標権侵害にはあたりません**」と反論して突き返すことは十分にできた事案だと考えられるのである。

## 貴重な税金をホイホイ払うな

にもかかわらず、三迫からクレームを受けた藤沢市は、前述の通りあっさりと白旗を揚げ、賠償金の支払いは専決処分、つまり議会に諮ることなく**市長の一存**で決定してしまった。その後、本件は市議会や教育委員会の定例会議でも報告されたが、議事録によれば、会議参加者は何ら異論を差し挟むことなく、一様にだんまりを決め込んで追認してしまっている。

市長以下、**全員パンチドランカーか？** たとえ法律に詳しくなくても、「なんでこんな一般的な言葉を使っちゃいけないんだ？」という疑問すら頭に浮かばなかったのだろうか。それとも、疑問には思ったが声を挙げなかったのだろうか。

ファイティングポーズをとることすらせず、市民の大切な税金を、クレームを受けて求められるがままにホイホイと渡し、あまつさえ市民が楽しんでいたボクササイズ講座を安易に中止した罪は、「ボクササイズ」の無断使用よりもよっぽど重いのである。

## コラム⑤ 商標ライセンスで一攫千金は可能なのか？

### カネ目的の商標登録は無効

他人が使いたがりそうなネーミングを先に商標登録して、売りつけようと考えるエセ商標権者がときどき現れるが、ことごとく失敗しているのは本書で見た通りである。

例えば、企業が新商品のネーミングを発表したり、海外ブランドの日本進出のニュースを見て、それらがまだ商標登録されていないことに気が付いて、先に商標登録して「年一〇〇万円でどうでしょう？」などと持ちかければ、もうアウト。その時点で無効なエセ商標権だ。本来他人に帰属すべき商標を先取りして売りつけようとするなど、出願経緯が不当で取引秩序を害すると評価される商標は、公序良俗違反とされる（商標法四条一項七号）。

### タナボタで使用料収入は可能？

その一方、自ら欲張って売り込みにいかなくとも、保有している商標権について、その使用を希望する企業から「売ってくれ」と頼まれることもある。例えば、アップルの「iPhone」の商標は、日本では、インターホン大手のアイホン社が、類似する商標「アイホン」を先に登録していたため、アップルは同社からライセンスを受けて使用することになったのは知られた話だ。その使用料は、最盛期で年間一億円だったといわれている。

我が身に置きかえて想像してほしい。ある日突然、米国の大企業から「アナタノ持ッテイル商標権ヲ、年間一億円デ使ワセテ下サーイ」などと言われたら、これ以上のアメリカンドリームはない。ただ商標権を持っているだけで、iPhoneが日本で販売されている限り、年間一億円もの不労所得を得ることができるのだ。超特大のタナボタである。

## ストック商標は取り消される

だがこれは、一〇〇年に一度レベルの奇跡と考えるべきである。多くの事業者は、計画している商品名の案が誰かの商標登録と被っていることに気が付けば、おとなしく違うネーミングを考えるだろう。

一方、iPhoneのように、輸入品で日本でだけネーミングを変えるわけにはいかないといったシチュエーションもあるだろう。その場合、まず考えるのは商標権の取り消しである。日本では、過去三年以内に使用実績のない商標権は、請求により取り消すことができる。「誰かが買ってくれないかな〜」と指をくわえて三年間ストックしてあるだけの商標権など、取り消される運命なのだ。

世の中には、商標登録したはよいものの、商品の販売終了などにより稼働していない「休眠商標」が大量にある。そのため、商標取消審判請求の成功率は、統計上、実に八割前後にものぼる。(注1) 誰もが使いたがるようなウマいネーミングを商標登録していても、商標権が取り消されては結局一円にもならず、それまでにかかった登録・維持費用がムダになるだけである。

## 現実的な金額は……

使用希望者が、事情により自身の商標を変更することができず、一方、商標権者側も自己の商標を正当に使用していて取消事由もない、という条件が揃ったときに、初めて買い取りやライセンスの打診に至ることはある。それでも「たまたま使いたいネーミングが被ってしまったので使わせてほしい」というシチュエーションで動く金額は、たかが知れている。

筆者の経験上、ライセンスであれば年間一〇〜三〇万円、権利譲渡であれば三〇〜五〇万円が相場である。ある大企業から商標権のライセンスの相談があったとき、「もしかして、この会社なら期待できるのでは？」と思って、思い切って年間一〇〇万円を提示したところ、ピタリと連絡が途絶えたこともあった。一億円なんて、夢のまた夢である。

怪し過ぎる！ヒーリング能力者がドコモにエセ商標権を売りつける！

# 携帯電話マナーマーク事件

ガブリエル vs NTTドコモ（注1）

## 商標ゴロは必ず失敗する

商標登録制度を悪用し、大企業から大金をせしめようとして失敗した男の話である。

スマホの時代になってからはあまり使われなくなったが、**図1**のマークに見覚えのある人は多いだろう。ほとんどの携帯電話の取扱説明書やパンフレット、啓発ポスターなどに使われていたマークで、通称**「マナーマーク」**と呼ばれる。公共の場所では携帯電話をマナーモードにすることを呼び掛ける目的で、通信事業会社の業界団体である電気通信事業者協会が一九九六年に制定したものだ。

図1

## ヒーリング能力者が現れ……？

このマナーマークを、通信業界と一切関係のない会社が二〇〇三年に勝手に商標登録（**図2**）し、NTTドコモに商標権の買い取りや使用料を要求するという事件が起こった。ガブリエルというその会社は、手

図2

をかざすことで病気を治癒するヒーリング能力者として活動する高塚光が代表を務める会社で、ヒーリングセミナーなどを運営しているようだ。

**この時点でなんとも怪しい。**いや、この際ヒーリング能力自体のことはいうまい。だが、ヒーリング能力者の会社が、なぜ携帯電話のマナーマークを商標登録する必要があったというのだろうか？ 同社の言い分は後に紹介するが、まずハッキリ言っておこう。他人が使用しているマークを勝手に商標登録して、それを売りつけて稼ごうとする輩は定期的に現れるが、**相手にする必要はない。**そのような不正目的の商標登録は無効であり、また権利行使が認められることもない（反社会的な「権利の濫用」と判断される）。突っぱねることだ。

## ドコモ部長との緊迫対談

高塚は、商標登録の査定を受けるや否やドコモを訪問しており、以下のようなやり取りをしている。これは後に特許庁の審決書に記された記録の抜粋引用だが、読めばガブリエル社が何を目的に商標登録したのかは一目瞭然である。

ガブリエル社「特にこの件に関してですね、何かしら話があると言うことで参った訳ではないんですよ。事実として商標を登録しましたということに対してＮＴＴさんでどういう風にお考えになっているかということを、まずお聞きしようという部分で来たわけですよ。我々としてはね。」

〔…〕

ドコモ社「〔…〕私どもとか事業者協会に対して何か、そのご希望というのは。」

ガブ社「ないです。ただあっちこっちからこれに関していろんなオファーがありまして、そのアメリカのあのそういった商標ホルダーの会社みたいなところからオファーあったりして来るわけなんですよね。であっこれは商売になるのかなと逆にいうと、ただお金のそれに関して言えば出てきたものですから、じゃあとにかく取りあえずＮＴＴさんに相談しようかと、訳のわからないやつもいっぱいいますから、何でそういうことになるのかなと、ＮＴＴさんとお話しようと、うちのほうはですからどうやって解釈されても構わないですよ。だからもうどうでもいい話ですからはっきり言えば。ただ取ってそのことを特許庁に払っているお金もあるわけですから、まあただってわけにはいかないみたいな、〔…〕この件について半端な対応だけはできないかなと。」

〔…〕

ガ社「まあアメリカからのオファーというのは仰天するような数字でしたので。」

ド社「いくら位でした。」

ガ社「いや。」

ド社「だいたい、だいたいで。」

ガ社「まあそこからですよね。そんなになるかみたいな話が来るわけですよ。ちょっとそこは有名な会社のようですけど。」

ド社「そこが、商標と商標登録を買い取りたいと。」

ガ社「かつて日本のメーカーなんかを訴えて、勝っている会社なんですね。それで二番目の会社のようですけどねライツホルダーの会社としては。」

いやこれ**ユスリだろ**どう考えても！　後の特許庁における審判で、ガブリエル社は「売却を申し入れたのではなく、商標権を取得した旨を伝え、ドコモの意見を伺うために訪れたに過ぎない」とうそぶいているが、認められていない。ユスリの誹りを免れようと、言葉の端々で見え見えの予防線を張っているのがかえって悪質である。

**部長、一瞬ビビってません？**

この会談、ドコモ側は知的財産部の部長が出席したそうだが、高塚から米国の商標ブローカーの話を持ち出されて、「いくら位でした？」「だいたい、だいたいで」と**動揺しちゃって**

**いるのが悲しい。**部長、多分それもハッタリですよ！

こんな時、現に商標権を取られてしまっているという負い目から、相手の口車に乗せられて金銭の支払いに応じてしまう事業者も少なくない。しかし、さすがはドコモ。結局ガブリエル社の要求には応じることはなかった。

## あからさまな金銭要求を開始

ガブリエル社もここであきらめておけばいいものを、今度はあからさまに金銭を要求してくる。交渉決裂後間もなく、ドコモがパンフレットや電話機の表示画面に内蔵し表示しているマナーマークは商標権侵害であると主張し、携帯電話一台につき販売価格の一％の使用料を請求する内容証明郵便を送りつけたというのだ。

当時の携帯電話は、店頭割引を考慮しない本来価格では約五万円程度だったという。(注2)また、二〇〇三年度の携帯電話販売総数は四八四二万台で、ドコモの数量シェアは五八％だったとのデータがある。(注3)これに基づき計算すると、ガブリエル社が要求する商標使用料は**一年間で約一四〇億円**ということになる。いやはやとんでもない話だ。

## こういう輩は無視すべし

先に述べたように、金銭狙いなどの不正目的の商標登録には無効性があり、そのような商標権に基づく権利行使が裁判で認められることもない。

また、マナーマークは、あくまで「携帯電話をマナーモードにしましょう」という呼び掛けのために使われているマークであり、携帯電話会社や業界団体のブランドマーク＝商標として使われているわけではない。そうである以上、**商標権侵害は成立しない**といえる（なお、ドコモもそのように反論している）。

## 通信業界が連名でブチ切れ！

こんな理不尽な警告書を送りつけられたドコモは、ついにブチギレ。電気通信事業者協会に働きかけ、**会員企業合計二七社の連名**で、ガブリエル社の商標権の取り消しを求め、特許庁に対し集団で異議申立を提起したのである。その申立書の中で、先ほどのガブリエル社のユスリ的行為もつまびらかに明かされた。

これを受けた特許庁は「**〔ガブリエル社は〕不正の利益を得る目的をもって使用するために本件商標の登録出願をした**」などと認定し、同社の商標権は無効化された。これを以って、ガブリエル社の謀略は**はかなく潰えた**のである。

## ガブリエルの出願の動機は？

なお、この時ガブリエル社は、自身の商標出願の正当性を訴えるためにこんな説明をしていた。曰く、高塚の**「友人の友人のデザイナー」**が、騒動の八年前に携帯電話のマークをたくさん考案してドコモに持ち込んだが採用されず、それどころか無断でそのマークに似たデザインをドコモに使われたのだという。このデザイナーから友人を介して相談を受けた高塚が、仕打ちに対抗するためにマナーマークを商標出願した、というのだ。

ヒーリング能力よりも信じがたい主張である。その「友人の友人のデザイナー」は、携帯電話マークを一件だけ商標登録している**（図3）**のだが、これがマナーマークとは似ても似つかない。すると「似たマークをドコモに使われた」という話自体疑わしいし、それに対抗するために、八年後にガブリエル社がマナーマークを商標出願して

図3

一四〇億円を請求するというのも脈絡のない話だ。到底、正当な対抗行為とはいえない。

実は高塚は、九〇年代前半にヒーリング能力が話題となり、「超能力サラリーマン」としてメディアを賑わせていたが、この事件が起こった二〇〇〇年代初頭にはインターネット事業に乗り出し失敗。本人曰く**「ものの見事に一文なし以下」**(注4)という状況だったようである。行き詰

まった末に、エセ商標権を使って一発逆転を狙ったのではないか……というのが筆者の見立てである。

## 文化庁に騙された！ エセ著作権訴訟に敗訴して日本国を訴えた男

# 受話器マーク事件

**徳川高人 vs NTTグループ各社、JR各社他一三〇社、日本国**（注1）

### 誰も独占できないマーク

電話の受話器マークを思い浮かべてほしい。そう、今、あなたの頭に浮かんだそれである。例えばiPhoneの通話アイコンは**図1**の図柄だが、細部はともかく、だいたいこれと似たような図柄が思い浮かんだのではないだろうか。

他にもさまざまなメーカーのスマホや固定電話の通話ボタン、公衆電話や通話可能エリアの場所を示す案内板、電車や高速道路、エレベーターなどにおける非常電話の位置を示す標識など、受話器マークはそこかしこに存在するが、概ねどれも似たり寄ったりの図柄である（**図2〜6**）。

図1

図2

図3

図4

図5

図6

言い換えれば、**誰が描いても似たような図柄になる**ということだ。伝統的な受話器自体がこの形状だし、それを略図化しようとすれば自ずとこのようなデザインにならざるを得ない。偶然にデザインが一致することだって十分あり得る話である。

## 権利主張できないマーク

こうしたありふれた図柄には、著作権は発生しない。例えばＮＴＴコミュニケーションズの通話アプリのアイコン（**図5**）や、メッセンジャーアプリのＷｈａｔｓＡｐｐのアイコン（**図6**）が、ｉＰｈｏｎｅの通話アイコン（**図1**）の著作権を侵害するということはない。「晴れマーク」や「禁煙マーク」なども同様だ。商標権があっても、ありふれた受話器デザイン部分によっては混同が生じるおそれがないため非類似となり、意匠権があっても、公知のデザイン部分が類似しているに過ぎないため非類似となる。要するに、**受話器マークを誰かが独占することは不可能なのだ。**

## 一三三社選んだのもスゴい

もし、どこかの電話機メーカーが、突然受話器マークの著作権を主張して、他のあらゆる受話器マークの使用者を訴えたとしたら、法的にも社会常識的にも大間違いのご乱心である。ところが、**この大間違いをやらかした男がいる。**福岡県の経営コンサルタント・徳川高人である。

　彼は、二〇一〇年にNTTグループ各社、その他の通信会社各社、携帯電話機メーカー各社、JRグループ各社、エレベーター機メーカー各社、高速道路を所轄する道路公社各社など、実に**一三三社**もの企業を相手取り、自身が所有する受話器マークの著作権が侵害され、総額約五〇〇〇億円もの損害が生じていると主張して、大規模な訴訟を提起したのだ。そして結論からいうと、当然、徳川が敗訴している。

## 著作権登録されている!?

いったいなぜ、デザイナーでも電話事業の関係者でもない地方の経営コンサルタントが、二〇一〇年というタイミングで、受話器マークの著作権を強硬に主張したのだろうか。あまりにもデタラメで、**狂気すら感じさせる話**だが、徳川は訴訟の「根拠」を携えていた。

曰く、受話器マークの図柄とされる六種（図7）の著作権は、**「受話器の象徴」**と題して文化庁に著作権登録されており、自

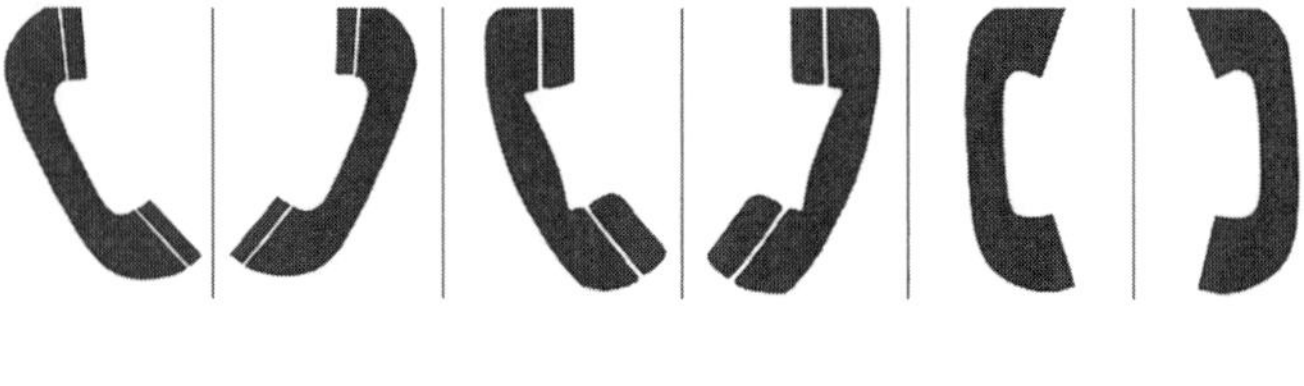

図7

分は二〇一〇年に著作権者から著作権の譲渡を受けている、その事実も文化庁に登録されているから、自分は「受話器の象徴」の正当な著作権者である、というのだ。

## 登記簿を確認してみると……

文化庁から登録事項記載書類を取り寄せてみると、確かに徳川のいう「登録」は存在した。それによると、「受話器の象徴」は、宇賀神某という個人が創作し、同人が一九八二年に初めて公表した、とされている。ただし、図柄そのものは書類に描かれておらず、「**本著作物は『受話器の象徴』と題した6点からなる宇賀神（略）が創作したアートであり、電話又は通信機器を主とする受話器のシンボルを表現したものである**」といった説明文が添えられている。

## 著作権が転々と移転

この「受話器の象徴」の著作権が、二〇〇三年に宇賀神から三浦某、南某という個人に譲渡され、その後二〇一〇年二月に南の持ち分が牧野某に譲渡され、三月に三浦の持ち分が徳川に譲渡され、六月に牧野の持ち分が徳川に譲渡されたというのだ（**図8**）。これらの経緯も、文化庁に登録されている。

したがって、徳川は二〇一〇年六月までに「受話器の象徴」のすべての著作権を有する正当な著作権者になったというわけだ。

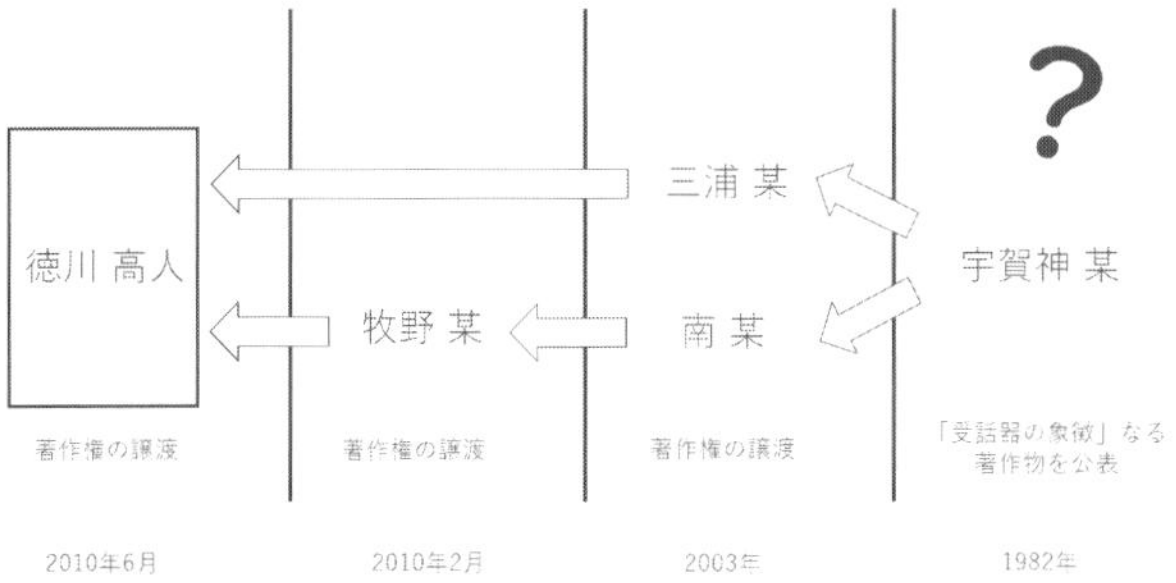


図8

## 著作権登録制度のエラー

なるほど、単なる訴訟マニアの狂人というわけではなさそうだ。ということは、徳川の訴えは、著作権者として当然の行為なのだろうか？

まったく違う。この話には、**重大なエラー**がある。確かに文化庁は、著作権登録の制度を所轄しているが、この登録制度では、著作権を有することの証明はできないのである。

著作権を誰かに譲渡したとき、その事実を第三者に対して確かなものにするために、権利移転の事実を文化庁に登録することができる（なお登録しなくても譲渡自体は法的にも有効であるため、実務上はほとんど利用されていない）。この手続きの際には、譲渡契約書などの写しを提出する必要があるため、譲渡がなされたこと自体の証明にはなるといえる。

しかし、譲渡の対象になる「著作物」の内容については、文化庁は一切関知していないし、**本当に著作権があるかどうかの審査もしていない**のである。

移転登録の申請者は、その手続きの際に、著作物の題号、著作者の氏名、最初の公表日、著作物の簡単な概要を、自己申告で形式的な書類に書いて提出すればよいのである（図9）。著作物の原本や写しの提出すら不要であり、**極端にいえば、まったくのデタラメを書いてもバレることはない**のだ。

## 著作権の存在証明にならない

つまり、この著作権登録で証明できるのは、二〇〇三年以降の権利移転の流れだけであって、移転の対象となった「受話器の象徴」なる著作物がいかなる内容で、本当に著作権があるのかどうかについては、**何も証明できないのである。**

登録された「受話器の象徴」がどんな図柄なのか？[注2] 著作権で保護されるような内容なのか？本当に宇賀神が創作し、本当に彼が元々の著作者なのか？本当に一九八二年に公表されたのか？そういったことに関しては、何ひとつとして、この登録からは証明できないのだ。

④ 著作物の明細書の書き方

# 著 作 物 の 明 細 書

1 著作物の題号　　春 の 嵐

2 著作者の氏名《フリガナ》（名称）　　文部《モンブ》 翔《ショウ》

3 著作者の国籍

4 最初の公表の際に表示された著作者名
無 名

5 最初の公表年月日　　令和○年○月○日

6 最初に発行された国の国名

7 著作物の種類　　言語の著作物

8 著作物の内容又は体様

不幸な事故で両親を失った三人の兄弟が，逆境にもめげずに力を合わせて育っていくさまを描いたものである。一番上の子は，勉強がよくできて，体も大きく，意見をはっきり言いリーダーシップを発揮するタイプ，二番目の子は，みんなの様子を見ながら，居心地の良い所を探し，人を笑わせるのが好きなタイプ，三番目の子は，小柄だが俊敏，こつこつ勉強し，そしてどこか甘えん坊なタイプであり，それぞれ三人が，長所を活かしながら，どんなことに対しても兄弟みんなで助け合い解決していく，心温まる日常を細やかに表現した小説である。

図9

## 徳川の主張、詰む

そうすると裁判では、徳川自身がこれらの事実を証明しなければならないのだが、宇賀神から直接著作権を譲り受けたわけでもない徳川に、その証明は困難だろう。

実際、徳川の主張は「文化庁に著作権が登録されている」の一点張りだったようだ。結局、福岡地裁は「**本件図柄は著作物には当たらない**」「**著作権登録原簿に登録されていることを根拠として本件図柄が著作物であるという原告の主張は採用することができない**」などとして、徳川の主張を一蹴したのである[注3]。

妥当な判決だ。ちなみに、もし仮に、本当に、宇賀神某なる人物が一九八二年頃に図7の図柄六点を描いていたとしても、その時点で似たような受話器マークが世界中でありふれていたことは容易に想像がつく。例えば一九六四年の東京オリンピックに際してデザインされた新東京国際空港（現・成田国際空港）の案内板には、ほぼ同じデザインの受話器マークを確認することができる（図10）。**どこからどう考えても、エセ著作権**なのである。

図10

## カネと手間の盛大なムダ遣い

一三三件もの訴訟を起こせば、徳川が負担する手数料も相当な高額にのぼる。徳川は弁護士を立てずに自分で訴訟に臨んだため、弁護士費用こそかからなかったようだが、訴訟手続き費用だけでも実に六二六万円をつぎ込んだという。まぁ六二六万円かけても大企業からカネを巻き上げられれば安いと思ったのかもしれないが、結果は丸損である。

## 「日本」を訴える大暴走に

ところが、話はこれで終わらない。「文化庁のお墨付きを得ているはずだ」と妄信していた徳川は、敗訴後、怒りの矛先を今度はなんと文化庁と日本国に向けたのである。

曰く、「著作権が認められない図柄についても著作権登録の対象になる」のはおかしいし、文化庁がそうした説明を怠ったために、自分は受話器マークに著作権があると誤信して、裁判まで起こしてしまった。その責任は文化庁長官にあるといい、自分の著作権は文化庁長官に没収されたも同然とまでのたまったのだ。

そうして、自分が裁判につぎ込んだ六二六万円と、ＮＴＴらから得られるはずだった数千億円の損害が自分に発生したとして、国家賠償法に基づき日本国を訴えたのである。

これは**もう盛大な逆ギレ**と評すしかない。もちろん、裁判所は「**原告〔徳川〕の主張は、独自の見解に立つものであって、失当というほかない**」などとして、徳川の請求を一蹴している。悪いのは、自分の受話器マークに本当に著作権があるのかをろくろく検討もせずに、極端な訴訟を連発した徳川である。

## 著作権登録制度の悪用に注意

もっとも、文化庁の著作権登録制度の効果が分かりにくいのも事実である。普通の人は「文化庁に著作権登録されている」という状況を説明されれば、公的に著作権が認められていると勘違いしてしまうのもやむなしだろう。文化庁は、制度設計の見直しや広報強化に努めるべきだ。

実は、こうした勘違いを利用した**詐欺まがいのビジネスが行われている**という話もときどき聞かれる。すなわち、「文化庁に著作権登録されている」という事実で相手を信用させ、実体としては無価値な著作物を高額で売りつけるといった手口である。

## 彼は加害者？ それとも……

ちなみに徳川は、九〇年代に福岡県知事選に立候補（落選）した経験がある傍らで、投資話を利用した詐欺や業務上横領の罪で複数回の逮捕歴のある人物だ。だからといって、この件も最初から徳川の詐欺目的の行為だったと断じるつもりはない。徳川自身、「受話器の象徴」の「著作権」を、三浦某、牧野某なる人物から譲渡を受けた身である。著作権登録制度の実態を知らずに、無価値なエセ著作権を売りつけられて**茶番を繰り広げたピエロ**だった可能性もあるだろう。

果たして彼は、エセ著作権を利用して企業に不当要求をつきつけた加害者だったのだろうか。それとも被害者だったのだろうか。

**受話器の「著作権」は今も……**

ひとつ確かなことがある。「受話器の象徴」のその後の登録事項記録によれば、徳川は、日本国との訴訟に敗訴した直後、この「著作権」の持ち分の二分の一を、王某という、おそらく中国人に再び売り払っているのだ。

中身のない、虚像でしかない無価値なエセ著作権が、その価値を誤信されたまま、縷々転々と、アンダーグラウンドで金銭を介して流通していくさまは、滑稽でもあり、恐ろしくもある。

安易な和解が禍根を残す！　この物語に登場する宝石は一万円です⁉

# 天使の卵事件

スペースクリエーター vs 集英社

宝石業者がゴネまくる！

たかが商標権を持っているくらいで、よくもまぁそんなにデカい顔ができるなとあきれる事件である。

直木賞作家、村山由佳の小説『**天使の卵**《エンジェルズ・エッグ》』は、主人公の浪人生と、その父親が入院する精神病院の女医の悲恋を描いた恋愛小説で、後に漫画化、映画化もされた本人の代表作のひとつである。

最初の単行本は一九九四年に出版されたのだが、これに対し、スペースクリエーター（以下、スペース社）という宝石販売業者が、発行元の集英社を相手取り、商標権侵害を主張し裁判所に使用差止の仮処分を申し立てた。同社は「天使の卵」という商品名で各種アクセサリーを販売しており、印刷物(書籍)の分野でも商標登録しているというのである。

しかし、小説の題号に対して、アクセサリー業者が商標権侵害を主張するとは理解に苦しむ。法律論としても的外れだが、ひとまずそれをおいておくとしても、フィクションであることが前提の恋愛小説の題号が自社の商品名と被っているからといって、**いったい何の不利益があるというのか。**小説を手に取った読者が、スペース社の商品を思い浮かべる可能性すらきわめて低いし、仮に思い浮かべたところで、書籍を関連商品だと誤解したり、間違って買ったりするはずがない。

## 信じ難いクレームの動機は？

いったい何がスペース社をこうした行動に駆り立てたのだろうか。仮処分申立書において、同社は「**ブランドのコンセプトと小説の内容が大きく乖離し、ブランドイメージに悪影響を与えるおそれがある**」旨を主張している。

曰く、スペース社の商品「天使の卵」は、「祝福」「平和」「愛」「生命力」をブランドイメージとしているそうである。対して、小説『天使の卵』は、身近な人々の死がストーリーの機軸をなす悲恋物語だ。これが気に食わないというのである。しかもスペース社は、事件前年に刊行された、漫画家・岸香里の『天使のたまご』（学習研究社）に対してもクレームをつけたが、これについては内容が「看護婦の汗と涙の感動物語」だったので、「当社が商標権を持つ旨をお知らせする郵便物を送るにとどめた」というのだ。

## 商標で表現規制を試みる悪行

つまり、自社の登録商標と同名の漫画や小説を読んで、内容が気に食わなかったものは商標権侵害だとして訴えているのである。これは、**表現の自由に対する重大な挑戦だ。**商標権は、気に入らない表現を封殺するための権利ではない。ちなみに、『天使のたまご』は押井守監督のアニメ作品のタイトルでもあるし、18禁のアダルトゲームにも同名のものがある。全部にクレームをつけているのだろうか？

## 自分の事は棚に上げるダブスタ

一方で、当時のスペース社の商品ラインナップには、**「オズの魔法使い」**という商品名のアクセサリーもあった。なんと、他人の小説の題号が自社商標と同名なことには我慢ならないくせに、**自社の商品名には他人の小説の題号を拝借**しているのである。「天使の卵」と違い、偶然に被るような名前じゃないぞ「オズの魔法使い」は。なんたるダブルスタンダード。行動が支離滅裂ではないか。

このことについて、当時スペース社の社長だった伊藤広孝は、「オズの魔法使い」の商標権を保有していた日本テレビ(注1)には許可を取り、使用料を支払っていると述べている。(注2)商標権を侵害しているわけではないと言いたいのだろう。

だが述べたように、『オズの魔法使い』は日本テレビの商標以前にライマン・フランク・ボームの児童書の題号なのである。「ブランドイメージへの悪影響」をそんなに問題視するならば、著名な小説の題号を、無関係の宝石の商品名に使うことで、もとの小説のイメージへ与える悪影響に無頓着なのは筋が通っていない。

## 商標権侵害にならない理由

商標権さえあれば（あるいは商標権のクリアランスさえしておけば）、「ブランドイメージ」の問題はすべて解決できると考えたところが、この件におけるスペース社の浅はかなところである。たとえ小説の内容が、身に付けると悪霊に殺される呪いの宝石の話だったとしても、商標権に基づいてこの題号の使用を差し止めるのはまず不可能である。**商標権に、そんなに万能の力はない。**

書籍のカバーなどに付されている題号が、まさしく「作品の題号」としてのみ読者らに認識される場合、その題号が、書籍の発行・販売に関わる出版社などの会社を表すものと理解される余地はない。背表紙や裏表紙の隅に表示されている出版社の表示やロゴこそがその役割を果たすのだ。

商標権とは、商品の出所を表す表示についての権利であり、出所表示とは理解されない「題号」に権利の効力は及ばない。(注3)これが作品の題号を商標権で独占することは原則としてできないことの所以である。

## 集英社の弱腰な和解判断

こんな仮処分申請が認められるはずがなく、まともに対応すれば絶対に集英社が勝てる話である。だが、決定を待たずに集英社とスペース社は和解。集英社は和解条件として、以降の重版時には、書籍内に「天使の卵」

がスペース社の登録商標である旨を表示することを受け入れたという。

　実際、『天使の卵』はその後一〇年以上にわたり版を重ね、文庫化やメディアミックスもなされるロングセラーになったが、巻末には必ずその旨の表示がなされている。例えば二〇〇六年に発行された漫画版『天使の卵』の奥付には、「**作中に登場するピアス〝天使の卵〟は㈱スペースクリエーターが創造したジュエリーのひとつであり、登録商標〝天使の卵〟は同社に帰属しています**」と書かれており、「詳しい情報はこちら」として同社のウェブサイトのアドレスまで載せているのである（**図1**）。

※作中に登場するピアス"天使の卵"は（株）スペースクリエーターが創造したジュエリーのひとつであり、登録商標"天使の卵"は同社に帰属しています。
ジュエリーブランド"天使の卵"の詳しい情報は、
http://www.tenshi-no-tamago.co.jp
でご覧ください。

図1

## 不自然な注釈が永遠に付される

　訴えも理解に苦しんだが、この和解の仕方も相当理解に苦しむ。集英社としては、早期に落としどころを見つけたいという思いもあっただろうが、このような**不自然で唐突過ぎる注釈**をすべての作品の巻末に書かれることになった著者・村山の心情はいかばかりであろうか。それこそ「作品のイメージ」を守るために、**最後までしっかりと戦えなかったのだろうか。**

　なお、小説中の「天使の卵」は、主人公から恋人へのプレゼントという重要アイテムとして登場する。作中の「天使の卵」にまつわるストーリーに感銘を受けた読者が、最後まで読み切って巻末のこの注意書きを目にしたら、どのように思うだろうか。おそらく、へぇ「天使の卵」って実在するんだと思い、スペース社のウェブサイトにアクセスするだろう。そうすれば商品のデザインや値段まで分かってしまう。一万五〇〇〇円くらいで売られているのだが、**「ふーん……一万五〇〇〇円か……」**と思われてしまうではないか。

別にこの値段が悪いというわけではないが、小説を読んでいたのに、最後に実在の商品はこちらですと案内されてしまえば、物語を楽しんだ読者が各々に思い浮かべた情景が、一気に現実に引き寄せられて興ざめしてしまう。恋愛小説の最後に**「この作品のヒロインの顔はこちらでした」**と写真を載せているようなものである。どんな顔だろうとイヤだろそんなの。

## 言動に整合性がないスペース社

しかし、それ以上に解せないのはスペース社の和解応諾だ。オメー、「ブランドのコンセプトと小説の内容が大きく乖離し、ブランドイメージに悪影響」するから「天使の卵」の使用差止を要求してたんじゃねーのかよ！ それなのに、巻末で堂々「作中の〝天使の卵〟は、スペース社のジュエリーでございます」と案内してもらって、**納得するかフツー？** 同じ商品だと認めてどうするんだ⁉

つくづく行動に一貫性がない。結局、「ブランドイメージの保護」なんて後付けで、「商標と題号が被ってるんだから商標権侵害じゃぃ」と短絡的に考えてクレームしただけなのではないか。和解交渉でも、売れている小説の巻末で紹介されることのメリットを優先したのだろう。登場人物が何人死ぬ話でも、宣伝になるなら商標を使われてもいいんだね。(注4)

# 他愛のないパロディにメーカーはマジギレ！出版社は平謝り！

# Kurobo事件

**カネボウ化粧品 vs 小学館**

## 歴史パロディの傑作

**『週刊光源氏』**（小学館）という面白い本がある（**図1**）。古文の授業などでお馴染みの、平安時代に紫式部が書いた小説『源氏物語』を、「女性週刊誌風」の体裁で編集した珍本である。

古典文学を現代語訳や漫画にした例は多数あるが、これは思い切った翻案だ。『源氏物語』が朝廷の人々の色恋沙汰やスキャンダルを描いていることから、女性週刊誌的な世界観にマッチするだろうという発想で企画されたようである。

平安時代の小説ともなれば、著作権などカケラも残っておらず、こうした思い切った改変も自由自在だ。それに、女性週刊誌がしばしば抱える名誉毀損の問題も気にする必要はない。何せ、取り上げているのは千年も昔の、しかも架空の人物なのだ。実際、「じつはロリコン？源氏、幼女にご執心」「激エッチばばあ争奪戦!? 信じられない色男たち」など、どちらかといえばオヤジ向け実話誌では!?というべきアブない見出しも遠慮なく踊っている。

## 絶対にクレームつかないはずが

内容面でいくら暴走しても法的な問題は生じないはずの企画だったのだが、しかし**思いもよらぬところからクレーム**がついた。小学館の法務・ライツ局でゼネラルマネージャーを務めた大亀哲郎は、同書の表現につい

図1

図2

Kanebo

図3

て、カネボウ化粧品から警告書が届いたことを振り返っている（注1）。

問題視されたのは、表紙の裏側にあたる**図2**の頁だ。これは、女性週刊誌につきものの広告頁のパロディとしてつくられた架空の広告である。そこに、カネボウのロゴマークである**「Kanebo」**（**図3**。なお現在は親会社である花王の登録商標）のデザインをもじった**「Kurobo」**が使われ、当時使われていた企業キャッチフレーズの"For Beautiful Human Life"も、"For Beautiful Heian Life"ともじられている。

なお「Kurobo」とは、『源氏物語』にもアイテムとして登場する平安時代のお香の一種「黒方《くろぼう》」との語呂合わせになっている。

これに対してカネボウがおかんむりになったという。「〔**カネボウの商標**

**に〕極めて酷似したものを使用して、読者および同社〔カネボウ〕顧客に誤解を招き、商標権侵害の可能性が高い」「著名な商品等の表示に類似した表示を使用しているのは不正競争防止法に抵触する行為の可能性が高い」**とクレームをつけたというのだ。

**さも法律違反のように言うが**

しかし、これは法的評価を誤った警告である。このページが本物の広告で、カネボウ化粧品とまったく関係のないお香を宣伝していたとしたら、彼らの主張は正しい。しかし、述べたようにこれは広告ページのパロディであって、広告ではない。こんなお香の商品は存在しないのである。そしてそんなことは、本書を一読すれば一目瞭然なのだから、**本物の広告と勘違いされる余地はない。**

そうであれば、この「Ｋｕｒｏｂｏ」のロゴは、お香や書籍のブランド（商標、商品等表示）として使用されているとはいえず、商標法や不正競争防止法の出る幕はない。読者に対しても、「カネボウのパロディなんだな」以外の印象を与えるものではなく、カネボウ化粧品に対して何ら具体的な不利益をもたらさないだろう。

**法律に頼ろうとすんな！**

だいたい、「Ｋａｎｅｂｏ」（カネボウ）と「Ｋｕｒｏｂｏ」（クロボウ）ではそれなりに差異があるし、内容的にも穏当なパロディで、ブランドイメージを傷つけるような使われ方とも思われない。いちいち文句をいわんでもよいではないかと思うが、ブランドオーナーとして、自社ブランドが安易にパロディ化されて不快感を覚える気持ちが芽生えることはあり得るのだろう。

だが、フィクション作品の中でのこの程度のパロディは、客観的に見て受忍すべきレベルと思われるし、百歩譲ってクレームするとしても、「勝手にパロディにされて不愉快です」とストレートに伝えればよいではないか。どうして、何の法的根拠もない商標権侵害や不正競争防止法違反の話を持ち出すのだ。

とりあえず法律の話を持ち出せば、相手がビビってウマいこと丸め込めると思ったのだとしたら、小学館もナメられたものである。

## お気持ちに配慮する小学館

これは**「お気持ちと法律を混同するんじゃねぇ」**と真っ向から反論していいクレームだ。だが大亀によれば、警告書を受け取った小学館は、法律違反を認めたわけではないものの「配慮が足りなかった」と謝罪したという。エセ商標権主張の背後にあるお気持ちを汲んだということだろう。

まぁ、小学館ほど大きな出版社になると、カネボウ化粧品のような企業は雑誌事業などにおける広告スポンサーだ。まさしくお気持ちに配慮しなければならない事情もあったのだろう。

しかし、『週刊光源氏』の作り手にもこだわりがあったはずである。表現の自由を体現する出版人として、いくら取引先からのクレームだからといって、なんでもかんでも唯々諾々と従っていいのだろうか？　法的な落ち度はないのだから、取引は取引、表現は表現と割り切って、カネボウと話し合って理解を求めるなど、もっと作品を守る努力をすべきではないだろうか。

## どっちもどっちでカッコ悪いね

『週刊光源氏』の巻末には、やはり女性週刊誌の巻末のパロディとして、架空の「お詫びと訂正」が掲載されている。そこには**「広告はすべて実在しないようです。受験生・学生の皆さんは、答案にこのような名前を書かないよう、ご注意くださいませ」**とあらかじめ書かれていた。この一文もジョークとして機能しているのだが、これを書いた編集者も、まさか後に**本当のお詫びをする羽目になるとは**思ってもいなかっただろうなぁ。

冗談に本気でキレたカネボウ化粧品、キレたスポンサーに謝らざるを得ない大手出版社。どっちもカッコ悪い姿を晒したな、という印象である。

## 泥酔してなきゃ間違えないよ！似てない競合品にイチャモン敗訴

# お酒によく合うポテトサラダ事件

### ケンコーマヨネーズ vs カネハツ食品（注1）

### 商売人なら後発品は憎いが……

日々、ヒットを目指して開発に励む商品開発者は、自分が世に送り出した新商品は、「これまでに世の中に存在しなかった唯一無二にして新規性のある商品」だと思い込んでいることが少なくない。

それは自分の商品に対するプライドの表れであり、よいことだと思うが、ひとたび後発商品が登場すると、その思い込みが強過ぎるがゆえに頭に血が上り、客観的に見れば**自意識過剰でトンチンカンなクレームや訴訟**を起こしてしまうことがある。

ケンコーマヨネーズ**「サラダのプロがつくった お酒によく合うポテトサラダ」**（図1）の担当者も、もしかしたらそのクチだったのかもしれない。これはパウチに入った調理済みのポテトサラダで、その名が表す通り、酒のつまみに最適な味付けがセールスポイントの商品である。

その後発商品として発売され、ケンコーマヨネーズから不正競争防止法違反であるとして約八四〇万円の損害賠償金を求めて訴訟提起されたのが、カネハツ食品の**「大人のポテサラ倶楽部 お酒に合うアンチョビポテト」**（図2）だ。両商品を比較すると……別に似ていないのである。

図１／口絵５頁（ケンコーマヨネーズ）

図２／口絵５頁（カネハツ食品）

## 似て当たり前の点しか似てない

似ているところといえば、お酒に合うことを訴求したパウチ入りのポテトサラダだということ、ポテトサラダの写真が使われていること、商品名の一部、「お酒によく合う」「お酒に合う」ということ、パッケージの背景色が濃紺を基調としているということくらいだ。

しかし、辛みを効かせたポテトサラダが酒に合うことなど、酒飲みには常識。その商品コンセプトを一企業が独占しようというのはおこがましい話だ。また、**ポテトサラダの商品にポテトサラダの写真を使うのは当たり前**だし、商品コンセプトが酒のつまみである以上「お酒に合う」というフレーズを使うのも当たり前だ。

残るは濃紺色のパッケージだが、色彩を独占したいというのは難儀な話だ。実際、色彩の独占は、よほど色に特徴のある著名ブランドですら失敗している（387頁、「第二・クリスチャン・ルブタン事件」も参照）。要するに、全体的にかなりムチャなクレームをしているのである。

## 社内で誰も止めなかったのか？

それでも、ケンコーマヨネーズはよほど自信があったのか、それとも経営者が思い込みの激しいワンマンタイプで、その怒りを誰も止められなかったのか、東京地裁、知財高裁と、なんと控訴審まで突っ走っている。傍から見れば、暴走しているとしか思えない。

彼らは、「**濃紺色で長方形のパウチなど、今まで当社以外に存在しなかった**」「パッケージに『**お酒に合う**』**という表現を備えたポテトサラダは当社以外に存在しなかった**」などと「独自性」(?)を主張したうえで、濃紺色の背景、白文字の商品名、ポテトサラダの写真、「お酒に合う」の文言などの主要なイメージが共通していれば、両者の商品は「混同」される、要は間違えて買われる可能性などがあると訴えた。なんだか**言えば言うほど苦しい主張**になっているように思えるのだが……。

## 裁判所も間違えないと断言

ある後発品が不正競争防止法（第二条一項一号）違反に該当するための条件はいくつかあるが、「元の商品と混同されるかどうか」はそのひとつだ。本件がこの条件に当てはまるかどうかという点について、裁判所は「〔**両商品は**〕**背景の基調色以外は、一般消費者に異なる印象を与えるものであり**〔…〕**一般消費者が商品の出所を識別するに当たり**〔…〕**背景の基調色を重要視するとは考えられず**〔…〕**両者を混同するとは考えられない**」と一蹴し、違法性を否定した。

ケンコーマヨネーズが主張した「独自性」についても、単に以前に存在しないデザインだったというだけでは、独自性を備えていることにならず、ありふれた表示であることに変わりはないと退けている。「濃紺色で長方形のパウチ」に入ったポテトサラダが今までに存在しようがしまいが、ありふれた色と形だもんなぁ。

## 自分で自分の首を絞めることに

仮に、パッケージの色を特定企業が簡単に独占できるようなったら大変だ。もしすべての食品メーカーが同じような主張をし始めたら、**パッケージに使える色はあっという間になくなってしまうだろう。**逆にカネハツ食品が「今日から紫色は我が社のものだ」とか、キユーピーマヨネーズが「緑色は弊社が押さえました」などと言い出したら、ケンコーマヨネーズだって困るだろうよ。

また、ケンコーマヨネーズは、ポテトサラダが低価格の消耗品であるがゆえに、客は細かい違いに気付かず、パッと見の印象だけで商品を選んでしまう可能性があるとも主張していた。

確かに、数百円のお惣菜など、パッケージを凝視、吟味せずにカゴにポイと放り込んでしまうことは少なくない。この主張自体は一理あるのだが、そうだとしても、商品名や企業ブランドロゴなどの違いを無視して、惣菜のパッケージの背景色だけを手掛かりにして商品を選択するヤツはさすがにいないだろう。

まぁ、ケンコーマヨネーズの商品を買おうとして、間違えてカネハツ食品の商品を買ってしまうシチュエーションがあるとしたら、**前後不覚の泥酔状態**で、追加のおつまみをスーパーに買いにきた客くらいじゃないだろうか。せっかく酒のつまみなんだから、ケンコーマヨネーズもそう主張すればよかったかもね。

不正競争はそっちでは!? 原料名の独占を目論む缶詰会社の大恥

# 大羽いわし事件

信田缶詰 vs マルハニチロ

## 自由競争の摂理

ヒット商品が出ると、後追いで似たような商品が発売される。これは自由競争社会においては自然の摂理である。

企業は後発品との競争の中で、差別化を図るためのさまざまな努力で切磋琢磨しなければならない。後発品よりも「より価値のある商品」あるいは「より安い商品」をつくらなければ生き残れない。

その結果、消費者にとっては、多様なメーカーが販売する似たような商品の中から、自分の好みやこだわりに応じて選択する幅が広がる。自由競争により、われわれの社会は、より高機能、高品質な商品や、より安価な商品を享受する恩恵を受けることができるのだ。

知的財産権侵害や法律違反になる類似品は「行き過ぎ」であり、法に則って排除されるべきだが、**そうでない「類似品」は、社会にとっては必要な存在**なのである。

ところが、合法な後発類似品にキレるメーカーは少なくない。もちろん当事者の主観としては、合法だろうと違法だろうと、事業の邪魔になる後発品は気に食わないだろう。その気持ちは分かる。だが、その発露の仕方を間違えてエセ商標権を振りかざすと、恥ずかしい思いをすることにもなる。

## 単なる後発品に大人げない告発

千葉県銚子市にある老舗の缶

詰メーカー・信田《しだ》缶詰も、怒りに身を任せるあまり、罪のない競合他社にしょうもない訴訟をふっかけてしまった企業のひとつだ。同社のいわしの缶詰**「大羽いわし しょうゆ味」**（図1）を、大手加工食品メーカーのマルハ（現・マルハニチロ）の**「大羽いわし しょうゆ煮」**（図2）に真似されたとネット上のプレスリリースで告発したのだ。

　なるほど、確かに商品名は「味」が「煮」になっているだけでほとんど同じである。また、缶詰の形状も、同じ型を使っているようである。「似た商品」であることは確かだ。

　当時、信田缶詰は、マルハの商品について「**コピー商品と言われても仕方がない位、商業モラルに反する商品と我々は解釈しています**（注1）」「マルハの商品は『コピー商品』と受け取られ、**中小企業の経営を圧迫する**（注2）」などと公言し、同社を痛烈に批判している。

図1（信田缶詰）

## ただのイワシの品種名なのに

　しかし、一見似ているからといって、マルハの商品を「コピー商品」と不正視するのは完全なるお門違いの言いがかりだ。なぜならば「大羽いわし」という

図2（マルハ）

のは**イワシの品種を表す一般名称**だからである。イワシの一品種であるマイワシの中の、大型の品種のことを指す言葉で、『広辞苑』や『精選版 日本国語大辞典』などにも載っており、漁業関係者や板前には常識だ。詩人・金子みすゞの代表的な詩「大漁」にも、「朝焼け小焼だ 大漁だ 大羽鰮《いわし》の大漁だ」という一節がある。

## 魚の一般名称を独占する気か？

要するに信田は、大羽いわしを使った缶詰に「大羽いわし」の表示を使われて怒っているのである。これは筋が通らない。本マグロの刺身や、ホタルイカの沖漬けに「本マグロ」「ホタルイカ」と表示できるのは自分だけだと言っているようなものである。**そんなバカな話があるか。**缶詰の型も、どのメーカーも使っている汎用型であり、当時、同じく水産加工食品メーカー大手の極洋も同じ型でいわしの煮付けの缶詰を販売している。どう考えても信田の言いがかりなのだ。

## 単に自由競争に負けただけの話

信田はマルハの「大羽いわし しょうゆ煮」のせいで、年間二〇万個以上売れていた自社の「大羽いわし しょうゆ味」の売上が一四万個に減少したと主張し、これを以ってマルハが「中小企業の経営を圧迫」しているとも訴えている。だが、仮にマルハの商品の販売と、信田の商品の売上減少に因果関係があったとしても、それは単純に、**何の違法性もない自由競争の結果、信田が負けただけの話**である。マルハのせいにするんじゃないよ。信田の営業努力と商品力の問題でしかない。

## マスコミに担がれて裁判沙汰に

ところが、こんな根拠薄弱で自分勝手な恨み節でも「大手企業が地方の中小企業の商品をパクって、その経営を圧迫している」というストーリーは世間の同情を買いやすい。信田の肩を持つジャーナリストやネットの声に担がれて、同社はマルハを不正競争防止法違反で提訴するに至ったのである。

不正競争防止法とは、不正な

商売で競争秩序を乱す行為を規制する法律で、信田の言い分は、「**マルハの『大羽いわししょうゆ煮』は、広く知られた信田の『大羽いわし しょうゆ味』の商品名やラベルを真似て、顧客に誤認混同をもたらす不正商品だ**」というものだったようだ。この提訴に困惑したのはマルハである。当時同社は経済誌の取材で以下のように反論している。

**大羽いわしという名称は、水産関係者の間では一般的に使われており、権利の侵害はない。輸入原料を使った他の魚、たとえばさばの醤油煮や味噌煮の缶詰と同じ。信田さんは大羽いわしを産地ブランドというが、それは信田さん側の話であって当社では一般名称の大羽いわしでしかない。しかもそれはどこにでもある原料であって、信田さんを圧迫して不正をやっているわけでは決してない**[注3]。

**圧倒的に正論**である。なぜこの理屈が信田や世間に通じなかったのかが不思議でならない。前掲誌の取材において、マルハは「**信田さんには懐を大きくしてもらいたい**」ともこぼしているが、まったくその通り。信田は筋の通らないイチャモンをつけるのではなく、企業努力で正々堂々戦うべきだった。

## マルハ、武士の情けで和解

さて裁判の結果はどうなったかというと、最終的には判決に至らず「無条件の和解」で終結している。無条件ということは、マルハの「大羽いわししょうゆ煮」は何のお咎めも制限もなく、そのまま販売を続けられるということだ。**実質的には信田が引き下がった形だろう**。

逆にマルハとしては、和解に応じずに、このまま判決まで持っていけば勝てたはずだ。つまり、あんなにボロクソに自社を非難してきた信田に、マルハが情けをかけた格好なのである。信田よ、少しはマルハの懐の大きさに感謝してはどうだろうか。

## 本当に法を犯したのはどっち？

そしてこの事件から一〇年

後、信田缶詰は、サバ缶にサンマを混入させていたにもかかわらず、原材料表示にサンマと書かずに販売したり、台湾から輸入した冷凍魚が含まれる缶詰の原産地を「北海道沖」と表示していた問題が、内部調査により発覚した。**原材料偽装や産地偽装は、それこそ不正競争防止法違反である。**(注4)

　この混入事件について、同社の元幹部が『朝日新聞』の取材に応えたところによると「**混入は10年ほど前から、余ったサンマの在庫処分のためや、不漁などでサバの在庫が不足した際などに行われていた。社内で『やめるべきだ』との声が出ても、やめなかった**(注5)」のだという。

　この証言が正しいとすれば、

信田缶詰は、自社は不正競争行為に手を染めておきながら、その傍らで何の落ち度もないマルハの行為を不正競争防止法違反だと糾弾していたことになる。自分の不正競争行為は棚に上げて、よくもまぁそんなことができますなぁ。

# コラム⑥ 日本で最初のエセ商標権事件とは？

## 元祖エセ商標権はあの人気飲料

本書で見るように、一般名称を使っているだけの同業者に対して、独占主張を行う迷惑なエセ商標権者は数多い。実際には、それが商標登録されているか否かにかかわらず、現に世間で一般名称と認識されている表示に対する権利行使は認められないが、こうしたトラブルは後を絶たない。「言葉を独占したい」というのは理不尽だが、同時に人の根源的な欲望なのだろうかとさえ思う。

実際、エセ商標権事件は日本の商標制度の歴史につきまとっている。筆者が確認した限りだが、なんと一九〇一年までさかのぼることができる。なお日本に商標登録制度ができたのは一八八四年である。

この時エセ商標権を主張したのが、ジョン・クリフォード・ウィルキンソンというイギリス人。今もアサヒ飲料から販売されている炭酸水「ウィルキンソン」の開発者である。

日本の炭酸水市場でトップシェアを誇る「ウィルキンソン」は、欧米系の人名由来ということもあり、欧米ブランドと思われるむきがあるが、実は明治時代に日本に在住していたウィルキンソン氏が日本で開発・商品化した、一二〇年の歴史がある日本生まれのブランドである。

## 昔は「タンサン」だった!?

ウィルキンソン氏の炭酸水は、最初から「ウィルキンソン」ではなく、一八九〇年の発売当初は「宝塚ミネラルウォーター」という名だった。しかし日本人以外には発音しにくいことから一八九三年には「TANSAN」と改称。これを「自社商標」と主張していた。

しかしこれは、一般名称の「炭酸」をローマ字にしただけだ。一説によると、「炭酸」の語はウィルキンソン氏のブランドである「TANSAN」が起源で、これが一般名称化したものともいわれている。複数の文献がそのように書いており、アサヒ飲料のウェブサイトにも同趣旨の記述がある。(注1)

　だが事実はその逆である。当時、炭酸水は「鉱泉水」などとも呼ばれていたが、一八九三年以前の文献にも、鉱泉水やソーダを意味する語として「炭酸（水）」の語は頻出している。化学物質としての「炭酸」（carbonic acid）の語は江戸時代から用いられており、(注2)「炭酸水」の語も遅くとも一八七〇年代初頭には使用され、(注3)遅くとも一八八〇年にはこれを一般名称として用いた商品が市販されている。(注4)ウィルキンソン氏は、「TANSAN」の語を含むラベルの図柄を一八九七年に商標登録しているが、その公報には、ローマ字の『TANSAN』は権利の要部ではない旨が明記されている。(注5)これは、特許局が「TANSAN」は単独では商標登録に値しないと判断したということに他ならない。

　要するに、当時すでに一般名称だった「炭酸」を、ウィルキンソンが自社商標だと言い張っていただけなのである。

## 一般名称を使うなと同業者に圧

　にもかかわらず、ウィルキンソンは一九〇一年に「舟子屋炭酸」を販売する同業の炭酸水業者・長谷川商会を訴えている。「TANSAN」を使うなというわけだ。もっとも正確には、これはシンガポールにおける訴訟だった。ウィルキンソンも長谷川商会も、現地の販売代理店を通してシンガポールに炭酸水を輸出販売しており、そこで争ったのだ。

　ここでやっかいなのは、「TANSAN」は、日本においては「炭酸」を意味する一般名称でも、日本語を解さないシンガポール人にとってはそのことが分からないという点である。結局、第一審では長谷川商会が勝訴したものの、控訴審ではウィルキンソンが逆転勝訴している。

　これで勢い付いたウィルキン

ソンは、香港、マニラにおいても日本の同業者を次々と訴え、少なくともマニラで日本の「布引炭酸」に販売禁止命令が出されたとされる。

## 嫌われ者のウィルキンソン

だが、一連の行動によって、ウィルキンソンは日本の炭酸水業者から相当の怒りを買ったようだ。当時、日本の炭酸水の品質は、水質の悪いアジア諸国に駐在する欧米人から評判がよく、各事業者は海外輸出に期待をかけていた。それをウィルキンソンのエセ商標権によって妨害され、海外市場を独占されてはたまらない。

このころ、訴訟対象となった炭酸水事業者が中心となり、商標行政を所轄する農務省や、外務省、県知事などに対し、ウィルキンソンを非難し、対策を求める嘆願書などを送っていた記録が複数残されている。以下はその抜粋だが、それらによると、ウィルキンソンがいかに同業者から嫌われたかがよく分かる。

ウィルキンソンは東洋における英領、米領の諸港及び米本国において、これ〔「タンサン」の語〕が登録をなし、その権利を独占したることを主張し、権利侵害の名の下に我が同業者の海外輸出を妨害し〔…〕海外販務の拡張上、甚だ痛恨に堪えざるのみならず、実に我が貿易上恐るべき悪例を残すものたり〔…〕。

海外においては「タンサン」なる語が邦語にして外国人には意味の了解せざるを奇貨《きか》とし登録を了して、他の鉱泉〔炭酸水の〕侵入を防ぎ、自家一個の利益を壟断《ろうだん》〔独占〕せんとするの奸策《かんさく》に他ならぬ〔…〕。

ウィルキンソン氏独特、専らの商品として、他多数の業者に対し損害を与えるのみならず、今後なお、あくまでもその方針を固守せんとするがごときは、単にこの業界の妨害たるのみならず、前途有望なる商品を一外人の専有権、横権に帰せしめておくのは、これ邦家のためならず、同業者の忍び能《あたわ》ざるところなり。[注6]

妨害行為、恐るべき悪例、奸

策（悪だくみ）に他ならぬ……えらい言われようである。幕末だったら、夜道で斬られてたかもしれませんな。

こうした「反ウィルキンソン運動」がピークに達した一九〇四年、ウィルキンソンは自社商標を「TANSAN」から「ウヰルキンソン タンサン」に変更している。同時に「タンサン」の単語自体の独占は、あきらめる方針に転換したようである。非難に堪え切れなかったのであろう。

なお、後に商標権を含むウィルキンソン社の資産を譲り受けたアサヒグループは、この年を「ウィルキンソン」ブランドの始まりと位置づけている。

今日も「ウィルキンソン」の正式な商品名は「ウィルキンソン タンサン」であり、ペットボトルのラベルや缶には大きく「TANSAN」と印字されている（図1）。これは、明治時代の一時期に、ウィルキンソンがエセ商標権を振り回していたときの名残なのである。

図1

# 第4章

## エセ商標権に立ち向かう知恵と勇気！

市松模様の独占をたくらむ巨大ブランドに日本の中小企業が反撃！

# 市松模様の数珠袋事件

## ルイ・ヴィトン vs 神戸珠数店（注1）

### 高級ブランドの商標いじめ

ルイ・ヴィトンといえば、世界的にその地位を確立しているフランスのラグジュアリーブランドである。日本にも愛好者の多いブランドだが、同社は日本人全体を敵に回しかねない極めて失礼なイチャモンを、日本企業にぶつけたことがある。

二〇二〇年に、ルイ・ヴィトンは東京・浅草にある仏壇・仏具を取り扱う滝田商店に対し、自社の商標権を侵害しているという内容の警告文を送りつけた。

ルイ・ヴィトンと仏壇とは、あまりにもミスマッチな取り合わせである。いったい、何が商標権侵害だというのだろうか。

同社が問題視したのは、滝田商店で販売されていた市松模様をあしらった数珠袋（念珠入れ）であった。ルイ・ヴィトン曰く、これが同社のブランドラインのひとつである「ダミエ柄」の商標権侵害だというのだ。

ルイ・ヴィトンのダミエ柄のポーチ（**図1**）と、滝田商店が取り扱っている数珠袋（**図2**）のデザインを比較すると、確かに似ているとはいえる。

だがこれは、似て当たり前である。なぜならば、どちらも地模様のデザインがチェッカー柄、日本でいうところの**市松模様**である点が共通しているだけだからである。

図1／口絵6頁

## 市松模様に商標権侵害!?

市松模様のような古来ある伝統的でありふれた地模様は、**何人も商標権によって独占することはできない。**歴史上多くの事業者がありふれた公有のデザインとして使用しているので、その模様自体によって特定の事業者のブランドであると認識されることがないからだ。そのような模様は特定事業者による独占を不適とするのが、商標法の法理である。もちろん著作権も発生しない。

図2／口絵6頁

## 何百年も前から存在する模様だ

ルイ・ヴィトンがダミエ柄を採用したのは一八八八年のことで、今日までにかなりの歴史があることは確かだが、**市松模様の歴史はこんなものではない。**日本においては、その一〇〇年以上前の一八世紀中期に、当時活躍した歌舞伎俳優の佐野川市松がこの模様の袴を用いたことから「市松模様」の名で広まったとされる。また、スコットランドでは一六世紀にはチェッカー柄が普及したといわれており、南インドでは一三世紀以前に労働者がチェッカー柄の衣服を腰に巻きつけていたといわれている。

そもそも、「ダミエ」（Damier）というネーミング自体、**フランス語で「チェッカー柄（市松模様）」という意味**であり、ルイ・ヴィトンがチェッカー柄や市松模様をデザインの源泉としていることは明らかなのである。いったいどういう了見で、原典に対して権利侵害を主張できるというのだろうか。とんでもない恩知らずである。

## パクってるのはオマエだ！

恩知らずといえば、ヴィトンを代表するもうひとつのブランドライン「モノグラム」（図３）も、**日本の家紋や伝統柄をモチーフにデザインされた**という説がある。ダミエやモノグラムが生まれた一九世紀末頃には、フランスではジャポニズムと呼ばれる日本文化のブームがあり、ヴィトンのデザイナーもその影響を受けていた可能性が指摘されているのだ。

図３／口絵７頁

これについての真偽は定かではないが、東大寺・正倉院には、奈良時代から伝わる、モノグラムによく似た柄の琵琶が所蔵されている（**図４**）。ＬＶのロゴこそ入っていないが、モノグラムの元ネタとしてよく話題に上る「紫檀木画槽琵琶《したんもくがのそうのびわ》」である。歴史学者の杉本一樹も「まるでどこかのブランドのような……」と評している。[注２]

ダミエにせよモノグラムにせよ、もしルイ・ヴィトンが、ジャポニズムの影響を存分に受けてデザインを完成させておきながら、日本の伝統和柄に言いがかりをつけているとすれば、**恩を仇で返すヒドい話**である。

図5

図4／口絵7頁

## 商標権侵害にならない理由

話をルイ・ヴィトンの警告書に戻そう。**図2**の数珠袋がダミエ柄の商標権を侵害するという主張だが、法的にもこれが認められる余地はない。ダミエ柄が商標登録されているのは確かである（**図5**）。しかし、ベースのデザインがダミエのブランド以前にごくありふれた市松模様である以上、市松模様としか把握されない他人の模様に対しては、それがいくら表面的に似ていたとしても、商標権の効力は及ばない。

商標権侵害とは、端的にいえば、他人の商標に類似する商標を、商品を選択する際の目印として無断で使用することによって、両商品の出所が一緒なのではないか、関連商品なのではないか、といった混同を招くおそれを生じさせることをいう。形式的に似た模様を使っていたとしても、それが単に模様として認識されるに過ぎず、また「ダミエ」と出所が同じではないかなどと紛らわしく思われる余地がなければ、商標権侵害は成立しないのだ。

　そして、人が市松模様を目にすれば、単に**市松模様だと理解するのが当たり前**であり、ルイ・ヴィトンのダミエラインの商品だと勘違いするヤツはいない。Ｆ1のチェッカーフラッグや、『鬼滅の刃』の巾着袋からルイ・ヴィトンを想起する人は皆無だろう。

**コピー商品にしか使えない権利**

　これを前提にすれば、**図5**のダミエ柄の商標権は、市松模様の柄それ自体に及ぶのではなく、色の薄い部分の正方形部と、色の濃い部分の正方形部にそれぞれ別に表れている細かな模様も含んだ全体形状にしか及ばないと評価すべきだ。

　つまり、こうした全体形状をすべて再現した、典型的なコピー商品にしか効力を発揮しない、**権利範囲がかなり限られた商標権**と見るべきなのである。

**仏具がヴィトンに便乗するか⁉**

　市松模様であることだけが共通している数珠袋の柄は、どう見てもただの市松模様であり、まったくもって「ダミエ」のコピー品ではない。この商品の柄をいくら眺めてみても、「市松模様だな」という感想しか出てこない。そうであれば、商標権侵害にはなり得ないのである。

　**だいたい、葬式にルイ・ヴィトンのポーチなんか持って行きますかね？**　祭壇の前でこれみよがしにルイ・ヴィトンのポーチから数珠を取り出したら、なんだか顰蹙《ひんしゅく》を買いそうである。そんな場違いなラグジュアリーブランドに似せた数珠袋を作ろうという発想すら、にわかには考えがたい。どう考えても、この数珠袋とルイ・ヴィトンを関連付けるのは不自然であり、彼らのクレームは言いがかりに過ぎない。

　しかし警告を受けた滝田商店は、その日のうちに自社の通販サイトでの数珠袋の販売を停止してしまった。いきなりフランスの巨大ブランドから権利侵害の警告が来たら、ビビってしまうのもやむなしだが、それにしても、我が国で古来存在する市松模様を突然「使うな」と言われて違和感を覚えなかったというのだろうか。

## 京都のメーカーがLVに逆襲！

一方、このクレームに屈しなかった関係者もいたのである。それが、滝田商店にこの数珠袋を販売していた京都のメーカー・神戸《かんべ》数珠店だ。「市松模様はルイ・ヴィトンの権利侵害」などという意味不明なイチャモンのせいで、**取引先から自社商品の取り扱いを拒否**されれば、そりゃ穏やかではいられないだろう。

そこで神戸数珠店は、数珠袋の柄がダミエ柄の商標権を侵害しないことの確認を求めて、特許庁に判定請求を行ったのだ。

こうして、京都の数珠店とフランスが誇る世界の一大ラグジュアリーブランドが、特許庁を介して争うことになったのである。これって、なかなか勇気の要る反撃だと思う。そして結論としては、無事に**ルイ・ヴィトンがストレート負け**を喫している。特許庁の認定は以下の通りだ。

**イ号標章〔数珠袋の模様〕は、その使用商品との関係において、当該商品の布地全体の模様として使用された、日本古来の模様として広く一般に知られ、親しまれている市松模様にすぎないから、自他商品の識別標識として機能するような態様で使用されているものとはいえない。〔…〕比較をするまでもなく、本件商標〔ルイ・ヴィトンの商標〕の商標権の効力の範囲に属しないものである。**

「比較をするまでもなく」という一文に、特許庁の呆れがにじみ出ているようである。要するに、何らかのブランドとして把握される余地のない単なる市松模様に対し、ダミエ柄の商標権の効力が及ぶ余地はないということである。当然の判断といえる。

## 無事に取り扱いを再開！

この判定結果を受けて、無事に滝田商店も神戸数珠店の数珠袋の取り扱いを再開し、おかげで筆者も実物を購入することができている。そしてこの事件は、判定という形で記録が公になったため、ルイ・ヴィトンのムチャクチャな権利行使は衆人の知るところとなり、**多くの日**

**本人から批判を集めることになった**のである。

しかし筆者が危惧するのは、たまたま公になったこの事件は氷山の一角にすぎず、一般的な市松模様柄を用いてバッグや小物を作って売っているに過ぎない小売店やメーカーが、人知れず、ヴィトンから警告を受けて枕を濡らしているケースは他にもあるのではないかということだ。

何百年もの歴史を誇る伝統柄である市松模様を、ルイ・ヴィトン一社に不当に奪われないようにするためには、神戸数珠店の対応から学んで、納得できない警告にはしっかりと立ち向かう気概が必要なのである。

## 歴史的偉業!? パロディ商標はなぜ本家に勝訴できたのか？

# フランク三浦事件

### フランク・ミュラー vs ディンクス(注1)

**本家に勝ったパロディ**

古今東西、有名ブランドをモチーフにしたパロディ商品は尽きることはない。観光地などで、旅行者向けに売られていることが多い。

それなりにヒットするものもあるが、しかしひとたび元ネタの権利者からお叱りを受けると、あっという間に姿をくらます「日陰のビジネス」という印象がある。

ところが、原権利者からクレームを受けても、これに安易に屈せず、裁判でクレームを覆して、パロディ商品を立派に「合法な日向のビジネス」に押し上げたつわものがいる。パロディ時計**「フランク三浦」**（図1）を製造販売するディンクスだ。

その名から分かる通り、スイス発の高級時計**フランク・ミュラー**（図2）が元ネタだ。数百万円する高級時計をモチーフにしていながら、ブランド表示はふにゃふにゃな手書き風で、「**全て手作りで作っているため外装に多少の傷、文字盤に埃、異物、指紋、まれにちぢれ毛などが混入しております**」「**フランク三浦は基本的に全て完璧な非防水です**」「**電波時計を参考に毎日時刻合わせをしてください**[注1]」など、人を食った宣伝文句が躍る。五〇〇〇円前後で買える、典型的なパロディ商品である。

図1（フランク三浦）

図2（フランク・ミュラー）

## なぜクレームされるに至った？

このユーモアを理解できなかった、本家フランク・ミュラーがディンクスにクレームをつけたのだ。まずはクレームまでの経緯を説明しよう。

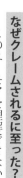

もともと、ディンクスはジョークグッズの会社ではなく、一般的な腕時計の製造販売や輸入販売が本業である。フランク三浦も主力製品ではなく、同社社長の下部《しもべ》良貴が半ば独断で商品化した形だったという。ところが下部の高校時代の同級生で、当時ヤクルト・スワローズの内野手だった宮本慎也がチーム内に広めたことから、スポーツ界、芸能界で愛好者が増え、ヒットにつながった。

なお、愛好者といわれる有名人には、堀江貴文、LUNA SEAのRYUICHI、坂東彦三郎（九代目）、テレンス・リー、水沢アリー、小倉智昭、オリックスのT－岡田、中場利一、長友啓典、ミラクルひかるなど、本家フランク・ミュラーの方を愛好していそうな面々がずらりと並んでいる。

　変わったところでは、故・安倍晋三元首相の夫人・安倍明恵らが立ち上げた、途上国の女性支援のためのNGO団体Ｇｉｒｌ　Ｐｏｗｅｒが、フランク三浦とコラボした特注腕時計をチャリティーグッズとして販売している。**まったく脈絡のない広まり方**で、人気の幅広さがうかがえる。

　この過程で、大手の流通商社からも引き合いが入ったが、商社側が適法性を気にして取引を躊躇し、商標登録を求めた(注2)ことから、ディンクスは二〇一二年に「フランク三浦」のロゴを商

図3

標登録（**図3**）している。

　一方、二〇一四年には、フランク三浦の人気過熱を取り上げた週刊誌『ＦＲＩＤＡＹ』が、こともあろうにスイスのフランク・ミュラー本社に取材を敢行。記事では「締め切りまでに回答はなかった(注3)」との内容にとどまっているが、ディンクスやフランク三浦ファンとしては、**「余計なことをしやがって！」**と思ったのではないだろうか。

　なぜならば、本家が気付いていない、もしくは事実上黙認しているパロディ商品について、わざわざメディアが本家に感想を聞きに赴けば、それはトラブルの火種になりかねないからだ。**禁じ手の取材**といっても過言ではない。

## 三浦のSNSが凍結される

実際、この『ＦＲＩＤＡＹ』の取材がきっかけになったかどうかは分からないものの、この頃から不穏な動きが確認されている。**フランク三浦の公式SNSアカウントが相次いで凍結されたのだ。**フランク・ミュラー側から「商標権侵害」を理由に、プラットフォーマーに対して削除申請がなされたのである。

だが、このときディンクスは「フランク三浦」が商標登録されていることを根拠にＳＮＳ各社に反論し、凍結は短期で解除されている。すると今度は、フランク・ミュラーの商標権を管理するＦＭＴＭディストリビューションの弁護士から、「『フランク三浦』の商標権を取り消す申請を行う」旨の内容証明郵便が届いたという（注4）。

おそらく、ミュラー側は、商標権侵害に対する反論材料となる「フランク三浦」の商標権を取り消した後に、本格的に商標権侵害を主張して商品を排除する方針を立てたのだろう。こうして、ミュラー対三浦の商標バトルが始まったのである。

## 第一戦はミュラーに軍配

二〇一五年、予告通り、ミュラー側は特許庁に対し「フランク三浦」の商標権を取り消すための無効審判を提起。この際、特許庁はミュラー側の請求を認め、一旦は「フランク三浦」の商標権を取り消す決定をしている。

その理由はこうだ。登録商標「フランク三浦」は、消費者に対し、先行する登録商標「フランク・ミュラー」を想起させることを明らかに意図したものであり、実際に想起させるから、両商標は類似する、というのだ。さらにフランク三浦はフランク・ミュラーのシリーズ商品であると混同されるおそれがあり、また不正目的の商標登録だと断じている。

しかしながら、この理屈に従えば、およそすべてのパロディ商品は「不正」ということになってしまう。**元ネタを想起させないパロディなど存在しない**からだ。この決定を許せば、商標権侵害もそのまま肯定されることになりかねないと考えたディンクスは、裁判所にこの決定の取り消し（つまり商標登録の維持）を求めてミュラー側を訴えたのである。

## ディンクスの説得的反論！

この第二戦において、ディンクスはパロディ商品の合法性を決定づけるうえでの重要な指摘を行い、それを裁判所に認めさせている。

すなわち、「フランク三浦」が「フランク・ミュラー」を連想させる場合があることは認めるが、「三浦」と「ミュラー」の外観や観念上の顕著な違いや、手書き風の拙いロゴである点などから、需要者は、「**本件商標が『フランク・ミュラー』を意識した別の商標であること、又は、パロディ商標であることに同時に気付く**」と主張したのである。

第一戦において、ミュラー側は、「想起（連想）させるから類似する」と、「想起（連想）」と「類似」を当たり前のように結びつけており、特許庁もこれを認めていた。ディンクスは、この短絡的な接続を誤りだと指摘したのだ。

そうではなく、「フランク三浦は、フランク・ミュラーを想起（連想）はさせるが、同時に明らかに別物であることも理解させる」、つまり**「想起（連想）はさせるが、類似はしない」**というロジックを採ったのである。

## 間違えるヤツなんかいない

さらに、実際の商品同士を比べた場合でも、商品には手書き風の「フランク三浦」のロゴが明示され、「完全非防水」などのおふざけの記載がなされ、価格は本家の実に一〇〇分の一から一〇〇〇分の一であり、質感はとことんチープ、販売場所もディスカウントストアなどで本家とは大きく異なることから、現実にも「明らかに別のもの」として広く認識されていると主張したのである。

なおこの点について、前述したフランク三浦ファンを公言する著名人の一部が「**私は、フランク三浦の時計をフランク・ミュラー社の時計と間違えて購入、使用しているのではなく、**

**両者の違いを明確に区別した上でそのユーモアを楽しんでいます**」との嘆願書を提出している。

要するに、**「明らかにパロディと分かるパロディは、元ネタとは類似しないし混同もされない」**という主張なのだが、これこそが市場の実態や需要者の感覚とも合っており、パロディと知財保護の適正な共存バランスといえるのではないだろうか。

## 反論にミュラーがタジタジに

これに対するミュラー側の反論は、なかなか苦しいものがあった。現実にフランク三浦とフランク・ミュラーを間違えるようなウカツな人間がいない以上、両者の類似性や、混同のおそれがあることの立証は困難である。

ミュラー側は、「取引者・需要者において、原告商品〔フランク三浦〕が被告〔フランク・ミュラー〕から何らかの許諾を得て販売されているものであると誤認していたことは十分に考えられ」ると主張したのだが、その証拠として提出したのが、なんと**「ヤフー知恵袋」**や「NAVERまとめ」などにおけるネットの書き込みなのだ。

これらはインターネット情報の中でも、特に信頼性が低い、誰とも分からぬ匿名の個人が書き込む質問サイトやまとめサイトである。う〜む。こんなものに頼らねばならないほどに**追い詰められていたのでは……**と考えてしまう。

しかも、実際に証拠として提出された「ヤフー知恵袋」の書き込みは、以下の内容のものなのである。

**【質問】化物語の阿良々木君の腕時計が欲しいと思い調べたら50万もするフランクミュラーのやつなんですね・・・似たようなやつで安いものはありますか？1万から2万あたりでお願いします。それと、阿良々木君の家は金持ちなんですか？**

**(gsk******さん)**

**【ベストアンサー】フランク三浦が最右翼です。http://official-miura.com/　1万以下なので よりお安く済みます。**

**(sha******さん)**（注1）

これが、需要者が「フランク三浦はフランク・ミュラーから許諾を得て販売されている」と誤認していることの証拠といえるだろうか。どう読んでも、質問者はフランク・ミュラーとは別物の時計を探しており、回答者はフランク・ミュラーとは別物の時計としてフランク三浦を薦めているのである。

フランク三浦をフランク・ミュラーと間違える人はもちろん、許諾商品と思っている人など、ヤフー知恵袋にすら存在しないのだ。

ちなみに「化物語の阿良々木《あららぎ》君」というのは、アニメのキャラクターである。こんなのを証拠に出されてもなぁ。

### ディンクスの逆転勝訴！

こうして、両社の主張と提出された証拠を評価した裁判所は、特許庁の決定を覆し、ディンクスの主張をほぼ認める判決を出している。

すなわち、裁判所は、需要者は「フランク三浦」から「フランク・ミュラー」を「**連想することはあり得るものと考えられる**」としたうえで、しかしそれはあくまで別個の商標としてフランク・ミュラーを**連想しているに過ぎず、混同を生じるおそれがあるとはいえない**し、類似するということもできないと結論したのだ。

フランク・ミュラー側は上告したが、最高裁は受理せず、これでディンクスの勝訴は確定。これによって、「フランク三浦」の登録商標の維持も確定した。

### 「連想」と「混同」は異なる

パロディ商品の事業者にとって、この判決が、「連想させること」と、「類似すること」や「混同されること」との間に明確に線を引いたことの意義は大きい。元ネタを連想はさせるが別物だと理解されるパロディ商品は、合法であると胸を張れる素地が生まれたといえるからだ。

それよりもディンクスがこの判決から受けた恩恵といえば、**「フランク三浦がフランク・ミュラーに勝訴」**のニュースが日本全国を駆け巡ったことだ。読売、朝日、毎日、産経、日経の五大紙をはじめ、各種メディアが軒並みこの判決を報道。これまでフランク三浦を知らなかった層にまで、その名を轟かせることになった。

その結果、ディンクスには注文や問い合わせが殺到し、「**約1カ月で数千件のメールや電話帳数冊分の厚みのファクスが届き**」「**思わぬ特需に悲鳴を上げている**(注1)」状態にまで至ったそうだ。

## 今では立派な独自ブランド

今では、フランク三浦は誕生から一〇年以上続くロングセラーとなり、腕時計だけでなく、スマートウォッチ、ゴルフバッグ、アパレル、財布などにまでブランドが拡張している。もはや単なるフランク・ミュラーのパロディではなく、**立派な独自ブランドとしてその地位を確立**しているのだ。

日陰の存在だったパロディ商品に、合法性と成長への道を切り拓いたディンクスの功績は大きい。

## 日本人不信になってるかもなぁ

最後に、フランク・ミュラー側に同情すべき点にも触れておこう。スイス人のフランク・ミュラーにとって、「三浦」が日本人の一般的な姓だという知識があるとは考えにくく、漢字やカタカナも理解できないはずだ。

そしておそらく、彼らは検討時にはもっぱら「フランク三浦」をアルファベットに翻訳して自社商標と見比べていたはずなのだ。"Franck Muller"と"Franck Miura"をラテン語読みで比較すれば、非日本語圏の人々にとって、**どうしてこれを日本人は別物だと理解するのか、**にわかには納得できないと思う。多分、いまだに納得していないでしょうなぁ。

原作者を差し置いて！ そのキャラ名、本当にあなたのものですか？

# メリー・ポピンズ事件

ディズニー・エンタープライゼズ vs ティンカーベル社(注1)、メアリーポピンズ社(注2)

## 原作者を差し置いて商標登録？

著作権に厳しいといわれるディズニー社だが、なかなかどうして商標権にも厳しい。映画の海賊版や、グッズの模倣品といった、映画作品やキャラクターそのものの無断利用を取り締まろうとするのは当然のことだろう。一方で、「映画のタイトル」や「キャラクターの名前」については、果たしてどこまでをディズニー社に独占させることが適切だろうか。実は、必ずしも「当然ディズニーのものでしょ」とはいえないのである。

特に、初期の代表的な映画やその登場人物の名前についてである。「白雪姫」「シンデレラ」「ふしぎの国のアリス」「ピーターパン」「ピノキオ」「くまのプーさん」「メリー・ポピンズ」「美女と野獣」「アラジン」——これらの作品は、ディズニー映画やキャラクターのイメージは強いものの、いずれも他人の童話や小説を原作とする作品であって、**名称もディズニーの創作ではない。**これらに関する商標を、無条件にディズニー社に独占させることには、いささか疑問がある。

にもかかわらず、同社はときどき、これらの商標をさも自分が独占して当然であるかのように振る舞い、他人に攻撃を仕掛けることがあるのだ。

## 老舗子供服ブランドにクレーム

標的になった企業には、例えば子供服のティンカーベルがある。二〇二〇年に破産したが、八〇～二〇〇〇年代にはよく知られた子供服ブランドのひとつだった（**図1**）。同社の社名でありブランド名の**「TINKERBELL」**について、ディズニーが異議を唱えたことがある。

図1

ディズニー曰く、「ティンカーベル」とは、ディズニー映画『ピーターパン』に登場する「著名な妖精」の名前であるから（**図2**）、「TINKERBELL」を子供服のブランドに使われると、「ディズニーの関わった商品だと混同される」おそれがあるというのだ。

図2

このロジックで、ディズニーは、ファッション事業者にとって生命線ともいえる「TINKERBELL」ブランドの商標権の取り消しを求めて、異議を申し立てたのである。

## 元々お前のキャラじゃないだろ

しかし、『ピーターパン』自体、もともとはイギリスの作家、ジェームス・マシュー・バリーの小説であり、ディズニーはそれをアニメ映画化したという立場である。妖精のティンカーベルも、原作小説である『ピーターパンとウェンディ』に登場している。

どうして臆面もなく、「ティンカーベル」といえば**さも自分の所有物**であるかのように振る舞えるのかが不思議である。我が物顔とはまさにこのことだ。

だいたい、原作が一〇〇年以上前、ディズニー映画ですら七〇年も前の作品であることもあり、もはや「ティンカーベル」を名乗る飲食店やホテル、商品などは世界中に無数に存在している。この点からも「ティンカーベルを名乗るものはすべてディズニーの関連商品だと誤解される」という理屈が成立するとは、ちょっと考えがたい。

## ディズニーの主張退けられる

そしてその通り、ディズニーの主張は認められなかったのである。「ＴＩＮＫＥＲＢＥＬＬ」から、映画キャラクターのティンカーベルを連想する場合があるとしても、それは**せいぜい連想止まり**であると認定。かえって、当時ティンカーベル社のＴＩＮＫＥＲＢＥＬＬブランドが、全国二〇〇店舗以上で展開されていたことを考慮すると、「ＴＩＮＫＥＲＢＥＬＬ」が子供服に使用されても、それが「ディズニーのブランド」と誤解されることはないと断じ、ディズニーの異議申立を退けている。妥当な判断だろう。

## ちょっとは原作者を見習えよ

なお、『ピーターパン』の原作者であるジェームス・マシュー・バリーは、生前、同作の**著作権を、経営難だった地元ロンドンの子供病院に寄付**しており、以降本人は著作権使用料を受け取らなかったことで知られている。[注3] なんという美談、なんという博愛精神だろうか。

それに引き換えディズニーは、ティンカーベル社にしたように、世界中でティンカーベル関連の他人の登録商標に異議を申し立てるなどして、これらの商標を自らの手中に収めようとしているのである。

その結果、著作権は子供病院のものになったはずのイギリスにおいてさえ、「ティンカーベル」や「ピーターパン」の商標権については、今やほとんどディズニーが所有しているのだ。**おい、子供病院に寄付をせんかい！**

### ベビーシッターにも容赦なし

ディズニーは、中小企業に対しても手を緩めない。神戸市に所在し、一九八八年の創業以来、三〇年以上も経営を続ける地域に根ざしたベビーシッターサービス**「メアリーポピンズ」**（図3）も、ディズニーの商標いじめの標的になった。メアリーポピンズ社の登録商標「Ｍａｒｙ Ｐｏｐｐｉｎｓ」に対し、二〇一九年になって権利を取り消すための無効審判請求を仕掛けたのである。

図3

もちろん、「著名」なディズニー映画**『メリー・ポピンズ』**（図4）およびその主人公の名前と一緒だからというのが理由である。

だが『メリー・ポピンズ』は、イギリスの作家、パメラ・トラヴァースの小説が原作であり、やはりディズニーのオリジナル作品ではない。にもかかわらず、ディズニーは例によって、「Ｍａｒｙ Ｐｏｐｐｉｎｓ」の屋号でベビーシッターサービスをされると、「**ディズニーの事業と混同されるおそれがある**」などと主張しているのである。

図4

それればかりか、「**国際信義上到底許されるべきではない**」「**明らかに便乗**」「**公序良俗を害する**」「**不正目的の商標**」などと、強い非難の言葉を畳みかけたのだ。

しかし、三〇年以上も穏当にこの屋号で事業を続け、地元で信頼を重ねてきた善意のベビーシッターに対して、他人の小説が原作の映画名を根拠に、果たしてここまでいうだろうかフツー。

**ベビーシッター堂々と反撃！**

ディズニーがこのタイミング（二〇一九年）で争いを仕掛けたのは、当時、映画『メリー・ポピンズ』の続編『メリー・ポピンズ・リターンズ』が公開されていたという背景があったようだ。しかしメアリーポピンズ社からすれば、唐突過ぎるイチャモンでしかない。

だが、これに対するメアリーポピンズ社の切り返しは見事であった。ディズニーの主張に真っ向から立ち向かったのだが、その反論が小気味よい。

例えば、「**映画『メリー・ポピンズ』は、すでに人々の記憶から消えている**」「**一九六四年に公開された『メリー・ポピンズ』を知っているとすれば、それは六〇代以上。ベビーシッターの主な利用者層である二〇～三〇代の世代には知られていない**」「**ディズニーは『メリー・ポピンズ』がアカデミー賞作品賞を受賞したと主張するが、受賞していない**」「**『メリー・ポピンズ・リターンズ』は歴代興行収入のベスト一〇〇にも入っていないから著名ではない**」など と、世界のディズニーを煽りまくったのである。

確かにこの無効審判で、ディズニーは映画『メリー・ポピンズ』で「主演女優賞、歌曲賞、作品賞、編集賞、特殊視覚効果賞の五つのオスカーを受賞した」と主張しているのが、実際に授賞したのは主演女優賞、歌曲賞、編集賞、特殊視覚効果賞、作曲賞の五つであり、作品賞での受賞は逃している（受賞は『マイ・フェア・レディ』）。まぁ、五つのオスカーを受賞したこと自体は合っているし、ケアレスミスだろうが、**よく気が**

**付いて揚げ足を取ったよなぁ、**メアリーポピンズ社。

## これは商標いじめだと喝破

そのうえで、三〇年以上「Mary Poppins」の屋号で経営を続け、消費者から信用を得ているメアリーポピンズ社の商標が、「映画の題名と同じである」というだけの理由で、ベビーシッター事業とは無関係の映画会社によって無効にされるならば、それこそ「**被請求人〔メアリーポピンズ社〕の利益を著しく害し、極めて不公平である**」と訴えたのだ。

「権利関係に厳しい」といわれるディズニーから権利主張を受けると、普通は萎縮してしまいそうなものであり、中小企業ならなおさらだろう。ここまで堂々と反論したメアリーポピンズ社は立派である。

## ディズニー、またも完敗

この結果、特許庁は無事に「Mary Poppins」の商標は有効であると判断している。メアリーポピンズ社がベビーシッター事業について「Mary Poppins」を使用しても、それをディズニー社の事業と混同したり、公共の利益や社会道徳に反することはないと認定したのだ。

なお、「すでに人々の記憶から消えている」などと煽られたディズニーは、まんまとブチ切れており、「**何の根拠をもって述べているのか不明**」「『**メリー・ポピンズ』は、この半世紀の間子ども達にも親しまれ、愛されてきた**」「**なぜランキングベスト一〇〇に入らなければ、映画として有名ではないという説明になるのか不明である**」などと、怒涛の再反論をしている。

## キャラ名はブランドではない

この論点について、特許庁はどう判定したのだろうか。審決書にはこうある。

**〔『メリー・ポピンズ』は〕映画の題名および主人公名としては我が国において一定程度知られているものといえる。しかしながら〔…〕請求人〔ディズニー〕の業務に係る商品又は役**

**務の出所を表示するものとして需要者の間に広く知られていたものということはできない。**

つまり、映画やキャラクターの名称としては「一定程度知られている」ものの、ディズニーの**ブランドとして広く知られているとは認めなかった**のである。これはディズニーにとって、かなり微妙な認定だろう。特許庁は、「映画やキャラクター名として知られていること」と、「ブランドとして知られていること」の間に、明確に線を引いたのである。

そして、「TINKERBELL」や「Mary Poppins」のような名称を、キャラクター名として使い続けていた映画会社と、ティンカーベル社やメアリーポピンズ社のように、屋号すなわちブランド名として長年穏当に使用してきた事業者に、どちらに商標権を認めるべきかというと、それは後者というわけである。

## 下剋上！ 日本のV系アーティストがロック・レジェンドに逆転勝利！

# ザ・ローリング・ストーンズベロマーク事件

### ザ・ローリング・ストーンズ vs AcidBlackCherry（注1）

### 大御所とV系バンドが対決！

伝説的ロックバンドの意外とみみっちい一面が明らかになった事件である。イギリスが生んだロックバンドの代名詞的存在、ザ・ローリング・ストーンズといえば、**「ベロマーク」**と呼ばれるロゴも有名だ（**図1**）。ローリング・ストーンズの楽曲を知らなくとも、ロゴは知っているという人も多いと思う。

このベロマークを巡って因縁をつけられたのが、日本のヴィジュアル系ロックバンドＪａｎｎｅＤａＡｒｃ（ジャンヌダルク）のボーカルのソロプロジェクトＡｃｉｄＢｌａｃｋＣｈｅｒｒｙ（以下、「ＡＢＣ」（注2））である。ＡＢＣが使うロゴマークもまた、全体的に真っ赤な色彩を特徴とする、大きく突き出したベロをモチーフにしたものであり、ＣＤなどのグッズに使用されていた（**図2**。以下「ＡＢＣロゴ」）、これにローリング・ストーンズがブチ切れた格好だ。

### ベロマークに似ているか

ＡＢＣの所属事務所がＡＢＣロゴを商標登録すると、ストーンズの商標権を管理するオランダのムジドール社が、**「ＡＢＣロゴはベロマークと類似するため、ローリング・ストーンズの商品と間違われたり、関連バン**

図1／口絵8頁

図2／口絵8頁

**ドだと混同される」「ローリング・ストーンズの人気に便乗しようとする不正の意図がある」**などと主張し、異議申立を行ったのだ。

なおローリング・ストーンズは、不正目的の便乗であることの根拠として、舌のモチーフが共通することに加え、ABCロゴの舌に被さっている「『アルファベットのABC』を書いた『音符』のような図形」も、ローリング・ストーンズが「『英国』の『ロックバンド』」であることから着想されたものに違いないと主張した。

## アルファベットといえば英国？

ロック・レジェンドが、まったく競合するとは思えない日本のヴィジュアル系バンドに、ムリヤリ因縁をつけている構図にしか思えないがいかがなものだろうか。「アルファベットのABC」といえば「英国」、「音符」といえば「ロックバンド」だろうという言い分は、あまりにも発想の飛躍がスゴいというか、**我田引水が過ぎる。**

もっとも、確かにローリング・ストーンズのベロマークのデザイン自体は、ありがちなロゴタイプや幾何学的なマークと異なり、似たものをほとんど見かけないユニークなロゴである。著名性もあるだろう。不正とはいわないまでも、「似ている」「便乗する意図はあったのでは？」という印象を持つ人もいるかもしれない。

## デザイン趣旨は異なるのでは？

だが、ABCロゴはベロマークとは全く異なる趣旨でデザインされたものだと評価できる。

ローリング・ストーンズのようなハードロックと異なり、ヴィジュアル系ロックは官能性やセクシーさがウリである。ベロはベロでも、**これは社会に舌を突き出して挑発するようなベロではなく、性的魅力をアピールするベロではないか。**

ベロの上に配置されている音符は黒いサクランボ（アーティスト名ともかけている）でもあり、これは「舌を使ってサクランボの枝を結べるとキスの名手」という逸話を彷彿とさせる。ベロマークとは全く異なる性的なコンセプトを形にした結果、たまたまベロマークと表現が近くなってしまったというのが実際のところではなかろうか。

しかしながら、特許庁の審判官はあんまりヴィジュアル系を聴かないタイプだったのか、ＡＢＣの反論虚しく、**「ＡＢＣロゴを使用した音楽関連の商品は、ローリング・ストーンズの商品と混同されるおそれがある」**と認定し、これを理由にＡＢＣロゴの商標登録を一旦取り消す決定をしてしまった。

## ストーンズを煽りまくる！

ところが、これに納得できないＡＢＣは、知財高裁に提訴し、商標登録の取消の取消（つまり商標登録の維持）を請求。そこでは怒涛の**「ローリング・ストーンズ批判」**を繰り広げた。

まず、自身の音楽活動について、当時（二〇〇九年）アルバムが週間ヒットチャートの二位、月間チャートの九位にランクインするなど好調であることをアピールしたうえで、ローリング・ストーンズについては以下のように述べている。

**平成20年〔二〇〇八年〕にローリングストーンズが販売した音楽ＣＤは〔…〕1枚であるが、我が国における売上枚数は三万一九〇二枚にとどまる。この数字は、他の外国人アーティストと比べて決して多いとはいえない数字である。**

**〔…〕平成21年〔二〇〇九年〕6月と7月〔…〕アルバムをリマスター版で販売しているが〔…〕いずれもＣＤの売上げ上位30位にすら入っていない。**

〔…〕映画「ザ・ローリングストーンズ・シャイン・ア・ライト」が劇場公開されたが、興行成績は伸び悩み、一度もトップ10に入ることはなかった。

以上のように、ローリングストーンズの人気は欧米を中心としており、日本国内での人気はそれほど高くない。

ローリングストーンズの全盛期は、1960年代後半から70年代初めであり、当時のローリングストーンズのファンは、現在50歳代から60歳代である。したがって、それ以下の若い世代にはローリングストーンズがどのような者か知らない者が多い。

要するに、**オレより売れてねぇ！ジジィしか聴いてねぇ！**というわけだ。これらは、ベロマークが著名ではないことの立証として述べられたものだが、イケイケの若手が師匠筋に対して「オレより売れてないくせに」とハッキリ言うのは業界のタブーというか、言いたくてもなかなか言えないことである。裁判で背に腹は代えられないとはいえ、よく言い放ったよなぁ。

## 強気なんだか弱気なんだか

一方で、ABCはこんな主張もしている。

音楽CD等の売上げは、現在、急激に減少しており、そのため〔…〕音楽CDやライブ映像を収録したDVDには、販売に際して様々な特典が付けられており、グッズ的要素が強い。したがって、あえて〔ABCの〕音楽CD等を購入する者は、おのずからアシッド〔ABC〕のファンに限定され、他人の商品に係るものと誤信することはあり得ない。

つまり「**オレのCDは、ファンしか買わない！**」というのだ。オレのファンはオレがローリング・ストーンズでないことはもちろん分かっているのだから、ローリング・ストーンズのCDと間違えることなんかあり得ないという理屈である。

確かにアイドルやヴィジュアル系バンドの商品にはそういうところはあるし、リスナーの好みが細分化している今日においては、もはやどの音楽ジャンルでもいえることかもしれないが、そんな**急に自虐モード**にならんでも。強気なんだか弱気なんだか分からんな、この人は。

## 間違えてチケットを買うか？

もっとも「ファンしか買わない」は言い過ぎだとしても、ＣＤやライブのチケットのような嗜好性の高い音楽関連商品に関して、消費者は、どのアーティストの何というタイトルの作品か、いつどこで誰が出演する公演かなどについて、しっかりと認識したうえで購入するのが一般的である。アーティストロゴがなんとなく似ているからといって、間違えて買ってしまうような代物でないことは、確かだろう。

「お酒に合うアンチョビポテト事件」（３４０頁）において、「数百円のポテトサラダは、パッケージを凝視、吟味されずに買われることがあり、微妙な類似度でも間違われやすい傾向はある」と述べた。音楽関連商品は、このような商品とは対極的な買われ方をする商品だといえる。

考えてみてほしい。いったいどこのおっちょこちょいが、**ローリング・ストーンズの来日コンサートと間違えて、ヴィジュアル系バンドのコンサートに行ってしまうというのだろうか**。ＡＢＣのＣＤを買おうとするとき、ファンならもちろん、ファンの友達から頼まれて探すような場合であっても、洋楽ロックの棚から、ロゴがなんとなく似ているローリング・ストーンズのＣＤを間違えて選んで買ってきてしまうということがあり得るだろうか。

あるわけがない。冷静に考えれば、ＡＢＣロゴとベロマークが抽象的に似ていることは認め得るとしても、そのことによって、**ＣＤやチケットが間違えて買われるような混同は起きないのである**。そして、そうであれば、商標法上は区別可能な別商標といってよい。

裁判所も、ＡＢＣの主張を支持している。ローリング・ストーンズの人気がなく、ベロマークも著名ではないという主張こそ退けたものの、両者の類似性については、基本構成は共通する一方で、平面的か立体的かという点で「かなり印象を異にする」し、「舌の上の三本の黒色の図形」の有無なども看過し得ない相違点だと評価している。そして何より、混同されるおそれがあるかどうかについては、以下のように判示している。

**音楽は嗜好性が高いものであって、音楽ＣＤ等の購入、演奏会への参加等をしようとする者は、これらの商品又は役務が自らの対象とするもので間違いないかをそれなりの注意力をもって観察することが一般的であると解されること、取引者についてみるに、音楽について通暁していることが一般であるレコード店や音楽業界関係者等〔…〕が、本件商標〔ＡＢＣロゴ〕をローリングストーンズの業務に係る商品又は役務と混同することは考え難いことなどの事情が認められるのである。**

一般リスナーもレコード店の店員も間違えるわけがない、というわけだ。**音楽商品の取引実態をしっかりと捉えた判断といえよう**。こうして、ＡＢＣロゴはローリング・ストーンズの訴えを無事に退け、その商標権は維持されたのである。

## これぞロックの反骨精神!?

それにしても、あのローリング・ストーンズに「オレのロゴをパクりやがったな」と睨まれたとあれば、一介のロックバンドならやましいことがなくても萎縮して土下座したっておかしくない。氷川きよしが北島三郎に「お前髪切れや」などと因縁をつけられているようなものである。怖すぎる。

レジェンドの威光に臆さず、行政庁への訴訟も厭わず立ち向かい、大先輩に向かって堂々たる批判を繰り広げ、結果、勝利を収めたＡＢＣ。お見事である。これこそ、ロックバンドが本来持つべき反権力・反骨精神の体現だ。ローリング・ストーンズのみみっちいクレームよりも、よっぽどロックなのでは!?

### 靴底の色彩は独占できるか？　一流ブランド同士が赤い靴狩りで対決

# クリスチャン・ルブタン事件

### クリスチャン・ルブタン vs イヴ・サンローラン（注1）

#### 赤い靴を狩るフランス人

赤い靴　はいてた　女の子　異人さんに　連れられて　行っちゃった……。

この曲で歌われる「異人さん」とは、ファッション・デザイナーのクリスチャン・ルブタンだったのかもしれない。彼は、**「赤い靴狩り」**と呼ぶべき事件を米国で起こしているからだ。

といっても、赤い靴を履いた少女を次々に誘拐したサイコ野郎というわけではない。クリスチャン・ルブタンは同名の高級婦人靴ブランドで知られるが、競合するファッションブランドのイヴ・サンローラン（以下、ＹＳＬ）が販売する**「真っ赤なハイヒール」**（**図2**）に対して、米国で商標権侵害を理由に販売差止と一〇〇万ドルの損害賠償を求めて提訴したことがある。

#### 赤色を一社が独占していいか？

高級ブランド好きな人なら知っていると思うが、ルブタンのハイヒールの靴底の色彩は、真紅に統一されている（**図1**）。そしてこの「ハイヒールの靴底の赤色」は、米国やＥＵなどで商標登録されているのである。

一般的に、色彩は誰もが自由に装飾に使えるもので、**特定企業に商標登録されることはまずない。**しかし、非常に高いハードルではあるものの、普通は採用しない色を採用していたり、

図1／口絵9頁

図2／口絵9頁

長年、事実上独占的に使用されるなどして「その商品でその色といえばそのブランドしか思い浮かばない」というほどの認知を得られれば、稀に、ある特定の商品分野に限って商標登録できることもある。

## ルブタンの訴えは妥当なのか？

しかし、いくらルブタンの赤い靴底が高級ブランド好きの間で有名だとしても、ＹＳＬのハイヒールはただの真っ赤なハイヒールなのである。それを訴えるというのは無理があるのではないだろうか。フェラーリだって赤い高級車というイメージはあるが、だからといって消防車や郵便車を訴えたりはしていないぞ。

もっとも、正確にいえばルブタンが問題視したのは、ＹＳＬの赤いハイヒールが、「靴底まで赤かったこと」だ。赤いハイヒールそのものを敵視しているわけではなく、もし靴底がベージュ色でボディが真っ赤なハイヒールであれば、訴えたりはしなかっただろう。ううむ、確かに靴底が赤いハイヒールはそれなりに独創的と思われるから、ルブタンの主張にも一理あるのかも……。

## 赤い靴底は昔からある

ところが、ＹＳＬも一流ブランド。そう簡単には屈しない。靴底が赤いハイヒールなんぞ、**珍しくともなんともないと反論**した。ルブタンが赤い靴底を最初に採用したのは一九九二年のことだが、ＹＳＬ曰く、自社の一九七〇年代のラインナップにも赤い靴底は存在していたし、

一九三九年公開の映画『オズの魔法使い』でドロシーが履いていた魔法の靴もそうだったし（**図3**）、それどころか、ルイ

図3／口絵10頁

一四世の肖像画にも赤いソールのハイヒールが描かれていると（**図4**）、多様な証拠を積み重ねている。なんとブルボン朝の時代にまでさかのぼって**「一七世紀から存在する当たり前のデザインに権利主張することなど許されない」**と訴えたのだ。

図4／口絵10頁

## ルブタン商標に「重大な疑念」

それにしても、『オズの魔法使い』に足の裏が映るシーンなんてほとんどないのではないか。よくもまぁ見つけたなとその執念に感心するばかりである。これら証拠を携え、ＹＳＬはルブタンの「赤い靴底」の商

標登録自体に無効性がある、つまりエセ商標権だと訴えたのだ。

これを受け、ニューヨーク州南部地区連邦地方裁判所は、YSLの主張を支持。裁判所は、ルブタンの商標権について「**過度に広範で商標制度の枠組みにおいて深刻な競争制限をもたらす矛盾**」しており、「**靴市場における脅威**」と評した。色に依存しているファッション業界において、ルブタンだけが赤色を独占的に使用できるのは不公平であることから「**ルブタンが有効な商標権を保有していることには重大な疑念がある**」と結論したのである。ルブタンの赤い靴底の商標権は、ファッション業界に混乱をもたらすエセ商標権だとし、ルブタンの主張を退けたというわけだ。

## 控訴審では両成敗⁉

赤ざめ……いや青ざめたのはルブタンだ。すぐに控訴に踏み切った。商標権そのものが無効になれば元も子もないから、彼も必死だったのだろう。その結果、控訴審では一転、ルブタンの「赤い靴底」の認知度などが評価され、商標権の有効性は認められたのである。

しかし、この話には続きがある。連邦第二巡回区控訴裁判所における控訴審では、ルブタンの「赤い靴底」の商標権の有効性自体は認められたものの、**YSLの「赤い靴底」は商標権侵害にはならない**と判断されたのだ。

ん？　いったいどういうこと？　曰く、ルブタンの「赤い靴底」の商標権は、本体の色彩とコントラストを成す「靴底だけ」が赤い場合に有効なのであって、本体も靴底も全てが真っ赤のYSLに対しては効力の対象外としたのである。

## どっちも「勝訴」と主張……

なんだか**とんちのような判決**だ。だが確かに、黒いハイヒールが踵を返したときにチラリと見える真っ赤な靴底にこそ、ルブタンのセクシーさが表れており、それこそがブランド価値なのだろうと思う。全体が真っ赤ではその価値は再生されないはずだ。YSLとしても、真っ赤なハイヒールを販売できればいいのだから、文句はないだろう。

　ちなみにこの判決を受け、ルブタンとYSLは、**どっちも「ウチが勝った」と発表した。**まぁ実質的には、「赤い靴狩り」に失敗したルブタンの敗訴と評価すべきだと、本書は考える。

あっぱれ！埼玉の中小企業がフランスの一流ブランドに完勝！

# 第二・クリスチャン・ルブタン事件

## クリスチャン・ルブタンvsエイゾーコレクション（注1）

### 日本でも「赤い靴」狩りが……

　クリスチャン・ルブタンの赤い靴底を独占しようという野望は、我が国日本でも燃え上がったことがある。二〇一五年頃から二〇一八年頃にかけて、ルブタンは赤い靴底のハイヒールを製造販売する複数の日本企業に警告や訴訟を連発していた。前項の通り、米国では、高級ブランドのイヴ・サンローランを相手取った裁判が知られるが、日本では、主に中小零細企業を狙い撃ちするという行動に出ている。だが、このとき彼らは一致団結してルブタンに抵抗。その結果、日本の中小零細企業集団が、大手法律事務所を雇った一流外資ブランドに見事完勝するという結末に至ったのだ。

　ことのきっかけは、二〇一五年にルブタンが日本で「赤い靴底」について商標登録を求めたことだった（**図1**）。前項で述べた通り、通常、特定企業が単色の色彩を商標登録によって独占することはできないが、「その商品で、その色といえば、そのブランドしかあり得ない」と

図1／口絵11頁（ルブタンの商標出願）

いうほどの状況と認知が市場で成立していれば、ある特定の商品分野に限って商標登録できることがある。極めて稀といえるが、理論上はあり得る。日本において、そうした状況が成立しているかどうかが登録成否のカギだった。

## 日本では赤い靴底は珍しくない

しかし、確かに我が国でも高級ブランド好きには「ルブタンのレッドソール」はよく知られているかもしれないが、「赤い靴底＝ルブタン」が一般市場の共通認識とまではいえまい。**図2〜5**に例示するように、当時も今も、**多くのメーカーが赤い靴底のハイヒールを製造販売している**からだ。この状況では、

図2／口絵12頁（EIZO）

図3／口絵12頁（DIANA）

図4／口絵12頁（SEVEN TWELVE THIRTY）

図5／口絵12頁（Metal Rouge）

「靴底の赤」は日本においてルブタンのブランド表示ではなく、ありふれたデザイン手法のひとつといわざるを得ない。

## 日本の赤い靴底を滅ぼすザマス

もちろん、ルブタン自身も日本で多くのメーカーが赤い靴底のハイヒールを販売していることは知っていた。これでは商標登録は難しい。そこで彼らは、これら日本の商品を「**原告表示〔ルブタンの赤い靴底〕**が周知**著名であることに便乗する模倣商品**(注2)」呼ばわりし、排除する方針を採ったのである。

赤い靴底を商標登録したい↓日本では赤い靴底のハイヒールがいくつもあり登録困難↓じゃあ、**ルブタン以外の赤い靴底をみんな滅ぼしちゃえばいいじゃない**――そういう発想なのである。さすが、おフランスのブランド。発想が全盛期のマリー・アントワネット並みの身勝手さではないか。自分の利益のために庶民が不利益を被ることをなんとも思っていない！

パンがなければケーキを食べればいいじゃない！

## 中小企業に警告書乱発！

明らかになっているだけでも、ルブタンは六社の婦人靴製造業者に赤い靴底のハイヒールを販売中止するよう警告書を送り、うち二社に対し訴訟を提起している。相手方となった事業者の中には、要求を受け入れルブタンと和解した業者も何社かあった。フランスの一流ブランドからいきなり警告書が届けば、中小企業が慌てふためくのは想像に難くない。また、資金力勝負の裁判に耐えられず、法的正当性にかかわらず販売中止に応じてしまったのも止むを得ない側面がある。それこそがルブタンの狙いだったのだろう。

## 中小企業が連帯して反撃！

しかしルブタンにとって誤算だったのは、狙い撃ちされた**中小零細企業が団結して抵抗を示した**ことだった。皮革《ひかく》製品の業界団体である一般社団法人日本皮革産業連合会やその他の同業者が立ち上がり、ルブタンに訴えられた企業を蔭に日向に支援したのである。

業界が一丸となったのは、多くの事業者が一般的なデザインとして採用している「赤い靴底」を、**ルブタン一社に独占されてたまるか**という思いがあったからだ。日本皮革産業連合会は、仮にルブタンの商標登録を許せば「**日本の製靴《せいか》業界のデザイン慣習、製作慣習を制限することにな**(注3)」り、「**日本国内の女性靴製造業者は『女性用ハイヒール靴』に〔…〕赤色〔…〕を使用できなくなる〔…〕ものであり、そのような事態は国内女性靴製造業及び同販売業を著しく圧迫すると共に、末端需要者、消費者の商品選択の範囲を狭める**(注4)」ことになると、強い危機感を表明している。

特定の一社に「色彩の独占」を許すことは、それほど業界や消費者に重い影響をもたらすことなのだ。

## ルブタンの主張内容は？

このバックアップを受けて、訴訟当事者として最後までルブタンと争ったのが埼玉県の婦人靴メーカー、エイゾーコレクションだ。商品ラインナップのひとつに赤い靴底のハイヒール**(図2)**を有していた同社は、二〇一九年にルブタンから販売差止と廃棄、四二〇〇万円の損害賠償金を要求される訴訟を提起されている。

この裁判でのルブタンの主な主張は以下の通りで、不正競争防止法違反に該当するというものであった。

**1．女性用ハイヒールの「赤い靴底」は、それ自体ルブタンの周知著名なブランドである**

**2．エイゾー社の靴底の色はルブタンの「赤い靴底」と酷似しているため、購入者らに、ルブタンの商品か、あるいは関連商品と混同される**

## 大量の証拠で崩される主張！

これらの主張を突き崩したのが、日本皮革産業連合会や同業者らの協力で集めに集めた証拠資料の数々だった。**1**の主張に対しては、「赤い靴底」が単なる普遍的なデザインであることを立証すればよい。

そのためにエイゾーは、現に多数の婦人靴メーカーが赤い靴

図6（KariAngの広告）

底のハイヒールを販売していることを示す通販サイトやカタログの写し、またこれらの商品が掲載されたファッション誌（図6）のバックナンバーなどを大量に提出。

　これらの証拠から、中小企業だけでなく、シャネル、フェラガモ、セルジオロッシ、エスペランサなどの一流ブランドが赤い靴底のハイヒールを販売していることも明らかになっている（図7、8）。ルブタンにいわせ

図7／口絵13頁（シャネル）

図8／口絵13頁（フェラガモ）

れば、これらの商品も全部ルブタンの模倣品なんですかねぇ？

　さらに、ルブタンが赤い靴底をフランスで採用した一九九二年以前からこのデザインが普遍的であったことの証拠として、日本のデザイナーが一九八五年に赤い靴底のハイヒールのデザインを公表していたことを示す書籍（図9）、シャルル・ジョ

図9／口絵13頁（高田喜佐／KISSA）

図10（シャルル・ジョルダンの広告）

ルダンが一九二〇年代から赤い靴底のハイヒール（**図10**）を販売していたことを示す社史、果ては江戸時代の女性が下駄の裏面を漆塗りで赤く色付けしていたことを示す風俗史料まで提出している。

## 師匠のデザインをパクっただけ？

中でも、シャルル・ジョルダンに関する証拠資料は衝撃だ。ルブタンはもともとジョルダンに師事しており、その後独立して自身のブランドを立ち上げたという経歴なのだ。ルブタンは自身の「赤い靴底」について「**従来特別な色が付されず、特に注目されることもなかったハイヒール靴の靴底に、赤い色を使用するという革新的且つ斬新なデザイン**（注1）」などと、あたかも自分が編み出した革命的デザインであるかのように自画自賛していたが、何のことはない、**師匠が採用したデザインを拝借しただけだったのでは!?** まぁルブタンが反論する通り、この裁判は誰が一番初めに「赤い靴底」を採用したかを争っているわけではないものの、**「自分以外の赤い靴底は全部模倣品」**くらいの勢いで威張っておきながら、これはかなりカッコ悪いといえよう。

## 靴底の色で買い間違えるか？

**2**の主張は「靴底が赤い」という共通点のみを以って、果たして消費者らがルブタンとエイゾーの商品を取り違えたり、関連商品（コラボなど）と思い込むかどうかという問題だ。一読して「そんなわけあるかい」と思うが、エイゾーは、ハイヒールの取引態様や消費者の購買行動を示して、丁寧に反論している。

まず、およそ一〇万円もする

ルブタンの商品と、一万数千円のエイゾーの商品は、価格差やブランドランク差から同じ売り場で陳列されることはなく、さらに売り場や商品にはそれぞれ「Ｃｈｒｉｓｔｉａｎ Ｌｏｕｂｏｕｔｉｎ」「ＥＩＺＯ」のブランド名が明記されていることを、販売店の写真などを用いて立証。

そして消費者の購買行動としては、多くの消費者は履き心地、歩きやすさ、全体のデザインを確認するために、試着を経て商品を選択し、さらにブランドの名前や価格を確認したうえで購入することを、アンケート調査などから立証し、**単に靴底の色だけで両ブランドを混同することはあり得ない**とした。

なお、これに対してルブタンは「一〇万円も一万数千円も、**ハイヒールの需要者にとっては同じ価格帯である」「ブランド名を意識しないまま購入することもあり得る**」と主張している。見よ、この**「一〇万円も一万幾らも大して変わりませんわ**」「ブランド品は靴底の色だけを見てカゴに放り込みますわ」という庶民感覚の欠如を！

## マイケル・ジャクソンの買い物か！

一万歩譲って、一万数千円のエイゾーの靴と間違えてルブタンの靴を買って帰ってきたスーパーおっちょこちょいがいたとしよう。筆者の家庭なら離婚の危機である。今すぐに返品してこいっ！　逆に、妻への誕生日プレゼントに「クリスチャン・ルブタンだよ」と言って一万数千円のエイゾーの靴を渡したらどうなるだろうか。やはり離婚の危機である。

## 裁判所の判断は？

このように丁寧に相手の主張を検証し、客観的に事実を立証すれば、相手が有名ブランドだろうが、相当にトンデモない要求を突き付けていることが明らかになるのである。

裁判所も、ルブタンの主張を認めなかった。裁判所は、エイゾーの提出した証拠などから、日本でルブタンの他に「赤い靴底」のハイヒール靴を販売するブランドや販売店は、合計で「少なくとも七〇程度」もあることを認定。これでは、「赤い靴底」がルブタンに固有のブランドとは到底いえず、圧倒的にワンオブゼムというほかないだろう。

知財高裁はルブタンの「赤い靴底」について「**一定程度の需要者に認識されているとはいえるが、著名とまでは評価することはできない**」として、ルブタンの権利主張を退けている。

## 明らかに混同されないと認定

また、ルブタンとエイゾーの商品が混同されるかどうかについては完全に否定された。ルブタンの「一〇万円と一万幾らは大して変わらない」という驚愕のマイケル・ジャクソン理論については、「**被告商品**〔エイゾー〕**と原告商品**〔ルブタン〕**は、価格帯が大きく異なるものであって市場種別が異なる**」と一蹴。そして取引実態や消費者の購買行動に関するエイゾーの主張立証を全面的に評価し、「**被告商品を『ルブタン』ブランドの商品であると誤認混同するおそれがあるといえないことは明らか**」と断じている。こうしてルブタンは敗訴した。日本の中小零細企業がその叡知を集結して、フランスの一流ブランドを見事に打ち負かしたのである。

## 商標登録はどうなった？

ここで思い出してほしいことがある。これはもともとルブタンが「赤い靴底」を日本で商標登録するために、その足掛かりとして自社以外の赤い靴底を全滅させようと始めた裁判だった。ルブタンの商標登録は、その後どうなったのだろうか。

もちろん失敗している。ルブタンが商標登録を求めて特許庁を相手取って起こした裁判では、製靴業界各社が提出した証拠が十分に考慮され、「赤い靴底＝ルブタン」と認識している需要者は、「ラグジュアリーブランドに関心のある女性」を中心とした一定層に留まると認定された。そしてその程度の認識レベルでしかないにもかかわらず、ルブタンに「赤い靴底」の商標登録を認めることは、本来、**何人も自由に選択を欲する赤色の使用を制限することになり、公益上不適当**であるとされたのである。

## 虎の威を借るも敗訴

　この訴訟に関してルブタンは、フランス大使館の経済公使を動かして特許庁に対して商標登録を求める要望書を提出し、日本の行政に外圧をかけている。また、これまで自社のハイヒールを着用してメディアに登場した世界のセレブリティ、例えばアンジェリーナ・ジョリー、ニコール・キッドマン、パリス・ヒルトン、ビヨンセ、キャメロン・ディアス、セリーヌ・ディオン、ジェシカ・アルバ、ケイト・モス、レディー・ガガ、マライア・キャリー、ナタリー・ポートマン、サンドラ・ブロック、サラ・ジェシカ・パーカー、ソフィー・マルソー、ヴィクトリア・ベッカム、エマ・ワトソン、ジェニファー・ロペス、カロリーヌ・ド・モナコ公女、ブリジット・マクロン仏大統領夫人、メラニア・トランプ元米大統領夫人、安室奈美恵、浜崎あゆみ、堀北真希などなどの名前を「これでもか！」というほどに列挙したが、敗訴した。フランス大使館が要請したから商標登録に値するとか、有名人が着用したから有名、という理屈は、理屈になっていない。

　なんというか、侵害訴訟で見せた庶民感覚の欠如といい、この**浮世離れしたセレブかぶれ感覚**によって、「赤い靴底」に関する自己評価を見誤り、市場の実態を目に入れなかったことが、ルブタンの敗因でしょうなぁ。

# コラム⑦ エセ著作権者に今日も反省の色無し～スザンナホビーズ事件～

## エセ著作権者からクレームが⁉

本書のシリーズ前作にあたる『エセ著作権事件簿』は、著作権が到底認められない事案で著作権を主張し、善良な他人に迷惑をかける困った人々の巻き起こした事件を論じた本である。コラムなどでの言及も含めれば、八〇件ほどのエセ著作権事件を取り上げている。

筋違いの権利主張が他人や社会にもたらす弊害について、批判的精神を持って論じるという同書のコンセプトから、エセ著作権者サイドからは苦々しく思われるのは織り込んでいる。

ただ実際に、同書で紹介したエセ著作権者の中で直接クレームをつけてきたのは、「編み物ユーチューバー事件」という原稿で取り上げた、「スザンナホビーズ」という編み物の解説動画を配信する「スザンナ」を名乗る女性だけである。

## 編み物著作権事件のおさらい

まず簡単に「編み物ユーチューバー事件」を改めて紹介しよう。手芸品の編み方に関する解説動画を配信するスザンナが、「同じ編み方を解説している」というだけの理由で他の複数の動画配信者に因縁をつけて削除を強迫し、またＹｏｕＴｕｂｅに対して著作権侵害を理由に動画の削除要求を行い、削除させたという出来事が発端である。

この暴走行為に、動画を削除されたユーチューバーが逆襲。同業のユーチューバーの協力を得て、エセ著作権に基づく削除請求は不法行為であるとして、スザンナと彼女のチャンネルの共同運営者を訴え、精神的苦痛と広告収入逸失に対する損害賠償請求を行い、裁判沙汰になったという事件だ。そして裁判では、当然の如く動画は著作権を侵害するものではなかったことが確認され、損害賠償請求も無事に認められたという顛末だ。さらに控訴審でもスザンナは敗訴し、損害賠償金は四倍に増額されている（その後スザンナは上告までしたが、当然、不受理で終わっている（注1））。

単なる一般的な編み方を紹介しただけの他人に対して、高圧的な態度で著作権侵害だと言い張り、動画配信を妨害した行為の態様は、『エセ著作権事件簿』の中でも五指に入る異様さだ。それが裁判所からしっかりと不法行為と認定され（大阪高裁は「著作権侵害通知制度を利用して、競業者であるといえる同種の編み物動画を投稿する者の動画を削除することで不当な圧力をかけようとしていたとさえ認められる」と評価している）、報いを受けたことには溜飲が下がる。

なお『エセ著作権事件簿』では、出版時期の都合で地裁判決までの批評に留まったが、この高裁判決については、筆者はブログ記事で本書の補稿として記録し、このような判決が出た以上「スザンナさんにも本当に反省してほしい」と結んだ。

## 気になるクレームの中身は？

そういった事件を起こしたスザンナが、『エセ著作権事件簿』の内容にも文句をつけてきたのである。ある日、版元のパブリブに「書籍刺し《ママ》止め請求」という、ものすごくしょうもない誤字の件名のメールが届いたと思ったら、それがスザンナからだったのである。

件名もスゴいが、内容もスゴかった。『エセ著作権事件簿』や前記のブログ記事では、本件の舞台となったスザンナのYouTubeチャンネルである「スザンナホビーズ」に言及している。これについて彼女は、「Susanna's Hobbies」は自分が商標登録しており、その商標登録情報を調べれば、商標公報には商標権者である自分の本名と住所が載っているのだから、同書の販売は「基本的人権を無視」しており「個人情報保護法違反に当たる」とおっしゃるのだ。

これには思わずのけぞってしまった。書籍などの文章中で、商標登録されている言葉を使うことを「商標権侵害」だとのたまうエセ商標権者は本書でも何例か見られ、さほど珍しい言いがかりではない。しかし、スザンナの発想はそれをも大きく凌駕している。商標登録されている言葉を掲載したら、それはその商標の権利者に対する個人情報保護法違反だというのである。筆者は多くのエセ商標権者の主張を分析してきたが、これほどにまでに支離滅裂な言い分はついぞ聞いたことがない。法律の知識がないことはもちろん、常識すらも持ち合わせていないのだろう。こんな登録商標の利用の仕方があるか。

### この人は反省も成長もしない

この人は、何の法令違反もない他人の編み物解説動画を著作権侵害だと糾弾して、裁判に引きずり込まれてあれほどのしっぺ返しを喰らったにもかかわらず、またしても、どう考えても無関係の法律を引っ張り出してきて、他人の出版物の「刺し止め」を大威張りで要求しているのである。エセ著作権事件を起こしたときからまったく反省していないし、一ミリたりとも成長していないことがよく分かる。もう二、三回、訴えられないとダメかもしれんね。

こんなにもトンデモない言いがかりをつけてきた以上、再び本書でネタにされるに決まっているのである。というわけで、スザンナは見事エセ著作権者とエセ商標権者の二冠達成である。こういった人が親からどういう名前をもらっているのか、気になる人は商標登録番号六二八二〇四七号、六二八二〇四八号について調べてみるのも一興だろう。

# 巨額請求訴訟をふっかけるも敗訴！キューピーおじさん大暴走！

# キューピー人形事件

### 北川和夫 vs キューピー（注1）

## 抽象的に似ているだけなら合法

漫画の二次創作同人誌や、キャラクターを食材などで再現したキャラ弁やキャラクターケーキは著作権侵害、といわれることがあるが、必ずしも正しくない。

元ネタとなるキャラクターが共通していたとしても、具体的で特徴的な表現（「表現上の本質的な特徴」という）が再現されていなければ、複製や翻案などにあたらず、「別の著作物」として成立する。

つまり、例えばさくらももこが描いたちびまる子ちゃんの絵と、それを見て幼稚園児が描いたちびまる子ちゃんの絵では、同じ「ちびまる子ちゃん」を描いていたとしても、理論上、別著作物になる場合があるということだ。

忠実な模写を典型に、原作の特徴部分を捉えてそこを再現すれば著作権侵害になるが、抽象的な雰囲気やありふれた表現が共通しているに過ぎず、「ちびまる子ちゃんのような女の子」の絵でしかなければ、著作権侵害にはならない。

この理屈が分からずに、大企業から**巨額の賠償金をせしめようとして失敗**したエセ著作権者がいる。キューピー人形研究家の北川和夫である。

## キューピーの元祖とは？

本題の前に、キューピーというキャラクターの成り立ちについて説明しよう。中性的で、三

26

The KEWPIES' Christmas Frolic

by Rose O'Neill—illustrated by the Author

OH, CHILDREN bland of every land,
And Grown-ups, if inclined that way,
Come, hear about the Kewpie band
In rhymes (if you don't mind that way.)

Sound information, so they say,
Is always well to find, you know.
Historic studies always pay
They stimulate the mind, you know.

The Kewpie wights stay up at nights
All gayly singing tum-te-tum.
Like puddings they are pleasant sights
Well rounded at the tum-te-tum.

The chief goes first with noble look
And then the valiant Kewpie cook
[illegible]
[illegible]
The Kewpie army [illegible]
He wears a hat [illegible] sword at side,
His [illegible] stride makes quite a stir
[illegible]
And in his belt his hammer swings
In passing he can hammer things
Then Kewpies of somewhat less renown
Come hopping up or hopping down
One wears a wreath [illegible]
He's very careful of his voice
One keeps his feet from [illegible]
By wearing healthful overshoes
[illegible]

Heartrending is the stocking there
That hangs upon a broken chair.
The Kewpies stand aghast and dumb
They know that Santa'll never come
(Oh, dear!)

The Kewpie chief whose name was Wag
And on his [illegible] wore a [illegible]
Stood thinking, then, with [illegible]
Said, "Come, all parties, follow [illegible]"
And off they [illegible] and fly and flee.

There dwelt upon the river's side
A family of wealth and pride.
The moon beamed on the mansion grand
And in there popped the Kewpie band
They climbed the broad and noble stair
And did some acrobatics there

The plutocratic baby sleeps
Miss Gwendolyn Van Schuyler Peeps
(In the picture Great Wealth is indicated by curly hair and a satin counterpane. A priceless ring is observed on Gwendolyn's finger.)

A hundred little chuckles sound!
The Kewpies are busy, with a bound
Each takes a toy and off he skips
Down stairs and out with slides and slips
On over the snow the Kewpies spin,
Each with a toy of Gwendolyn
Three ride a rocking horse, and far
One drives a little motor-car
Then all the toys are safely [illegible]
And placed beside the Poor Child's bed
(Oh, how can I bear it!)

The Kewpies come again to earth
All [illegible] with joy and mirth
The Chief, with noble modesty
Says, "Did you note, my lads, 'twas me
That went and had this bright idea?"
Hooray!

But even as they cheered, ah me!
A cloud fell on the company
Each wept upon his handkerchief
"How could, how could we ever [illegible]
A deed like this so dark to view!"
And every heart was rent within,
For thought of an angel face [illegible]
Oh, cruel!
Then one small Kewpie turned away
And [illegible] his [illegible]
Then, leaping up both far and high
Back to her home his [illegible]

For tight-rope trips and backward flips
They are not built so well, you see
This leaves them free for pranks and quips
And things where they excel, you see.

The old world droops with serious droops
(For laughter, they'll have none of it)
How lucky there are little Kewps
Who do things for the fun of it!

'Twas midnight on a Christmas Eve:
The Kewpies had been out since dark,
All bent upon a Kewpie lark.
And many a present [illegible] they leave
That no one cared a rap about,
Examples I need not point out—
Such things as jumping-jacks for Aunts
Or guns for Grandmas (look askance!)
For babes large dictionaries, then
Small tops for aged gentlemen
(How disconcerting!)

I said 'twas midnight's hour when they—
(To be exact, 'twas nearly day
But does it matter either way?)
As through a house the Kewpies creep
They find a baby fast asleep

At once, to Kewpie eyes, 'tis clear
It is a Poor Child living here
The room is bare that comes to view.
The ragged stocking empty, too

(As I have said, their skill in this
Was just a little bit [illegible])
Then through the great halls made their way
And came to where a baby lay
Now this fine baby, without a doubt,
Told Santa Claus had been about.
A hundred toys awaited there
The waking of that baby fair

[illegible]
[illegible]
[illegible] the sound of all of those
That Santa Claus so [illegible] chose,
But just one Kewpie in her [illegible]
But lucky, lucky Gwendolyn!
Of all the babes this world within,
Of all the babes beneath the sun
The only, only, only one
Is Gwendolyn Van Schuyler Peeps
That ever had a Kewp for keeps.

NOTE. [illegible]

図1

等身程度のずんぐりむっくりした裸の赤ちゃん、というキューピーキャラクターのイメージには、元祖となるイラストがあるとされる。それが、二〇世紀初頭に活躍した米国の女流画家ローズ・オニールの作品だ。

　オニールは一九〇一年頃から、キューピーの元となる、背中に小さな羽の生えた裸の赤ちゃんのイラストを発表していたが、一九〇九年に雑誌に発表したイラスト「**クリスマスでのキューピーたちの戯れ**（The Kewpies' Christmas Frolic）」（**図1**）において、キューピーキャラクターをイラスト作品として確立したとされる。

図 1-2

図 2

　このキャラクターは人気となり、人形化の要望が寄せられたことから、オニールの制作した彫像をもとに、ドイツの玩具会社がキューピー人形（**図2**）を販売。これが大ヒットし、一九一三年頃には世界で人気を博したという。

## キューピーの同時多発的発生

　同時期に日本でもキューピーは流行したが、オニールのキューピーそのものが流行したというよりは、「中性的で、三等身程度のずんぐりむっくりした裸の赤ちゃん」というコンセプトを同じくするキャラクターや人形が、キューピーと称されて**同時多発的に広まった**という状況であった。

　一九一〇年代といえば、まだミッキーマウスすら生まれていない。キャラクタービジネスという概念はほぼ存在しなかった時代である。

　こうして、キューピーなるキャラクターイメージは広く一般化された。サンタクロースといえば、誰でも赤い服を着た白い髭の老人を描くように、金太郎といえば、誰でも赤い腹掛けに斧を担いだ子どもを描くように、キューピーといえば「中性的で、三等身程度のずんぐりむっくりした裸の赤ちゃん」をさまざまな画家や事業者らが好き好きに描くようになったのである。

## 併存する「独自キューピー」

　このような経緯で生まれた日本のキューピーの中には、独自にその地位を確立するキューピーも数多くあった。

　例えば、いわさきちひろ（当時・岩崎ちひろ）は一九六五年に絵本『**まりちゃんときゅーぴーさん**』（**図3**）で独自のキューピーを描いているし、ながのひでこ（当時・長野ヒデ子）は一九八三年に絵本『**ごめんねキューピー**』（文・みずかみかずよ）で独自のキューピーを描いている。日本興業銀行（現・みずほ銀行）は、一九五〇年代からみずほ銀行として統合再編される二〇〇〇年代初頭まで、渡辺功が描いたキューピーをマスコットとして採用していた（**図4**）し、牛乳石鹸共進社には**「キューピーベビーシリーズ」**という赤ちゃん用ソープのシリーズがある（**図5**）。

　しかし今日の日本においてキューピーといえば、やはりマヨネーズのキユーピー社だろう。早くも一九二五年にキューピーのイラストを包装にあしらった**「キユーピーマヨネー**

図4-1

図3

図５

図4-2

図6-2

図6-1

**ズ」**を発売しており、一九五七年に商号も「キユーピー株式会社」に変更。以来今日に至るまで、マヨネーズやドレッシングなどのメーカー、ブランドとして確たる地位を築いてる（**図6**）。

## 北川がオニールの遺族に接触

さて、日本でキューピーのイメージが一般化し、さまざまな「独自キューピー」が活躍したとしても、一方でローズ・オニールの描いたキューピーのイラスト自体に著作権があることも確かである。一九四四年に死去したオニールの著作権は、日本においては二〇〇五年五月二一日まで存続した。(注2)

ここに**目をつけたのが北川和**

**夫**なのである。北川はもともとデザイナーで、一九七九年頃には自ら「独自キューピー」をデザインして取引先に納めたり、商品販売をするなどしていた。さらに八〇年代末から九〇年代半ばにかけては、キューピー人形のコレクター、研究家としても存在感を示すようになり、キューピー人形を中心とした私設博物館を開いたり、「日本キューピークラブ」なる団体を主宰している。

この活動の過程で、北川は米国のローズ・オニールの遺族に接近。一九九六年頃から、オニール家の日本における総代理店を買って出て、オニールの描いたキューピーのキャラクターライセンス営業などを始めている。

## 欲望を肥大化させる北川

北川が、あくまで「ローズ・オニール版キューピー」に関してライセンス権を持ち、活用するだけならまったく結構な話だ。しかし、**どこかで悪魔が囁いたのか、**北川は日本の「独自キューピー」に対しても、自らがライセンス権を持つオニール版キューピーの著作権を侵害するものと考えるようになったのである。

彼は一九九七年頃から、オニール版に限らず「独自キューピー」を使用するさまざまな企業に接触し、**使用料をせびり始める。**明らかになっているだけでも、キユーピー社や日本興業銀行、牛乳石鹸共進を含む五社が標的になっている。このうち日本興業銀行には年間一億円を要求したというのだから、異様に大きく出たものである。

## ついに自らが著作権者に⁉

少なくともキユーピー社と日本興業銀行はこの要求を突っぱねているが、おそらく何社かは北川の要求を呑んでしまったのだろう。その成功体験からか、彼はさらに欲望を肥大化させることになる。一九九八年五月、北川はローズ・オニール遺産財団から、オニールが創作したすべてのキューピー作品に関する**日本における著作権を買い取り、**なんと自らが著作権者となってしまったのである。

なおこのとき北川が遺産財団に支払った著作権の譲渡対価は

一万五〇〇〇ドル（当時のレートで約一八〇万円）だったが、加えて、北川がキューピー事業によって得た収入の二%と、キューピー作品の利用に関して第三者から得た金額の半分を遺産財団に支払うという条件が課せられていた。譲渡対価が比較的安い一方で、第三者から得た金額は折半となっていることから、遺産財団も日本の「独自キューピー」から多額の金銭を得られることを期待していた様子がうかがえる。

## 怒涛の勢いで訴訟を連発！

　そして北川は譲渡を受けるや否や、早速、日本が誇る「独自キューピー」の総本山・マヨネーズのキユーピー社を相手取り、著作権侵害と不正競争防止法違反を主張して提訴したのだ（なお北川は日本興業銀行も訴えたが、基本的に同様の顛末なので本項では主にキユーピー社への訴訟について述べる）。

　この訴訟における北川の請求は凄まじいものだった。まず同社に対する訴訟自体、時期や裁判所、内容を変えて少なくとも四件も行っており、それだけでも異様である。

　その請求内容を総合すると、キユーピー社が一九五二年以来使用してしてきたキューピーのロゴマーク（図6-2）や立体人形の、あらゆる商品やメディアでの使用中止、商品の廃棄、商標登録の無効化、「キユーピー」や「ｋｅｗｐｉｅ」という文字商標の使用中止、**「キユーピー株式会社」の社名変更と商号の抹消登記**までをも求めている。

## 損害は一兆円以上と豪語！

　一万歩譲って、ロゴマークなどのキューピーのイラストに対する著作権の行使であればまだ理解の余地はあるとしても、文字の「キユーピー」や会社名は著作権と関係ないだろ！　キユーピー社からキューピーの要素をすべて消し去ろうというのだ。とんでもない要求である。

　金銭面の請求も常軌を逸していた。北川は、キユーピー社によるキューピーの使用によって自分に生じた損害と、キユーピー社の得た不当利得の合計が実に**七三九億六三五九万円**にのぼると主張し、そのうちの一〇億円を請求したのである。なお日本興業銀行については、北川の弁護士は過去一〇年分の著作権使用料をなんと**一兆五〇〇〇億円**だと豪語し、「本当はこのくらい請求できるところ[注3]」、一〇億円の請求に留めてやったというのだからフカシている。

　さらに北川は、提訴に際し自身が主宰する日本キューピークラブの機関誌やメディアの取材において「キューピーキャラクターの日本での無断使用の時代に終止符を打〔つ〕」**「キューピーちゃんの堪忍袋がとうとう切れてしまった[注4]」**「これは明らかに著作者への冒涜です[注5]」などと気炎を吐いている。ついこの間まで著作権者ですらなかったのに、どうしてここまで自分こそが正義の味方だと強力に思い込めるんでしょうなぁ。こんなものは、**強欲キューピーおじさんの大暴走**である。

## 猛反発するキユーピー社

　これには当然、キユーピー社も日本興業銀行も大反発。メディアの取材に対し、日本興業銀行は**「先方が当行との話し合いに応じずにいきなり提訴したことは全く理解に苦しむ[注6]」**と困惑し、キユーピー社は**「何をいまさらというのが正直なところだ[注7]」「今回の提訴は根拠のない不当なものとして、毅然とした態度で臨む[注8]」**と、エセ著作権者の不当要求であると喝破した。

　その通りである。オニール版キューピーと、キユーピー社のキユーピーは、**同じキューピーというモチーフを、異なる表現で描いた別著作物**というべきだ。それが著作権侵害にならない理屈は、冒頭で述べた通りだ。

　要するに、「中性的で、三等身程度のずんぐりむっくりした裸の赤ちゃん」という抽象的なモチーフが一致しているかどうかではなく、**図1−2**と**図6−2**の具体的な表現同士に目を向け、後者に前者の表現上の本質的特徴が再現されているかどうかがポイントなのである。

## 共通点と相違点を比較すると

裁判でも、まさにその点が決め手になった。大阪高裁は、両作品の共通点については「**乳幼児の体型**」「**ほぼ三等身**」「**裸**」「**性別がはっきりしない**」「**頭頂部の突起**」「**背中に小さな羽根が見える**」「**目が丸い**」「**微笑んでいる**」という要素を認定。

その一方で、「**頭頂部の髪の描き方**」「**側頭部の髪の有無**」「**目の中の瞳の大きさ、向き**」「**眉の有無**」「**体型の相違（オニール版はふっくら、キューピー社は水滴型）**」「**立体的か平面的か**」「**動的か静的か**」などの相違点を挙げている。

この共通点と相違点を比べて、どちらが本質的な表現かといえば、明らかに相違点の方だろう。「乳幼児の体型で、性別のはっきりしない裸で、背中に小さな羽根がある」のは古来あるキューピッドの特徴であり、オニール版キューピーに特有のものではない。「目が丸い」というのも当たり前過ぎるし、「微笑んでいる」というのはアイデアである。相違点の方が具体的表現であり、そこが違うのであれば両者は別物である。

## 裁判所の判断は？

裁判所も、すでに著作権が切れ公有化した先行するキューピーイラストも引き合いにしながら、以下のように判示している。

**1909年作品〔オニール版。図1－2〕と被告イラスト〔キューピー社。図6－2〕は、共通点を有するが、その共通点のほとんどは〔…〕創作的部分とはいえない。さらに、1909年作品と被告イラストとは、多くの相違点が存在する。以上を総合的に判断すれば、被告イラストは、1909年作品における本質的特徴を有しているとはいえないから、両者は類似していないと解するのが相当である。**

## キューピーおじさんの徒労

こうして北川は敗訴した。自身の**絶対的正義を妄信**していた彼は、東京地裁、高裁と連続敗訴したのに、最高裁までしつこく争っている。そして二〇〇二年に最高裁の上告不受理が確定し、日本興業銀行に対する訴訟も同様に最高裁まで争ったが上告不受理となり敗訴した。なんとそれでも諦められずに、二〇〇三年には主張を変えて大阪で再びキユーピー社を提訴したのだから、凄まじい執念だ。

最終的に、前記の内容で大阪高裁において北川の敗訴が確定したのは、最初の提訴から実に七年の月日が経過した二〇〇五年二月のことだった。そしてその三ヶ月後に、ローズ・オニールの日本における著作権は満了を迎えたのである。いったい何をやっとるんだこの人は。

裁判所や弁護士に支払う手数料は、請求額に応じて増額される。一〇億円もの巨額請求を何度も繰り返し、他にも関連する裁判を複数抱えた北川が一連の騒動に費やした金額は、一億円近くにのぼったとしても驚きはない。それだけのカネをドブに捨てて、「あぁ、私が自由に活用できるのはローズ・オニール版キューピーだけなんだ」とようやく気付いた三ヶ月後には、**その著作権も消滅したのだからマヌケである。**

## 晴れてキューピーは自由の身

今日では、著作権の消滅したローズ・オニール版キューピーは、もちろん北川とは無関係に、**商用利用を含めて自由に使うことができる。**

例えば、執筆時現在日本において『はらぺこあおむし』やザ・ビートルズなどのキャラクターマーチャンダイジングを手掛ける代理店、コスモマーチャンダイズィング社は、「The Kewpies」という名前でローズ・オニール版キューピーをモチーフにしたキャラクターをライセンスしている（**図7**）。

そしてこの「The Kewpies」の商標は、なんとマヨネーズのキユーピー社が商標

図7

登録しており、またこのキャラクターイラスト自体、オニール版キューピーを基にして、キユーピー社がデザインしたものだという。このアレンジされたイラスト（二次的著作物）には、©KewpieCorporationと、キユーピー社の著作権表示がついている。[注9]最後にオニール版キューピーを手中に収めたのは、北川ではなく、ある意味でキユーピー社だったのかもしれない……。

## こじつけでは!? 丸が三つ並んでいるだけでミッキーマウスといえるのか？

# 逆さミッキーマウス事件

**ディズニー・エンタープライゼズ vs 青木松風庵[注1]、deadmou5[注2]**

### 隠れミッキーを探そう！

突然だが筆者はディズニーのファンである。東京ディズニーランド、東京ディズニーシーには子どもの頃から何度も足を運んでいるし、ディズニー映画はクラシック作品から最新作まで親しんでいる。ディズニーチャンネルやディズニープラスなどの専門チャンネルにも加入している。

ディズニーファンは、**丸が三つ並んでいるとなんでもミッキーマウスを連想してしまう**傾向がある（**図1**）。これは、ディズニー社自身がミッキーマウスのシルエットを簡略化した丸を三つ重ねた図形（以下「ミッキー図形」）を、同社の提供するサービス、例えば東京ディズニーリゾート（**図2**）やディズニーチャンネルなどの関連事業のロゴマーク[注3]や公式グッズのデザイン（**図3**）に長年使用してきた

図1

図3

図2

経緯や、ディズニーリゾートのパーク内装飾にミッキー図形を忍ばせ**「隠れミッキー」**と称してコアなファンを楽しませていることが背景にある。

筆者など、大人になって仕事でウォルト・ディズニー・ジャパン社を訪れた際に、会議室のホワイトボードに丸いマグネットが三つ並んでいるのを見て、「これって……隠れミッキーですか!?」と思わず発言したくらい、ミッキー図形には敏感である。ちなみに社員の方からは「え、違いますが……」といなされた（いなさないでくれ）。

## 和菓子店のマークに異議あり!?

そんな筆者でさえ「それはあんまりなんじゃない？」と声を挙げざるを得ないエセ商標権事件をディズニー社が起こしたことがある。近畿地方を中心に長く人気を誇る和菓子店・青木松風庵のロゴマークの商標登録**（図4）**に対して、ミッキー図形と**「外観上極めて相紛らわしいもの」**であり、**「顧客吸引力にフリーライドする不正の意図が窺える」**などと主張し、

図4

二〇二一年に異議申立を提起したのだ。

　だがこれは無理がある。まず、青木松風庵は一九八四年に大阪で創業した和菓子店で、このマークは創業当初から使われている。八四年といえば、千葉県に東京ディズニーランドが開園した翌年であり、今ほどディズニー人気も確立してはいなかった。このタイミングで、大阪の和菓子店がまったく無関係の事業を展開しているディズニーにフリーライドする動機があるとは考えにくい。

## 今さら言われても……

　しかも創業以来、実に三七年間も平穏に使い続け、地域からの信頼を積み重ねてきたロゴマークを、今になって「フリーライド」などと言われては困惑もひとしおだ。百歩譲って、創業当初にミッキーマウスのシルエットが多少頭をよぎっていたとしても、それ以来、誠実な使用が続けられてきた今日においては、**もはやミッキー図形とはまったく別のブランド**として、保護されるべき利益が宿っているというべきだろう。

## これは伝統家紋では？

　それ以前に、そもそも両マークは類似しているといえるだろうか？　確かにミッキー図形を逆さまにしたようなデザインにも見えるが、これはミッキーというよりも、日本の伝統家紋のひとつ**「州浜紋」**（図5）である。

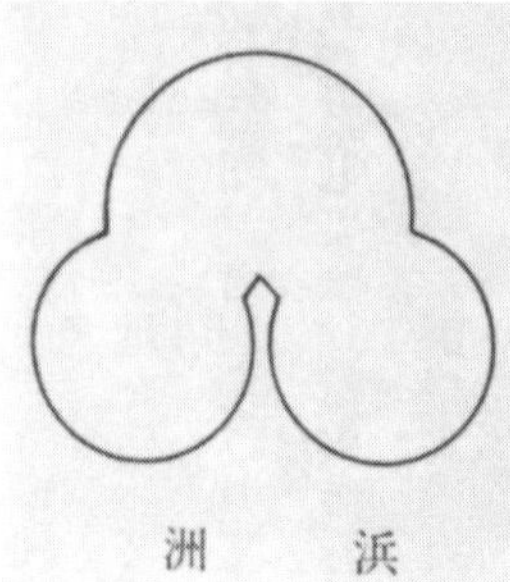


図5

　青木松風庵自身は、マークの由来を、奈良盆地に鎮座しその山頂を結ぶと三角形を描く大和三山（香具《かぐ》山・畝傍《うねび》山・耳成《みみなし》山）をモチーフにしたと説明しているが[注4]、浜辺にできる洲を由来とし、和菓子の「州浜」「すあま」の語源にもなっているこの紋は、代々大阪湾に面した町で和菓子店を営んできた青木松風庵にぴったりの紋である。デザインの源流には州浜紋があるのだろう。

『日本の家紋』（人物往来社）は、州浜紋について「**家紋としての州浜は、文様や実物よりも、ふくらみを持ち、三つの円形を寄せ合わせたように見える**」(注5)と説明する。まさしくミッキー図形の特徴を備えた家紋である。室町時代の軍記文学『太平記』に記載があることから、その成立は遅くとも一四世紀であり、当たり前だがミッキーマウスの映画デビューである一九二八年よりも遥かに昔だ。

## そこまで言いますか⁉

この点について、ディズニー社は「**図形の向き（上下）が逆になっているという点は両者の構成上の共通性を凌駕するほど顕著な外観上の差異とはいえない**」と矮小化し、青木松風庵の商品を買った客のレビュー記事などを引用して、現実に「**本件三ツ丸図形を『逆さミッキー』と称する等、本件三ツ丸図形を申立人のミッキー・マウスと混同する事例が実際に発生している**」と訴えている。

確かに、青木松風庵のロゴを見て「逆さミッキー」「隠れミッキー」「ミッキーマウスみたい」という感想を抱き、ミッキーマウスを連想するむきはあるだろう。筆者も同じことを思う。さらにディズニー社は「**需要者が**「ミッキー図形のような」**構図**の三つの円形を組み合わせた図を見れば、**直ちにミッキー・マウスを連想・想起してしまう**程と評しても過言ではない」とまで豪語している。筆者のひいき目もあるが、これとてあながち大言壮語とはいえまい。

## 「連想」と「混同」は違う

しかしながら、ディズニー社の主張を認め、青木松風庵の商標は不正でディズニー社に不利益をもたらすと評価すべきかと問われれば、それは否だろう。ディズニー社は「連想する」ことと「混同する」ことを、**それこそ混同している**のだ。

青木松風庵の顧客は、そのマークからミッキーマウスを連想することはあっても、ディズニーが関与した店舗であるかのような混同をすることはない。なぜなら、ミッキー図形とは上下が逆さまであって、それによ り州浜紋の印象も与えるし、何より公式ミッキー図形が、商標として上下反転で配置されたことなどないからである。**耳部分が下にあったらもはやミッキーのシルエットではない。**似ているが、別物として十分に区別できるのである。

別物として十分に区別できる程度の相違点があり、混同のおそれがなければ、抽象的な連想をもたらすことがあったとしても、ミッキー図形の存在を理由に青木松風庵の商標登録を排除しなければならない理由はない。まして、述べたように青木松風庵にも三十七年間もの使用による信用の蓄積があるのだ。抽象的にミッキーマウスを連想させるなどというディズニー社の「被害」の救済よりも、青木松風庵の積み重ねてきた信頼を保護する必要性の方が高いだろう。

## ミッキーに似てすらいない

特許庁も、ディズニー社の主張を認めなかった。ミッキー図形についてその周知性は認めたものの、青木松風庵の商標における図形は「**単にありふれた大小三つの円の一部を結合してなる背景**」として認識されるものであって、この図形から「**特定の物や事象を連想、想起させることなく、特定の称呼及び観念を生じない**」としたのだ。

なんと、ミッキーマウスを連想させることすらないというのだ。もちろん、フリーライドなどの不正な意図などまったく認められなかった。こうして、青木松風庵の商標は無事に維持され、今も使用の歴史を積み重ねている。

## カナダのDJとも対決！

一方、「ミッキー図形風」の他人の商標に対して、ディズニー社の異議申立が認められた事例もある。カナダ出身の人気DJである**deadmau5（デッドマウス）**のロゴマーク（**図6**）がそれだ。彼自身の被り物のデザインでもある（**図7**）。耳の大きなネズミのキャラクターがモチーフではあるも

図6

図7

のの、ロゴを構成する円の形や比率、目と口のような模様が付加されていることをもって、ミッキーマウスとは区別可能のように思える。

## 一応ディズニーが勝ったが……

だが、青木松風庵と異なり、上下の向きがミッキー図形と同じだったこと、双方ともエンタテインメント産業に関わり、ネズミのキャラクターをモチーフにしているという共通項が考慮され、「**あたかも〔…〕ディズニー社公認のミュージシャンであるかの如く認識され〔…〕てしまう蓋然性は極めて高い**」と混同可能性が認定され、商標権が取り消されている。

しかし、本当にディズニー社公認のミュージシャンであるかのような誤解が生じるだろうか？本書としては、そこまで積極的な混同可能性を引き起こすほどの類似性があるとは思わず、特許庁の決定について疑問なしとはしない。

事実、同じ商標登録は少なくともEU、イギリス、オーストラリアでは認められているのだ。米国では異議申立の末、ｄｅａｄｍｏｕ５側が商標出願を取り下げることで和解になっている。

## 丸三つを止めることはできない

そして、商標登録ができなかった米国や日本を含め、いずれの国でも、ｄｅａｄｍｏｕ５による**このロゴマークの使用**

**は現在も継続されているのである。**二〇二三年にはディズニーグループが制作するドラマ『ザ・マペッツ・メイヘム』にｄｅａｄｍｏｕ５が出演していることから、もはや両者にわだかまりはないようだ。

こうした商標紛争の顛末は、いかに丸を三つ並べた図形がミッキーマウスを連想させようとも、ディズニー社がその抽象的コンセプトを独占するのは困難であることを物語っているのである。

## 宣伝費用と訴訟費用のムダ!?　普通名称は五〇年経っても普通名称

# 正露丸事件

**大幸薬品 vs 和泉薬品工業（注1）**

### 大幸薬品が敗訴した理由

登録商標でも、普通名称と認定されればまったく役に立たないエセ商標権になってしまう。そのことをハッキリと知らしめた伝説の裁判がある。

**図2**を見てほしい。パッと見、ラッパのマークでお馴染みの大幸薬品の**「正露丸」**（図1）のコピー品といってよいほどの出来栄えの商品だ。大幸薬品は、この**「イヅミ正露丸」**を売っていた和泉薬品工業を、二〇〇五年に商標権侵害と不正競争防止法違反で訴えたが、なんと敗訴してしまった。ここまで似ていて負けるかフツー!?と思うが、実は無理からぬ理由があった。それは、大幸薬品の「正露丸」の商標権がエセ商標権だったからである。

図1／口絵14頁

図2／口絵14頁

### 「正露丸」の歴史的経緯

大幸薬品は、昔から「正露丸」の広告宣伝を活発にやっている印象があるし、「パッパラパッパー」というメロディと「ラッパのマークの正露丸」のスローガンは、多くの人に記憶されている。正露丸といえば同社の商品を思い浮かべるむきはあるだろう。しかしながら、歴史的経緯と市場の状況を客観的に観察すると、大幸薬品が簡単に独占していい名称ではないことが分かるのである。

**実は正露丸は、もともと大幸薬品の商品名ではない。**その起源は、大幸薬品創業（一九四〇年）の遥か以前、一九〇四年の日露戦争前にさかのぼる。当時、日本国陸軍の軍医学校は戦地における腸チフスや赤痢予防のための胃腸薬の開発に勤しんでおり、そこでよく用いられたのが、クレオソートを主成分とする丸薬だった。そして日露戦争の開戦をきっかけに、陸軍の命令により、出征中の全兵士に毎日この薬を服用することが義務付けられたのだ。

## 日露戦争が由来の一般名称

ところが、今日の正露丸同様、この薬には独特の臭みがあり、兵士たちはなかなか飲もうとしなかった。そこで軍がこの薬を「ロシア（露）を征服する」という意味を込めて**「征露丸」**と呼び、戦意高揚にこじつけて服用を奨励したのである。

つまり「征露丸」は、軍事用語から転じた胃腸薬の一般名称として認知されており、もともと特定の業者の商品名ではなかったのである。「トレンチコート」も、第一次世界大戦でイギリス軍が寒冷地の塹壕《ざんごう》（トレンチ）で着た軍用コートを語源とする一般名称だが、これに近い成り立ちといえる。

こうして一般名称として広まった「征露丸」は、日露戦争後も多数の売薬業者によって一般名称として使用されていた。そして第二次世界大戦後になり、医薬品の製造認可をつかさどる厚生省が、戦争や侵略を想起させる「征露丸」の代わりに「正露丸」の文字を使うように行政指導をしたことで、それらは**「正露丸」の表記に切り替わっていった**のである。

## 一般名称を登録した大幸薬品

一方、大幸薬品が正露丸を扱い始めたのは戦後の一九四六年で、同社による「正露丸」の最初の商標出願は一九五〇年、登録は一九五四年だ（**図3**）。しかし、その頃には、現在の第一三共ヘルスケアや興和といった大手を含む少なくとも一九社が「正露丸」「〇〇正露丸」の商品名で胃腸薬を販売していた。大幸薬品は、正露丸事業者としては後発だったのである。

つまり、大幸薬品は後発参入者の立場でありながら、**一般名称である「正露丸」を商標登録してしまった**というのが実態なのだ。商標登録自体が過誤もしくはチートに近かったといえる。

図3

図4

## 五〇年代の商標無効訴訟

一般名称を特定の業者に商標登録されてはたまらない。**大幸薬品の商標登録行為は当時から医薬品業界で物議を醸し、**一九五五年に、後の二〇〇五年の裁判で被告となった和泉薬品工業らが、一般名称であることを根拠に商標権の無効化を特許庁と裁判所に訴え出ている。(注2)

この裁判は長期にわたり、一九七一年にようやく「正露丸」が一般名称であったことが裁判で認定され、大幸薬品の**図3**の商標権は無効化されている。ここで、大幸薬品と和泉薬品工業の間には**深い因縁が刻まれることになる。**

## 放置した予備の商標が火種に

無事に大幸薬品の商標権を無効化した和泉薬品工業だが、詰めの甘かった部分があった。一六年にもわたる争いの最中に、大幸薬品は、重ねてもうひとつ、ほぼ同一の「正露丸」（ルビなし）の商標を一九五九年にしれっと商標登録していたのである（**図4**）。

もっとも、**図3**の商標を巡る裁判で「正露丸」という言葉自体が一般名称認定された以上、**図4**の商標権も実質的には無効も同然である。そんな考えで放置されたのだと思われるが、ところが、この**図4**の商標権が後の火種となったのだ。

**三〇年後に話を蒸し返し提訴**

「正露丸」の一般名称認定から実に三四年もの月日が流れた二〇〇五年、大幸薬品は、長年の恨み積もる和泉薬品工業の販売する「イズミ正露丸」に対し、**図4**の商標権侵害などを根拠に販売差止と六三九九万円もの損害賠償を請求する訴訟を提起した。

過去の裁判で「正露丸」が一般名称と認定され、**実質的に権利も無効と認定されているのにもかかわらず訴えるとは、**いったいどういう了見なのだろうか？　いかにも無謀で、終わった話をしつこく蒸し返しているだけのように思える。だが、大幸薬品には一応の考えがあった。同社の主張を引こう。

**被告〔和泉薬品工業〕主張の審決及び判決は、本件商標〔図3の商標〕の登録査定時である昭和29年〔一九五四年〕10月時点における登録要件についての判断であって、同時点から今日までの50年以上の状況については何ら判断していない。〔…〕現時点における商標権侵害が問題とされているのであるから、「現時点」における自他商品識別力の有無を判断することになる。仮に「正露丸」が〔もともとは〕普通名称であっても、市場の状況によっては特別顕著性を獲得することはあり得る。本件商標1〔図4の商標〕は昭和34年〔一九五九年〕に登録（昭和27年出願）され、原告〔大幸薬品〕は、その後の宣伝広告においても、常に「正露丸は大幸薬品の登録商標です」と告知し、「正露丸」の表記の近くには®表示を付すなどブランドの浸透に努めてきた。**

**今は「一般名称」ではない⁉**

つまり、三四年前の裁判で「正露丸」が一般名称と認定されたことは確かだが、その後の大幸薬品による長年の営業努力の結果、今日の世の中においては、「正露丸」は一般名称ではなく、もはや大幸薬品のブランドとして認識されている、という主張である。

確かに、この「理屈」自体は成立し得る。言葉の認識は時代によって変化する。もともと登録商標だった言葉が、多くの人に一般用語として受け止められ使われることによって普通名称化することがある一方で、その逆に、大幸薬品が主張するように、もともと一般名称だった言葉などが、特定一社のブランドとして認識されるようになることもあり得るだろう。**「言葉は生き物」**なのだ。

**ラッパの正露丸は有名だが……**

だが、これはあくまで理論上の話であって、一般名称として世の中に浸透していた言葉が、いつの間にか特定の一社のブランドとしてしか用いられなくなるなどという状況は、現実には簡単には起こり得ない。机上の空論に近いともいえる。

大幸薬品は、正露丸事業参入以来、大量の広告戦略によって「ラッパのマークの正露丸」の認知度を高め、営業戦略によって他の正露丸のシェアを駆逐してきた実績を訴え、戦後六〇年を経て「正露丸」は大幸薬品の独自のブランドになったと訴えたが、裁判所はこの主張を認めなかった。

**実は山ほどある「正露丸」**

なぜならば、二〇〇五年の時点でも、**一〇社以上の製薬会社がそれぞれに別の正露丸を発売しており、**正露丸市場において、大幸薬品以外のメーカーも、販売数量で約四〇％の市場シェアを堅持していた事実があったからである。しかも、オレンジ色を基調とした背景に赤い文字で「正露丸」と書くパッケージデザインも各社概ね共通しており、「正露丸」の名称はもとより、**デザインを含めて一般化している始末**であった（**図5〜10**）。

**普通名称はブランドになれる？**

大阪高裁は、仮に一般名称がブランドに転換することを認めるとしたら、その場合に必要な条件を以下の通り説示している。

図7／口絵15頁

図6／口絵14頁

図5／口絵14頁

図9／口絵15頁

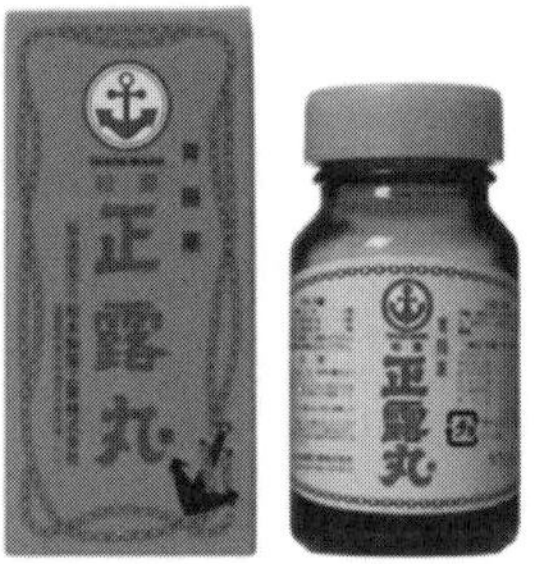


図8／口絵15頁

例えば、同業他社が消滅し、〔…〕特定の者のみが当該名称を使用して当該商品ないしサービスを提供するような事態が継続し、あるいは、何らかの事情により当該商品ないしサービスが一旦、全く提供されなくなり、一時、人々の脳裏から当該名称が消え去った後、当該特定の者が当該名称を自己の商品等

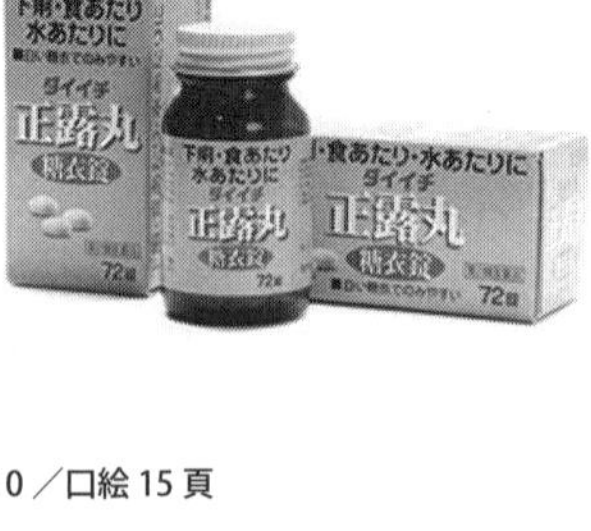


図10／口絵15頁

**表示（商標）として当該商品ないしサービスの提供を再開するなどの事態が生じ、当該名称が当該特定の者の商品等表示（商標）と認識されるようになったこと等を要するというべきである。**

つまり、「正露丸」を売る同業他社が消滅し、**人々の脳裏から「正露丸」という言葉が一旦消え去ってから**独占権を主張しろ！ というわけである。しかしそんなこと、果たして現実に起こり得るだろうか？

### 今日でも多数の「正露丸」が

ちなみに、この裁判からさらに二〇年近くが経過した執筆時現在でも、状況は変わっていないといえる。医薬品のデータベース[注3]によれば、執筆時現在も少なくとも八社が「正露丸」「〇〇正露丸」という商品をそれぞれ発売していることが分かる。それにしても、ここまで示し合わせたように「正露丸」の名称が継続使用され、デザインまで共通化されていると、**「大幸薬品の『正露丸』独占を許すまじ！」**の思いで、大幸薬品以外の正露丸事業者が結託しているのではないかと勘繰ってしまう。

### もういっそ商品名を変えたら？

ともあれ、この事実の前には大幸薬品は勝てるはずもなかった。大阪高裁は「**本件で問題となるのは**〔…〕**もともと普通名称にすぎない『正露丸』が商品表示性を有する表示と認識されるに至ったかであるところ、〔…〕社会の人々の認識に転換をもたらすような事態は生じておらず、『正露丸』の普通名称性には変わりがない**」と認定。大幸薬品の「正露丸」に五〇年以上の歴史があろうが、ＣＭをバンバン流そうが、「正露丸」は一般名称であると断じたのである。

結局、大阪高裁が大幸薬品の「正露丸」のパッケージ表示の中で固有ブランド性を認めたのは「ラッパのマーク」のみであった。そして和泉薬品工業の「正露丸」のマークはラッパではなく「ひょうたん」であるから、両パッケージは非類似と判断されたのである。

大幸薬品は最高裁まで争う姿勢を見せたが、最高裁は訴えを受理せず、同社の完敗に終わった。五〇年間、圧倒的な宣伝費をかけても結果はこれだ。**一般名称を独占しようとすることが、いかに不毛な努力**であるかが分かるエセ商標権裁判である。今からでも、商品名を「ラッパ正露丸」にでも変えた方が手っ取り早いのではなかろうか……。

ただの数字だ！　薄いコンドームを弱い商標で独占できるのか!?

# 0・02コンドーム事件

## オカモトVSジャパンメディカル、サックス（注1）

### 強い商標と弱い商標

商標登録された商標権は、どれもこれも等しく、当局が独占を認めた強力な権利だと思い込んでしまう権利者は少なくないが、誤解である。**商標権には、ものによって「強弱」がある。**

独創性の高いネーミングやロゴデザイン、著名ブランド名などの商標は、一般的に「強い商標」とされる。一方で、ある商品の特徴や内容などを表すうえで、誰もが当たり前に使うような言葉は、いくら商標登録されていようと「弱い商標」である。

「強い商標」は、独占権の及ぶ範囲が広く認められるなど、有利に権利行使を運ぶことができる傾向がある。対して「弱い商標」は、裁判になれば権利行使が認められず、事実上、権利はあっても独占は認められにくい傾向がある。

表面上はどちらも同じように商標登録されていても、真剣とハリセンくらい、切れ味に違いがあるということだ。

この違いを認識していない人ほど、あえて誰もが当たり前に使いがちな言葉を商標登録して、その独占を目論みがちである。「弱い商標」をいくらがんばって商標登録しても、無駄であり、不毛なのだが、一応形式的には権利として成立しているので、クレームの根拠とされることがある。まったくいい迷惑である。これは、コンドーム業界で一般的に使われる言葉からなる「弱い商標」を振り回して裁判沙汰にした結果、敗訴した事案である。

**ゴムの「厚さ表記」を独占？**

ゴム製品大手で、「オカモトゼロワン」（**図1**）などのコンドームのメーカーとして知られ

図1／口絵16頁

図2／口絵16頁

るオカモト社が、競合するコンドーム「うすぴた」シリーズを販売するジャパンメディカル社とサックス社を、商標権侵害などを理由に、約一〇〇〇万円の損害賠償金と販売差止等を求めて訴えた。

オカモトはいったい何にそんなに怒っているのか。ジャパンメディカルらが、ドラッグストアのマツモトキヨシ向けに限定販売している「うすぴた」のパッケージ（**図2**）に書かれている**「0・02」**の表示が、オカモトの所有する商標権を侵害しているというのだ。

確かに、オカモトは「0・02」と読める商標を登録している（**図3**）。しかし、この権利主張には違和感を禁じ得ない。「うすぴた」のパッケージにおける「0・02」の表示は、コンドームの厚さが「0・02ミリ」という商品の内容を意味する表示であろう。**単なる「数字」に対して商標権を行使するつもりか!?**

図3

## どのメーカーも同じじゃないか

それに、コンドームの箱って、どのメーカーの商品も似たような肉厚表示を採用しているような……。そう思って、コンビニやドラッグストアのコンドーム売り場を徘徊して、**まじまじと物色**してみたところ、まさにその通り（図4〜8）。コンドーム業界では、商品の肉厚が薄いことを売りにする傾向があり、そのため、厚さの表示を前面に出す慣習があるのだ。

図4

図5

図6

図7

図8

そうであれば、消費者は「0・02」という数字の表示自体を特定メーカーのブランド（商標）と捉える余地はなく、商標権侵害が成立することはない。誰も、**コンドームの厚さを表す数字そのものを独占することはできない**のだ。

## なぜ「うすぴた」が標的に？

それにしても、これだけたくさん「0・02」を表示しているメーカーがあるにもかかわらず、なぜオカモトは「うすぴた」だけを殊更にターゲットにしたのだろうか。

これについては、以下のオカモトの主張から、「うすぴた」のパッケージ全体のデザイン（図2）が、オカモトの主力商品である「オカモトゼロワン」のパッケージデザイン（**図1**）に似ていてけしからんという問題意識が背景にあったことがうかがえる。

**オカモトゼロワンの商品表示と被告商品表示（「うすぴた」のパッケージ）を対比すると、両者の要部は、赤を基調とした全面背景にその中央部分に白抜きで大きく「0・0＊」（＊は数字）と表記する点であり、「0・0＊」も、数字1桁の違いしかなく、「0・0」は共通しているほか、数字部分の面積と赤地部分の面積の割合も同程度である。**

この類似性により、両商品は同じメーカーの商品であるなどと混同されるおそれがあるとして、不正競争防止法違反であるとも訴えたのだ。しかし、これもオカモトの過剰反応と評価せざるを得ない。

## 紅白の組み合わせを独占？

デザインが似ているといっても、要するに似ているのは「赤を基調とした全面背景」に「白抜きの数字」が表示されているということなのだ。しかし「紅白」の組み合わせなんて、我が国において**最もありふれた色彩の組み合わせ**といっても過言ではない。これを独占しようというのは無理がある。

数字の共通性についても、ムリヤリの主張だ。「オカモトゼロワン」は、薄さ0・01ミリのコンドームだ。数字表示は「0・01」であり、「うすぴた」の「0・02」とは異なる。これをオカモトは「数字一桁の違いしか」ないというが、**二倍も違うともいえる。**ちなみに、オカモトが販売する薄さ0・02ミリのコンドーム「オカモトゼロッツー」とは、パッケージデザインがまったく異なる（**図8**）。

相当無茶な言い分だが、それでも自己の主張に説得力を持たせようと、さらにこんな実害のおそれも訴えている。

**コンドーム商品は、避妊具という商品の性質上、需要者の多くが購入に当たって幾分の恥ずかしさを感じることから、需要者**

**は、売場において時間をかけて商品パッケージの違いを詳細に対比することなく、商品パッケージの一見した際の印象を元に短時間で購入を決断してしまう傾向がある。**

つまり、コンドームは、売場で吟味して買うには**恥ずかしい商品**だから、パッと見の印象が似ていれば、よく見ないで間違えて買ってしまうというのだ。これは、確かに一理ありそうにも思える。

しかし、もしコンドームのメーカーにこだわりがある消費者であれば、店頭で気恥ずかしさを覚えるとしても、少なくともメーカー名や商品名は確認するだろうから、間違えはしないだろう。

オカモトがいうような、普遍的な色使いと「0・0＊」の数字を一瞥《いちべつ》しただけでコンドームを買う消費者というのは、**そもそもブランドを見ていない**のである。ブランドにこだわりがない層ともいえる。ブランドを見ずに間違えて買われたことによって、間違われたブランド側に生じた損失を、果たして法律が救済する必要があるかという疑問である。

そういう消費者が、いざという段になって「あっ、これオカモトのじゃない！」と気付いたとしても、「もう一回マツキヨに行って買ってきて！」という思考も行動も、絶対取らないだろうなぁ。

## 全否定されるオカモト理論

結果として、裁判所はオカモトの主張を一切認めなかった。まず、オカモトの所有する「0・02」の登録商標（図3）については、以下のように評価した。

**「0・02」との数字は〔…〕コンドームの取引者・需要者において、その肉厚寸法の近似値を意味する数字であると認識されるというべきである。〔…〕したがって、〔…〕「0・02」という数字の部分そのものではなく、本件図形部分を含む書体、色彩やデザイン等が特徴的であるとの印象を受け、その点において、特定の出所を示す標識と認識されるものというべきであ〔る〕**

すなわち、**「0・02」という数字の部分そのものには実質的に権利は生じず、図3**のデザイン全体でやっと有効な商標権として成立するに過ぎないというわけだ。これが**「弱い商標」の「弱さ」たるゆえん**である。いくら「0・02」と読める商標権を保有していても、事業者が当たり前に使用している「0・02」という表示自体を独占することはできないのだ。

そして、**図3**のデザインと、「うすぴた」のパッケージ上の「0・02」表示（**図2**）を比べると、「**書体、色彩やデザイン等が著しく異なり、コンドーム商品の取引者・需要者に対し、全体として原告〔オカモト〕商標とは全く異なる印象を与えるものというほかな**〔い〕」と喝破し、商標権侵害を否定したのである。

さらに、「赤地に白抜き文字の『0・0＊』」をオカモトが独占できるかどうか」という論点については、「**上記の数字等自体〔赤地に白抜き文字の0・0＊〕でもって**〔…〕**需要者の間に広く認識されるに至っているものと直ちに認めることは困難というべき**」と認定し、差止請求を認める根拠がないとして、こちらも全面的に退けた。オカモトの完全敗訴である。

### 厚さ表示も紅白色も独占できぬ

たとえ買うのが恥ずかしい商品であろうとも、誰もが当たり前に使用する色の組み合わせを独占することはできないということだ。

この判決により、コンドーム業界においては、**図3**のデザインさえ真似しなければ、パッケージに**「0・02」と表示することは各社の自由**であり、それを赤字に白抜きのパッケージで表示することもまた自由であることが確定したのである。

ドラッグストアでコンドームを買い求める健全な男女諸氏におかれましては、パッケージを一瞥していそいそとレジに運ぶ前に、「0・02」にまつわる、こんな商標バトルがあったことを思い出してほしい。ピロートークのネタにするのもいいだろう。

# コラム⑧ エセ商標権被害を開陳して逆に訴えられた人々

## 権利侵害主張が逆に違法に

エセ商標権者は、自分こそが正当な権利者であり、ライバル企業に商標を無断使用され、あるいは商品をマネされた被害者だと信じて疑わない。その思い込みや被害者意識が高じて、「権利侵害された」「模倣された」などと公に主張する者も少なくないが、本人の権利が「エセ」だった場合、こうした主張の告知自体が違法となることがある。

不正競争防止法（第二条一項二一号）は、「競争関係にある他人の信用を害する虚偽の事実を告知し、又は流布する行為」（以下、「信用毀損行為」）を規制しており、こうした行為は差止や損害賠償の対象になる。

実際には商標権などを侵害していないにもかかわらず（つまり、エセ商標権にもかかわらず）、競合品を商標権侵害や模倣品呼ばわりすることも信用毀損行為に該当し得る。そして、実際に多くのエセ商標権者が、虚偽の事実を流布されたとして相手から逆に訴えられており、敗訴している。

自らが「被害者」で「正義」だと思い込み、いきり立っていたエセ商標権者が、いつの間にか「お前の方こそ加害者だ」と裁判所から烙印を押されてしまうのだ。これはカッコ悪い。

## 取引先への通告は御法度だ

エセ商標権者による「被害公表」にはいろいろなパターンがあるが、最も典型的なのは、相手の取引先に対する告知である。「あの会社が取り扱っている商品は、権利侵害品ですのでご注意ください」などと通知し、取引を躊躇させようという算段である。

例えば、フューチュアテックという業務用硬度計を製造販売するメーカーが、同業のクラフテストの製品を「模倣製品」であるとして、取引先に以下の文書を送りつけた事件がある。クラフテストは、フューチュアテックを退職した元役員のS氏が独立して立ち上げた会社で、それゆえか、S氏に対する私怨を感じさせる内容であった。

〔クラフテストの〕主要取扱製品の殆どが〔…〕「弊社模造製品」であることが判明し、既に同製品の販売活動を開始したことが確認されました。〔…〕事もあろうに、退職した元取締役営業本部長S〔文書では実名〕が、この模倣製品を日本国内で積極的に販売し、弊社の企業活動を妨害するということは看過しがたいことであり、明らかに国内法に違反する行為であり、それへの厳しい対処は考えておりますが〔…〕皆様におかれましては、上記の様な事情・経緯をご賢察の上、今後Sより取引の依頼等ございましたら、何卒適切にご対応頂きますよう、切にお願いする次第です。

　被害者ぶっているが、何の根拠も示さず模倣品呼ばわりしたばかりか、S氏を名指しで無法者であるかのように述べ、暗にS氏との取引依頼に応じないよう要請している点は見逃せない。しかも、フューチュアテックがこの文書を送りつけた宛て先の数は、実に一〇〇〇以上にのぼるというのだ。

　内容はコピペだったとしても、一〇〇〇社分の宛て先を入力するだけで凄まじい労力である。かなりの粘着気質と言わざるを得ない。この結果、フューチュアテックは、クラフテストから逆に訴えられ、クラフテストとSに対して合計八二五万円もの損害賠償金を支払うよう命じられている。[注1] ずいぶん高くついた悪口である。

## SNSで怒りブチまけ逆提訴

　プレスリリースやSNS上で、競合商品をコピー品、パクリ品呼ばわりする輩も多いが、これも信用毀損行為に該当する。バニーガール用衣装を製造販売する「Jバニー」の運営者が、競合する衣装メーカーの「TOKYOバニーガール」の商品について、SNS上で以下のような発言を複数回繰り返した事件があった。

「コピー品です」「工場に対して『もっとJバニーに近づけなさい！』とか指示しているのかね？コピーしてばれないと思っているとか認識が甘いわ」「単にデザインをパクられただけでなく、マジック縫製などの技術もパクられている」「TOKYOバニーガール製のこちらの商品は、Jバニーブランド・レギュラーバージョンのコピー商品です」(注2)

不穏当な投稿のオンパレードといえよう。この件では、Jバニーが SNS上での勢いそのままにTOKYOバニーガールを提訴したが、対するTOKYOバニーガールも、前記したSNS上での発言について、信用毀損行為に該当し不正競争防止法違反であるとして反訴で反撃している。

## 結果として二重に負けている

その結果、Jバニーの権利侵害主張は一切認められず、逆にTOKYOバニーガールの反訴請求が認められたのである。東京地裁において、Jバニー側に信用毀損行為の差止と五五万円の損害賠償支払い命令が下されている。(注3)

ちなみに、当初鼻息の荒かったJバニー側のSNSの投稿は、裁判が進むにつれて調子が変わってきており、「長引かせないで和解に持って行って、早く終わらせたい気もするし、悩むところだ」「〔TOKYOバニーガールの〕店長がJバニーブランドにそこまで惚れ込んでいるなら、見て見ぬふりをしても構いません」(注4)などとトーンダウンしている。

なんとも正直といいますか、分かりやすい人ですねぇ。なお、本件は控訴審において非公開の条件で和解が成立したとされる（反訴の対象となったJバニー側の投稿はすべて削除されているようである）。

## 虚偽の削除申告は罪になる

Amazonや楽天市場などのインターネット上の商取引プラットフォームにおいては、そこで権利侵害品や海賊版が販売されていた場合、権利者からの申告によって、削除等がなされる仕組みが整備されている。しかし、これがエセ商標権に基づくものだった場合、プラットフォーマーへの申告（通報）自体が信用毀損行為に該当し得る。

Amazonで、シンガポールから輸入した「COMAX」という枕を販売していたCOMAX JAPANという会社がある。売っている商品は枕だったが、同社は「COMAX」の商標登録を「ゴム」の分野で行っていた。これは、この枕がラテックスゴム製だからということのようだが、枕を販売するうえで、あまりにも無関係の商標登録である（そもそも輸入品の販売代理店が、本来メーカーに帰属すべき商標を登録していること自体、適切とは言い難い）。

その無関係の商標権に基づいて、同社はAmazon上で同じ「COMAX」の枕をタイから輸入して販売する、競合のワールドトレーディングの商品について、「偽造品」とAmazonに申告し、出品を削除させてしまったのだ。

## エセ通報で数十万円の賠償命令

少し確認すれば分かる（なんせゴムについての商標権だ）、明らかなエセ商標権に基づく削除申告を受けて、何の罪もない事業者の商品を削除したAmazonの対応も雑である。しかもワールドトレーディングがAmazonに対して「通報者の商標権は『ゴム』についてのもので、枕とは無関係だ」と事情を説明しても、「当事者同士で解決してください」の一点張りで、削除が撤回されなかったというのだからヒドい話だ。

そこで「当事者同士で解決してやらぁ」と思ったのであろうワールドトレーディングは、虚偽告知による信用毀損であるとしてCOMAX JAPANを提訴。同社の主張は全面的に認められ、COMAX JAPANに六〇万円の損害賠償金の支払いが命じられている。[注5]

第三者が目にするカスタマーレビューなどに「商標権侵害だ」などと書いたわけではな

く、Ａｍａｚｏｎへの通報に対する損害賠償として、これだけの金額が認められた点は注目に値する（なおワールドトレーディングは、出品停止期間中に被った実際の販売機会損失について主張していない）。

　エセ商標権を振り回して他人の商品を模倣品やパクリ呼ばわりすることは、それほど重い罪だということだ。

## 敗訴なのだが⁉ イケてる風ネット広告会社の虚飾をはがせ！

# 売れるネット広告事件

### 売れるネット広告社 vs ureru（注1）、FID（注2）

### 勝訴プレスリリースと思いきや

企業が訴訟を提起したり、その判決が出たときに、プレスリリースを行うことがしばしばある。裁判沙汰は、その企業のレピュテーションや業績に影響を与えることから投資家や取引関係者の関心事であり、情報開示は基本的には好ましい。

そして当然のことながら、その情報開示は正しい内容で、読み手の誤解を招かないことが大前提である。**その前提を揺るがしたエセ商標権事件**を紹介しよう。以下は、二〇二一年一月に、ネット広告のコンサルティングなどを行っている売れるネット広告社が掲出したプレスリリースである。

『売れるネット広告社』の訴えにより、「株式会社ureru」が『社名』を変更「株式会社ureru」に対する訴訟は解決へ！

〔…〕

『売れるネット広告社』は、〔…〕『社名』が類似するため、「株式会社ureru」に対し、商号使用禁止等を求める訴訟を提起しておりました。その後、「株式会社ureru」が『社名』を変更したため訴訟の終了に至りました。

〔…〕

今後も『売れるネット広告社』と同じ事業内容で、類似した『社名』を使用しているものは商標

**権及び称号《ママ》を侵害するものと判断し、断固たる姿勢で対応いたします。**

**■「株式会社ｕｒｅｒｕ」の受け入れ内容**

**・『社名』の変更（注3）**

このリリースから読み取れることは、「売れるネット広告社」が、社名が「類似」する競合企業の「株式会社ｕｒｅｒｕ」を商標権侵害で訴えていたが、相手方が社名変更を受け入れたので訴訟を終了したということだ。

自然に読めば、ｕｒｅｒｕ社が、売れるネット広告社の要求を受け入れる形で和解したのだろうと理解できる。

## 被告側は真逆の報道発表

しかしこの和解判断は、商標法の常識からは外れている。「売れるネット広告」と「ｕｒｅｒｕ」とでは、**ハッキリ言って似ていない**からだ。まぁ和解ということは、お互いが納得してさえいれば、法理に則っていなくても成立するから、必ずしも不自然ではない。ｕｒｅｒｕ社が大きく譲歩した和解だったということだろう。

ところが、この訴訟に関しては**ｕｒｅｒｕ社側もプレスリリース**を掲出している。そして驚くべきことに、そこにはこんなことが書いてあったのだ。

**売れるネット広告社（相手方）が当社に起こした訴訟について、相手方の請求がいずれも棄却されましたことをご報告します。また本判決とは異なる見解のプレスリリースを相手方及び相手方代表取締役「加藤公一レオ氏」が行っており、関係各位の誤解を招く恐れがあるため判決文を公開させていただきます。社名の変更について相手方と協議などは一切しておらず本訴訟とは関係ございません。（注4）**

**全然違う内容ではないか!?** 売れるネット広告社のプレスリリースの内容とは、かなりの隔たりがあり、「真逆」の印象といってもよい。和解などではなく請求棄却、つまり売れるネット広告社が敗訴したというのだ。

## 敗訴したのは売れるネット広告

これはいったいどういうことだろうか。そこで判決文を確認すると、売れるネット広告社の訴えの内容は、自身が保有する「売れるネット広告」という商標権を根拠に、ｕｒｅｒｕ社に対し「株式会社ｕｒｅｒｕ」の商号や、同社のウェブサイトのドメイン「bariureru.com」などの使用差止と、二三四六万円の損害賠償金などを請求するというものであった。

しかし、判決ではこれらのいずれも認められていない。ｕｒｅｒｕ社の言うとおり、**売れるネット広告社の全面敗訴の判決**だったのである。

## 裁判所の判決文は？

敗訴の理由は単純で、やはり「売れるネット広告」と「ｕｒｅｒｕ」が全然似ていないからである。判決文は以下のように述べている。

**原告商標〔売れるネット広告〕と被告標章〔ｕｒｅｒｕ〕とは、構成する文字の種類、文字数、称呼が大きく異なるのみならず、観念も異なっているというべきである。そうすると〔…〕原告商標と被告標章とが類似しているということはできない。〔…〕したがって〔…〕被告標章を用いることが商標権侵害に該当するということはできない。**

「類似しているということはできない」「商標権侵害に該当するということはできない」とはっきりと書いてあるのだ。

## 「売れる」は一般語じゃない⁉

なお、売れるネット広告社は、「業界では『売れる』といえば『売れるネット広告社』のサービスを示すと認識されている」との趣旨の主張もしていた。具体的には以下のように述べている。

**原告〔売れるネット広告社〕代表者は、業界（インターネット通信販売業界や販売促進コンサルティング業界及び関連分野）において、強い発信力を有しており、各種媒体で原告の情報を**

**発信する際に「売れる」という語を強調している。その結果、「売れるネット広告社」は上記業界では「売れる社」という呼び方をされることが多く、「売れる」という語は上記業界において単なる一般用語ではなく強い顧客吸引力を有するものとなっている。**

「売れる」という言葉は一般用語ではない！ウチの会社のことだ！というのである。なんとも凄まじい言い分ではないか。だから「売れる」の部分と「ureru」を比較して判断すべきだというのだ。だが、これが「電通」や「博報堂」だったら「強い発信力」「強い顧客吸引力」という言い分もまだ分かるのだが、「売れるネット広告社」自体、**知らない会社なので、**まったくピンと来ない主張である。

## そんなに有名な会社なの？

そんなに自信満々に言うのであれば、「売れるネット広告」が有名で、かつ「売れる」といえば売れるネット広告社のことだと、業界人なら誰もが認識しているという**証拠を出さなければ通らない**。

そして実際に同社は複数の証拠を提出しているのだが、これが誠にしょうもないのである。

まずは、同社社長の加藤公一レオが募ったというアンケートだ。社長自らが裁判に必要な証拠を集めて回ったとは、ご苦労なことである。

そのアンケート結果によれば、一三五件集まった回答のうち、相当数が「広告業界で『うれる』といえば『売れるネット広告社』である」「『売れる』という言葉はネット広告業界では原告が広めた言葉であり、原告を指す」といった、同社の主張を裏付ける内容だったという。

## 「友人」を総動員する無意味

ところが、このアンケートの実態というのが、加藤が自身の**フェイスブックで「友人」となっている者にのみを対象としたもの**であり、しかもその際、加藤は「友人」たちにこう呼びかけていたという。

**「〝売れる〟（うれる／ウレル／**

**ureru）という社名は業界では〝売れるネット広告社〟だ！」という主張を行うため、皆様のお力をお借りできませんでしょうか？**(注5)

こんな風に当事者に頼まれて、「力を貸してやろう」という気になった「友人」が答えたアンケートが、**何百件集まろうとも客観的な証拠になるはずがない。**裁判所も、「現実の取引の場面における取引者、需要者一般の認識を示すものであると直ちにいうことはできない」と切り捨てている。

## 自ら「著名」と豪語するが……

続いて、売れるネット広告社は、自社商標について、「社長の加藤が業界において強い発信力を有している」「売れるネット広告社は、設立当初から各種の媒体において宣伝広告活動を展開してきた」ことなどから、業界において周知・著名であると主張している。

確かに加藤のフェイスブックを読むと、この裁判の判決が出た年（二〇二〇年）の自身と会社の一年を振り返って、「**あらゆるネットメディアにはもちろん、テレビにも何度か出演しました！**」「**あらゆるイベントで講演しました！**(注6)」などと豪語している様子が鼻に……いや目についた。「あらゆるネットメディア」「あらゆるイベント」に登場したとはすごいことである。残念ながら、筆者は一度も目にしたことがないのだが、それは筆者が普段イベントに足を運ばず、メディアに接していなかったせいだろう。

## 証拠が主観的過ぎる

ところが、こうした主張も裁判所には認められていない。同社が証拠として提出したのは、加藤自身が執筆した著書の表紙や帯、また取材を受けた業界誌などにとどまったからだ。

加藤の著書については「その記載内容自体に客観性があるとはいえない」と一蹴され、業界誌の取材については「**業界誌という性質上、一般人はもとより、コンサルティングの顧客層である取引者や需要者が広くこれを閲読《えつどく》するということはでき**

ず、これらのことから〔…〕著**名性を獲得したということはできず〔…〕周知性があると立証されたということはできない**」と一刀両断されている。

どうして、「あらゆるネットメディア」「あらゆるイベント」に登場した証拠を提出しなかったのか、**不思議である。**

以上の次第で、売れるネット広告社のあらゆる主張は認められず、同社の全面敗訴で裁判は終結したのである。

**どうしてこんなリリースを？**

もっとも、判決後すぐに、ｕｒｅｒｕは商号を確かに「株式会社ＷＯＲＬＤ ＨＵＮＴ」に変更している。同社はその理由を、新たな経営計画の策定によるものとし、「**相手方と協議などは一切しておらず本訴訟とは関係ございません**」と説明している。

判決文の内容とｕｒｅｒｕ社の説明を踏まえると、売れるネット広告社は、裁判では敗訴したのに、その後訴訟とは無関係に相手方がなした商号変更の機会を捉えて、「『株式会社ｕｒｅｒｕ』が『社名』を変更したため訴訟の終了に至りました」などと**前後関係を曖昧にしたプレスリリース**をしたということではないだろうか。

百歩譲って、売れるネット広告社に好意的に解釈してみよう。同社には控訴の意向があり、同社の中では商号変更時点で訴訟は終了に至っていなかった——と受け取ることもできなくはない。だが、控訴したところでこの内容では勝てるはずもないことも、また明らかである。

**前にも同じ事をやっている**

しかも、売れるネット広告社にはこうした手口を用いたプレスリリースの前歴がある。本事件に先駆ける二〇一七年には、ネットショッピングサイト向けにショップシステムを販売しているＦＩＤという会社を、やはり商標権侵害等で訴えていた。

ところが結局、翌年には**売れるネット広告社が何も権利侵害がなかったことを認めて和解**しているのである。このことは、ＦＩＤ社が公表した和解調書で確認できる。和解条項として、**「原告〔売れるネット広告社〕は、本件請求に係る商標権侵害、著作権侵害、不正競争防止法違反の各行為が被告〔ＦＩＤ〕になかった事実を認める**[注7]」としっかりと書いてあるのだ。要は売れるネット広告社は、商標権侵害等の主張をすべて引っ込めたというわけだ。

　にもかかわらず、同社はその後、「**ＦＩＤが売れるネット広告社の訴えに対して当該箇所を全て〝変更・削除〟！**」「**不正競争の差し止め、商標権侵害の差し止め、著作権侵害の差し止めを求める訴訟がついに〝決着〟**[注8]」などと、あたかも自分が勝ったかのようなプレスリリースをしているのだ。同社の紛らわしい情報開示姿勢には、常習性を疑わざるを得ない。

## 無意味過ぎる登録商標

　ＦＩＤ社との裁判で争点となったのは、売れるネット広告社が保有する**「確認画面でアップセル」**なる商標権である。

　ＦＩＤ社が販売する「侍カート」というオンラインショップシステムの営業資料には、「**『申込む』ボタンで表示される内容確認画面でアップセルを行うことができます**」という説明文があった。売れるネット広告社は、この説明文中に含まれる「確認画面でアップセル」の使用が、商標権侵害だと主張していたのだ。

　だがこれは、どう考えても商標権侵害ではない。「アップセル」とは、「顧客に対し、購入商品よりも上位の商品を買わせること」を意味する一般的なマーケティング用語のひとつだ。よく通販サイトで、商品を購入する画面で、「こちらの商品もオススメです」などと、より人気のある商品や最新モデルの購入を促されることがあるが、アレが「アップセル」である。

## 単なる説明文章でしかない！

　つまり「確認画面でアップセル」とは、「商品購入の確認画面でアップセルを行う」という、単にショッピングサイトシステムの仕様を説明する文言として把握されるものであり、特定企業のブランドと認識されるシチュエーションはほぼないのである。

　ましてやＦＩＤ社の営業資料のように、文章の中で「確認画面でアップセルを行う」ことを説明する趣旨と態様で使用するのであれば、それはまさしく**仕様説明としか理解されない**。

　こんなものが商標権侵害になるのなら、「当社は明治三〇年創業の老舗の和菓子屋です」という説明文は、製菓会社の明治の商標権侵害である。「業界のパイオニアとして、社会に新しい価値を提供し続けたい」という経営方針は、音響機器メーカーのパイオニアの商標権侵害になってしまう。そんなわけがあるかい。

## 商標権の知識が無さ過ぎる

　どうも売れるネット広告社は、根本的に商標権の効力というものを分かっていないのである。商標登録さえすれば、いかなる場面でも言葉を独占できるとでも思っているのだろう。だいたい「売れる」だの「確認画面でアップセル」だの、広告業界で極めて**普遍的な言葉を独占しようという根性がおこがましい**。

　本来であれば、ＦＩＤ社が和解に応じる必要はなく、判決に至れば売れるネット広告社が恥をかくだけだった。ところがＦＩＤ社は、権利侵害が存在しないことを相手に認めさせたことを以って和解し、一方で営業資料の説明文中の「確認画面でアップセルを行うことができます」を「確認画面においてアップセルを行うことができます」と、修正したのである。

## 下手に出ればつけあがる

　この和解と文言修正の理由について、ＦＩＤ社は「**侵害がない事実が認められ、これ以上争う必要がなく和解した**(注9)」「**互いに気持ちよくビジネスを行うため、嫌だというのであれば変更しようと**(注10)」と説明している。

　まぁ「確認画面でアップセル」でも「確認画面においてアップセル」でも、**ハッキリ言ってどっちでも同じこと**だし、修正も容易だろうから、面倒くさいイチャモンをつけられるくらいなら、さっさと修正しておこうと考える気持ちは分かる。

## エセ商標権者を甘やかすな

ところが、これを受けて売れるネット広告社は、前述した**鬼の首を取ったかのようなプレスリリース**をしたのである。こういう輩には、一切情けをかけない方がよい。そもそも和解などするべきでなく、また文言修正もすべきではなかったということだ。

なお、敗訴や敗訴的和解をしているのにもかかわらずこのようなプレスリリースをしている売れるネット広告社は、当然というか、訴訟提起時のプレスリリースも極めて不穏当であった。

ｕｒｅｒｕ社に対しては、「**商標権及び商号を侵害するものと判断いたしました**」「**『売れるネット広告社』と事業内容が同じでありながら『社名』をパクっており**[注11]」などと、侵害や不正行為を行ったものと決めつけ、ＦＩＤ社に対しても「**ＦＩＤは、本件商標権を無断使用したサービス展開を行っており、売れるネット広告社が保有している上記登録商標『確認画面でアップセル』の商標権を侵害すると判断いたしました**[注12]」などと決めつけている。

ＷＯＲＬＤ ＨＵＮＴ社もＦＩＤ社も知らなかったかもしれないが、一般論として、知的財産権侵害の事実がないにもかかわらず、競合他社があたかも知的財産権侵害をしているかのように第三者に告知・流布する行為は、営業上の信用毀損行為として不正競争防止法違反に、競合他社の取引を妨害する行為として独占禁止法違反に該当し得る。

そして、勝訴してもいないのに、あたかも全面勝訴であるかのようにプレスリリースすることもまた、同様の罪に問われ得るのである。

## これぞ商標ヤクザ！寿司屋にカネをしつこくせびった挙げ句に敗訴！

# 小僧寿し事件

### 入船 vs 小僧寿し本部(注1)、サニーフーヅ(注2)

### 商標ヤクザの浅知恵事件

もしもあなたが、たまたま自分が保有している登録商標を、大企業が無断で使っていると知ったらどうするだろうか。「たまたま保有」というのは、別に事業で使っているわけではなく、登録はしたがほとんど稼働していない商標である。

これはしてやったり、莫大な使用料を請求してやるからな！と考える輩が世の中にはいるのだが、大抵はエセ商標権者の浅知恵である。

確かに、形式的には登録商標の無断使用かもしれない。だが「商標登録しているだけ」の商標権者の訴えなぞ、裁判所は容易に認めない。これは商標権を盾にして大企業に執拗に大金をせびり、最高裁まで争ったものの完敗したエセ商標権者の話である。

### あの寿司チェーン店が標的に

**「小僧寿しチェーン」**といえば、近時では往年の勢いは見られないものの、一九七〇年代から八〇年代にかけては日本の外食産業においてトップの売上高を誇った有名な持ち帰り寿しのチェーン店である。アニメ『ドラえもん』の番組スポンサーを長期にわたり務めていたことから、CMやタイアップ商品を記憶する人も多いだろう。

この全盛期に、運営会社の小僧寿し本部（現・小僧寿し）にしつこく商標クレームをつけ続けたのが、大阪でかまぼこや煮豆などの製造販売を行っていた入船という食品企業だ。この入船、創業一九〇三年という老舗で、一九五七年に「小僧」という商標を登録していたのである。だが自身の事業には使用はしていなかった。どうも入船には、語感のよい商標を多数登録しストックしておく方針があったようで、その姿勢を、後に小僧寿し本部は「**使用しないものでも商標として取得し**〔…〕**売り渡したりする商標ブローカー的**（注3）」と評している。

### 売れてきたのをきっかけに……

小僧寿し本部の設立と小僧寿し各店の営業開始は、入船の商標登録から一五年後の一九七二年のこと。入船の商標の存在など露知らず、小僧寿しは順調に事業を拡大し、七七年には全国の店舗数が一二五〇店にのぼった。これは現在のモスバーガーや吉野家に匹敵する規模である（その後、八一年には現在のスターバックスの店舗数を超える二〇〇〇店を達成）。当時の「小僧寿し」の消費者知名度は八七%にまで至ったという。

小僧寿しが飛ぶ鳥を落とす勢いだったこの一九七二年、**突如として入船が商標権侵害を主張**する警告を行った。

確かに「小僧」と「小僧寿し」では、一般名称の「寿し」部分を除けば同一であり、指摘には一理ある。

### 落ち度に付け込み不当要求

小僧寿し本部社長・山木益次自身、「**営業の規模の拡大にその全エネルギーを注いできた**」ため、「**商標についての知識はほとんどなく**〔…〕**考える等の余裕はなかったのが偽らざる現状であった**（注4）」と、事業に先駆けて商標の調査などをしていなかった落ち度を認めている。

だが、入船のクレームは明らかに不当要求の域だった。そもそも入船は**「小僧」の商標を使った事業はしておらず、**言い訳のように直近三年ほど「おにぎり小僧」という名のおにぎりを大阪周辺で売っていただけなのである。小僧寿しチェーンが全国に存在しても、入船に何の不利益があるとも思えない。

## とにかく億単位のカネがほしい

　にもかかわらず入船が商標権を主張したのは、**端的にいえばカネ目的、**それも莫大な金額を召し上げることが目的だったと評価するほかない。商入船は小僧寿し本部に対し、商標使用料として、小僧寿しのチェーン店一店舗あたり月一万円を支払うことを要求。前述の通り、当時小僧寿しの店舗数は一二二五〇店舗だった。つまり月に一二二五〇万円、**年に一億五〇〇〇万円**をよこせというのである。

　たかが登録商標をストックしていただけで、なんという強欲、なんという威張りようだろうか。小僧寿し本部は、要求額は本部としての利益額に相当するもので、到底受け入れられないと回答。すると入船は、以下のように次々と要求を変遷させた。

　曰く一店舗あたり月一万円の支払いが無理なら「三億円を一〇年間の分割で支払え」、それがダメなら「二億円を一〇年間の分割」、それもダメなら「一億円を一〇年間の分割で支払い、加えて一億円を五年間無利息で貸せ」というのだ。とにかく、小僧寿し本部から億単位の金銭を引き出そうとあの手この手の必死な様子がうかがえる。そして払えないなら店名も会社名も変えろと迫ったのである。

　後の裁判で認定されるが、ただ登録されているだけでほとんど使われていない「小僧」の商標権には、幾ばくの財産的価値も存在しない。一億円支払えなど、法外な要求としかいいようがないのである。

　しかし商標権を人質に取られた小僧寿し本部は、要求を無視するわけにもいかなかった。結局は、一年間の交渉の末に五〇〇〇万円の支払いと、今後おしぼりや箸袋などの小物では「小僧寿し」を使用しないという条件で、この問題は一旦は妥結を見た。

　ハッキリ言って、五〇〇〇万円でも高過ぎるのだが、当初の要求額を思えば、業績好調な大企業が解決金として支払う分にはよかったのだろう。

## 悪魔は再びやってくる

　ところが、話はこれで終わらなかった。その後も小僧寿しは業績を伸ばし、トラブル解決後の一九七九年にはついにマクドナルドなどを抜いて日本の外食産業で売上高トップに躍り出る。この様子を見た入船は、なんと**終わったはずの話を蒸し返し、**再び小僧寿し本部に商標権を盾にして金をせびりにやってきたのである。

　この二度目の権利主張は相当あくどいものだった。まず入船は「小僧寿し本舗」なる、「小僧寿し本部」とよく似た商標出願を行い（後に無効化）、また子会社として「株式会社小僧寿し」を設立。「小僧」の商標権を保有していることをいいことに、あえて「小僧寿し」と紛らわしい商標や商号を使い、小僧寿し本部にプレッシャーをかけたのだ。

## 嫌がらせを繰り返す入船

　加えて小僧寿し本部の証言によれば、**「加盟店に電話でのイヤガラセ」**をされたり、「株式会社入船 小僧寿し対策本部」なる肩書の名刺を持った**「風体のよくない複数の男」**が店舗を訪れ、「店長でてこい」と叫ぶなどの「露骨な業務妨害」を行ったというのだから穏やかではない。同社が入船に抗議すると、入船は「応分の使用料を払え」「週刊誌が聞けば喜ぶだろう」と脅しをかけたという。（注5）これはもう**明らかにユスリの領域**であり、商標ヤクザの本性を現したなど評価せざるを得ない。

## ついには法廷での対決に

　そしてこうした脅しにも小僧寿し本部が屈しないと、ついに入船は一九八一年と八三年に、小僧寿し本部とそのフランチャイジー（サニーフーヅ社）を相手取り、彼らが使用する看板**（図1）**などが商標権侵害にあたるなどとして相次いで提訴し

図1

たのである。そこで入船が主張した損害額は、実に合計**一八億九七二〇万円**という巨額なもので、裁判ではそのうち二億六〇〇〇万円を請求している。

## 入船の主張は認められるのか？

　裁判における入船の主張は多岐にわたったが、要するに商標「小僧」と「小僧寿し」は類似するという一点がすべての基礎になっている。

　確かにこれは、理論的には間違っていない（「小僧」に一般名称の「寿し」を追加しただけなので類似するという理屈）。だが現実の裁判では、実際的な不利益が生じ得ないのにカネ目的で正当な商標使用者を脅かそうとする**商標ゴロが勝つことはない**。

　現にいずれの裁判においても、入船は完敗している。「『小僧』と『小僧寿し』が似ているのは当然。商標権侵害に間違いはない」という原則理論に固執した入船は、地裁から最高裁までしつこく争ったが、すべて敗訴し徒労に終わった。

## 商標ゴロは裁判に勝てない

　最高裁が類似性を否定した理由はこうだ。小僧寿しは、当時の外食産業を代表するほどの知名度を誇っており、「小僧寿し」といえば誰もが「あの有名な『小僧寿しチェーン』」を直ちに思い浮かべる状況に至っていた。この状況下では、「小僧寿し」と「小僧」はまったく混同されるおそれはなく、ゆえに類似しないと結論したのだ。

　もっとも小僧寿し本部の一部の看板に限って商標権侵害を認められている。それは単に「ＫＯＺＯ」としか書かれていなかった一部の看板で、まぁ「小僧」と「ＫＯＺＯ」とでは、類似が認定されるのもやむなしかもしれない。

　ところが、である。侵害と認めながらも、裁判所は**損害賠償は一切認めなかった**のである。

## 「小僧」は無価値な空っぽ商標

　その理由は、第一に入船の商標「小僧」は実質的に使用されておらず、**知名度もなく、業務上の信用もなく、顧客吸引力が**

**まったくなく、価値が認められない**こと。

第二に、小僧寿し各店の使用する「KOZO」デザインの看板はわずかな量で、しかもメインの看板はあくまで「小僧寿し」であって「KOZO」は副次的なデザインに過ぎず、「KOZO」の使用は、小僧寿し各店の売上に貢献していないとされたからである。以上から、入船には何らの損害も発生していないと結論づけた。

たまたま「登録しているだけ」の商標権に基づいて、それを使った第三者に金をせびっても**一円の得にもならない**ことが明らかになった瞬間である。使いもせず、信用の蓄積されていない商標権など、いくら持っていてもムダなのだ。

この事件で最高裁は**「商標権は〔…〕それ自体が財産的価値を有するものではない」**と断言している。ある意味で、事業に使用されていない商標権はすべてエセ商標権といっても過言ではないのだ。

使いもしないのに他人が使いそうな言葉をコレクションするように商標登録して、正当な使用者に迷惑をかけているブローカー連中が、胸に刻むべき判例である。

## 最悪！ エセ商標で営業妨害を仕掛けた大新聞社が失った信用と二億円

# 函館新聞事件

### 北海道新聞社 vs 函館新聞社（注1）

### あの有力地方紙が犯した大事件

北海道に住んでいる人以外にはピンと来ないかもしれないが、北海道における『**北海道新聞**』の存在感は強大だ。地方紙にして、道内では全国紙を含む全新聞の中でトップシェアを誇り、『読売新聞』『朝日新聞』などのメジャー紙も、道内では太刀打ちできていない。なお、これから述べる事件が起きた九〇年代の函館地区では、『北海道新聞』のシェアは八五％にものぼっていたという。

### 函館対策会議とは何か？

一九九四年、函館市において、市内で多角事業を営む地元有力企業、テーオー小笠原（現・テーオーホールディングス）の社長が中心となって、地域密着型の夕刊紙を創刊しようという動きが起こっていた。

この動きを察知した北海道新聞社は、翌月の役員会において、この新創刊の地方紙に市場を奪われないよう対策を講じる方針を固め、取締役級の役員で構成する、その名も**「函館対策会議」**を設置したのである。

ライバル紙の新創刊に際して、市場で先行していたプレイヤーが危機感を持ち、対策を考えること自体は通常のことであり、自由競争のあるべき姿である。函館市民にアピールできるように紙面を工夫するとか、営業を強化するとか、そのような対策であればどんどんやるべきだ。だが、北海道新聞社が採った対策は、エセ商標権を振り回すことだったのである。

## エセ商標で参入を妨害！

彼らがまずしたこととは、函館で新創刊される夕刊紙名に採用されそうなネーミングを、**片っ端から商標出願**することだった。具体的には、「函館新聞」「函館タイムス」「夕刊函館タイムス」「南北海道新聞」「道南新聞」「新函館」「夕刊函館」「函館毎日新聞」「函館日日新聞」の九つの商標を同時に出願している。

つまり、函館で新しい夕刊を創刊するならこれだろうという新聞紙名の商標をあらかじめ自社ですべて押さえてしまったのだ。

この行為について、北海道大学教授の吉田広志は、「**商標登録制度を利用した競争の抑圧にほかならない**[注2]」と評している。なお、これらの出願は、北海道新聞社の役員会の了承事項だったというから、**会社ぐるみの工作**だ。

## 函館新聞社の決意

そんな競争妨害工作が繰り広げられていることなど露知らず、テーオー小笠原の社長は、一九九五年一一月に新聞社を設立。その商号を「夕刊函館新聞社」とし、紙名は『函館新聞』を予定した。彼らが、北海道新聞社の商標出願を知ったのは、一九九六年四月、『函館新聞』創刊を公表する記者発表の直前だったという。

商標出願の存在を知って、一時は『函館新聞』の紙名を取りやめることも検討したそうだが、結局、彼らは『函館新聞』で押し通す決意を固めた。その経緯を、夕刊函館新聞社の編集制作局局長（当時）・浅井厚史は、以下のように振り返っている。

**もし、道新が「函館新聞」一つだけの商標登録を出願していたのならば、我々としても別の題号を使うことにしていたでしょう。無意味な軋轢は避けたかったですから。しかし、道新側は同時に九つも出願していまし**

た。〔…〕新聞の題字など、だいたい限られています。その考えられるほとんどの題字を出願していたんです。道新自体が、出願した全ての商標を使うことは常識的にありえません。〔…〕これが我々に対する道新の妨害行為であることは明らかでした。そもそもこんなやり口は、言論の自由に抵触する妨害行為です。

そうであれば、あえて私たちは「函館新聞」を使おう、そして、あとは公的な判断に任せようと覚悟を決めたんです。それに、この問題をきちんと世に問わなければ、新聞界の隅っこに身を置こうとしている私たちの存在意義がなくなってしまう。(注3)

このような覚悟のもとで、彼らは記者発表で予定通り『函館新聞』としての創刊を発表したのである。さらにその年の八月、夕刊函館新聞社は商号も「函館新聞社」に変更しており、ここにも**徹底抗戦の意気込み**が表れている。

## エセ商標権警告を断行する道新

さて、堂々と立ち向かわれた北海道新聞社はどうしたか。まったく悪びれずに、記者発表後から、実に毎月一回のペースで、函館新聞社へ計五通の警告書を送りつけたのである。もちろん、商標出願を根拠に「函館新聞」の使用中止を要求する内容で、応じなければ「損害賠償請求の行使をする用意がある」などと脅しもかけている。

しかし、後に当局も認めるように、こうした不正目的の商標出願は無効であり、権利行使は法的に認められない。そのことを見抜いた函館新聞社は、警告書に対して一切の無視を決め込んでいる。

## 嫌がらせを次々に繰り出す道新

北海道新聞社も、こうなればもうそろそろあきらめて、正々堂々と紙面の中身で勝負するのがマトモな思考というものだが、そうではなかった。驚くべきことに、函館新聞社に対するさらなる妨害工作を次々と畳みかけてきたのである。

彼らはまず、取引先の時事通信社に接触し、函館新聞社にニュースを配信しないよう圧力をかけた。地方紙の多くが、全国のニュースについては時事通信社から記事の提供を受けている。これがなければ、文字通り函館市内だけの出来事しか報じられなくなり、それでは新聞として成り立たない。

さらに、テレビ北海道に対し、函館新聞のCMを放送しないよう、やはり圧力をかけている。おそらく先の商標出願を根拠にしたと思われるが、**CMで「函館新聞」の文言を使わないように要請**したのだ。しかし『函館新聞』のCMだというのに、「函館新聞」の文言が使えなければ宣伝として成り立たない。

加えて、自らの『北海道新聞』の函館版の広告料金を、損失が出るほどに値下げし、これによって競合する『函館新聞』がまともな値段で広告契約を取れないように仕向けている。いわゆるダンピング（不当廉売）である。広告収入は新聞社経営の生命線である。これを断たれれば経営が成り立たない。

地方紙とはいえ大新聞社がやったこととはとても信じられないが、これらはいずれも後に公正取引委員会が認定した事実である。

この他にも、製紙会社に圧力をかけて函館新聞社に紙を供給しないように要請したり、函館新聞社の記者クラブへの参加を妨げたりと、さまざまな工作があったといわれている。いやはや、**もはややっていることが悪の組織**のそれではないか。とんでもない話である。

## 嫌がらせに屈しない函館新聞

しかしいずれの妨害工作にも、函館新聞社は屈しなかった。頭を悩ませつつも、全国ニュース配信は、読売新聞社と朝日新聞社から記事の転載許可を取り付け、紙は海外から輸入するなど、工夫して危機を乗り越えている。こうして一九九七年一月一日に、無事に『函館新聞』は刊行されたのである。

同時に彼らは、北海道新聞社に対して反撃の狼煙を上げた。まずは特許庁に対し、北海道新聞社による「函館新聞」の商標出願は、函館新聞社の参入を妨害するための不正出願であり、登録されるべきではないとして異議を申し立てた。また、公正取引委員会に対して、商標出願から始まる一連の妨害工作が、**独占禁止法に違反している**として、審査を申告したのである。

## 函館新聞の反撃開始だ！

結果はどうなったか。もちろん、函館新聞社の主張が認められている。特許庁は、北海道新聞社が、「函館新聞」他、九件も同時に紙名を出願していたことについて、「**同一地域で同一人が商標の異なる新聞を発行したり、商標を次々に変更することは商慣習上考えられない**」とし、同社の出願は「函館新聞社の選択を必要以上に制限するもの」とその目的を断罪した。これにより、「函館新聞」などの商標出願は「公正な競業秩序に反し、公序良俗を害する」ものと見なし、登録を拒絶したのである。これで商標の問題は解決だ。

## 公取も道新を「クロ」と認定

続いて公正取引委員会は、北海道新聞社による一連の行為について、やはり「［函館新聞社の］**事業活動を排除することにより、公共の利益に反して、函館地区における一般日刊新聞の発行分野における競争を実質的に制限しているもの**」と断じている。すなわち、同社の行為は独占禁止法違反に該当すると認定したのである。

つまり特許庁も公正取引委員会も、北海道新聞社を揃って「クロ」と判断したというわけだ。こうなるともう言い逃れはできない。

ところが北海道新聞社は、ここに至ってもまだ自社の紙面やメディアでの取材で「**われわれが出願した商標登録については、絶対に譲れません。堂々と当社の主張をしますよ**(注4)」などと強弁し、当局に不服を申し立てるなどしていた。往生際が悪いとしかいいようがない。

## ついに道新が敗北を認める！

このため、両者の溝はまったく埋まらず、公正取引委員会の認定を後ろ盾にした函館新聞社は、妨害工作によって受けた損害賠償を求めて北海道新聞社を訴えている。

この訴訟は、最終的には**北海道新聞社が当局の認定をすべて受け入れ、**さらに**函館新聞社に二億二〇〇〇万円もの和解金を支払う**という内容で和解となった。実質的には函館新聞社の勝訴といえよう。

この和解が成立したのは二〇〇六年。北海道新聞社の妨害工作が始まった一九九四年から、実に一二年にもわたる戦いの末、事件はようやく収まるべきところに収まったのである。

**過剰権利主張による参入妨害**

知的財産権の力を正当に駆使することによって、自分と競合する他社の営業や表現を合法に制限することができる。「似た商品をつくるな！」「同じ名称を使うな！」などと堂々と主張することができるのである。このような知的財産権の効果について、「参入障壁を築くことができる」と説明される。

しかし、「参入障壁」というのは先行権利者の立場からすればば聞こえはよいが、参入を妨げられる側からすれば「参入妨害」だ。自由競争を市場経済の基本原則とする現代社会において、参入妨害は自由競争を歪める行為であり、本来であれば、独占禁止法違反にもなり得るものだ。

正当な知的財産権の行使が独占禁止法違反にならないのは、独占禁止法が「知的財産権の行使と認められる行為」を、独占禁止法の規制対象外と定めているからだ（二一条）。

しかし、一見「知的財産権の行使」に見えても、その実態が度を越えた不正な「エセ知的財産権」の行使だった場合には、原則通り独占禁止法違反となり得るというのは、本事件の結末に見た通りである。

**エセ商標権は自由競争を歪める**

エセ商標権者は、形式的に商標権を持っているという一点から、**我こそが絶対的に正義であると妄信**し、行き過ぎたクレームや権利行使をしてしまう。だが、その実態は他社に対する不当な参入妨害であり、自由競争を歪める不正な行為なのである。

後発商品や、自身の商標を用いた他人の表現に対して「気に入らない」と感じたとき、この自覚を持たないと、思わぬしっぺ返しを喰らうことになるだろう。その自覚を欠き続けた代表選手が、このときの北海道新聞社なのである。

## エセ商標権と戦う知恵と勇気

そして改めて事件を振り返ると、函館新聞社が、北海道新聞社の商標出願に気付いたとき、それでも『函館新聞』の紙名をあきらめずに、**戦う覚悟を決めた判断**が光っている。

現に商標出願されているという事実があり、それに基づく警告書が何通も送られてくる中、警告を無視し続けることは、勇気が要ったと思う。表面的には商標権侵害に見えてしまうからだ。九つも商標を押さえられていたとはいえ、屈服して別の紙名を採用することだって、やろうと思えばできたはずだ。

そのような状況にあって、相手の商標出願や警告を正しく「エセ商標権」であると見抜き、理不尽な嫌がらせに屈しない姿勢を示し、警告を無視して戦い、そして勝ったのである。

エセ商標権者からの攻撃に悩まされる者が、函館新聞社の姿勢から学ぶべきことは多い。

## 《あとがき》

「言葉は生き物」。本書で何度か書いたフレーズだ。新しいテクノロジーの誕生や価値観の変容、流行の発生などに伴い、新しい言葉が次々に生まれ、その意味や受け止められ方も時代によってどんどん変化していく。

エセ商標権について一冊の書籍で論じることの難しさはここにある。執筆時点で、特定事業者の固有のブランド名として信じられている言葉が、何年か後には、誰もが自由に使えて当たり前の一般名称として受容されていることはあるだろう。逆に、執筆時点で一般名称やありふれたマークや単なる色彩だと思われているものが、いずれ特定企業の固有のブランドだと認識されることもあり得る。

つまり「本物の商標」が「エセ商標」に変化することもあるし、その逆もあるということだ。ある言葉やマークの評価（法的評価も含め）が、ブランドなのか、はたまたエセ商標権なのかは、時代によって変わり得るのである。

したがって、例えばこの本を発行から五年後に手に取ってくれた読者、一〇年後に図書館で借りて読んでくれた読者、もしかしたら五〇年後、一〇〇年後にどこかの公的なデジタルアーカイブなどで読んでくれている読者もいるかもしれないが、将来の読者がこの本を読んだときに、「この言葉は全然エセ商標権じゃないんじゃない？」「当然、どこどこの会社の独占権だよね？」という感想を抱くこともあり得るということだ。

それどころか、同じ商標についての裁判なのに、その後の情勢の変化によって、本書で紹介した判決とは真逆の結論が出ていることすら、あってもおかしくはない。

とはいえ、エセ商標権が本当のブランドに転じる、すなわち法的にも特定人が独占し得る状況に至るには、権利主張者は気の遠くなるような時間をかけて、根気強くブランドとしての訴求を続け、人々の意識を自然に塗り替えていく必要がある。これは容易なことではない。現実には、功を焦ったエセ商標権者が暴走し、ムリヤリな権利主張で社会を困惑させていることが多いのは、本書で示した通りである。

このようなエセ商標権者の主張を正当なものだと誤解し、唯々諾々と一般名称や一般表現の使用を控えてしまうことは、本人にとって損であるばかりか、「エセ商標」を「本物の商標・ブランド」に転化させる手助けになってしまう。社会が、エセ商標権者による言葉の独占を事実上許してしまえば、その状態はいつしか法的にも肯定され得るのだ。

言葉は生き物だ。だからこそ、エセ商標権を「エセ」のままで留めるためには、正しい知識でエセ商標権に対抗し、みんなが使えるべき言葉を、勇気を持って使い続けることが必要なのだ。その勇気を出すために、本書が読者の背中を少しでも押すことができれば、著者として嬉しく思う。

最後に、個人的な事を。エセ商標権によって言葉の自由を奪われるトラブルは身近な問題だが、裁判事件全体からすると、商標権が争点になる事件は少ない。ゆえに商標を専門とする法律家（企業法務、弁護士、弁理士、学者など）の数も、決して多くはない。その結果、何が起こったか。本書で取り上げたエセ商標権事件のいくつかは、筆者の知人・友人（世話になっている弁護士や、仲のいい企業の法務担当者など）が当事者や代理人として関与しているという事態になったのだ。

知人が関わった事件だからといって妙な遠慮はしたくない。エセ商標権者側の場合でも、被害者側の場合でも、それぞれの対応について率直に批評させて頂いた。それでも、何人かの知人の笑顔や恩義がどうしても思い浮かんで、最後の最後まで何度も書き直したところがある。

もし読者から見て、他のページに比べて歯切れの悪い原稿があったとしたら、そういうことである。

いや、本人からしてみれば「もっと遠慮してくれよ」と思うむきもあるかもしれませんが、これが限界でした。友情に免じてご寛容下さった（勝手に決めてる）知人・友人の皆さまと、前作に続き、親身かつ丁寧に完成まで発破をかけてくださった編集者の濱崎誉史朗氏に、厚く御礼申し上げます。

二〇二三年一〇月二五日　友利 昴

# 《主要参考文献》


茶園成樹、田村善之、宮脇正晴、横山久芳（編）『商標・意匠・不正競争判例百選［第2版］』（有斐閣）二〇二〇年

堀田頁得、大亀哲郎『編集者の危機管理術』（青弓社）二〇一一年

竹田稔、服部誠『知的財産権訴訟要論（不正競業・商標編）［第4版］』（発明推進協会）二〇一八年

髙部眞規子『実務詳説 不正競争訴訟』（金融財政事情研究会）二〇二〇年

髙部眞規子『実務詳説 商標関係訴訟』（金融財政事情研究会）二〇一五年

小林十四雄（編）『商標の法律実務』（中央経済社）二〇二三年

上野達弘「著名商標のパロディ」（『別冊パテント』第二一号、日本弁理士会、二〇一九年）

大塚理彦「パロディ商標再考」（『パテント』Ｖｏｌ．七四 二〇二一年八月号、日本弁理士会、二〇二一年）

茶園成樹「商標・商品等表示の混同が生じない場合の特別な保護」（『別冊パテント』第二五号、日本弁理士会、二〇二〇年）

友利昴「『悪意の商標出願』は、本当に『悪意』で出願されているのか」（『商標懇』Ｎｏ．一一六、特許庁商標懇談会、二〇一八年）

図3　日本商標 5217536 号公報（オカモト株式会社）
図4　「サガミオリジナル」（相模ゴム工業）
図5　「iX［イクス］」（ジェクス）
図6　「サンシー ノンラバー」（第一三共ヘルスケア）
図7　「フジラテ」（不二ラテックス）
図8　「オカモトゼロツー」（オカモト）

**小僧寿し事件**

図1　山木益次『寿し革命 小僧寿しの大進軍』（サンケイ新聞社）1979 年 口絵

図2　『Japan Kewpie Club News』Vol.8 1997 年 12 月 15 日（日本キューピークラブ）p. 4
図3　岩崎ちひろ『まりちゃんときゅーぴーさん』（岩崎ちひろ）1965 年
図4-1　1955 年頃の日本興業銀行の広告（『宣伝デザイン』1955 年 4 月号、p. 16）
図4-2　1984 年頃の日本興業銀行のマスコットキャラクター（大澤秀行『キューピー物語』1984 年、講談社、p. 48）
図5　牛乳石鹸共進社「キューピーベビーシリーズ」https://www.kewpie-baby.jp/product/
図6　キユーピー社ロゴマーク
図7　コスモマーチャンダイズィング「The Kewpies」http://www.cosmomerchan.co.jp/property/ ザ・キューピーズ /

**逆さミッキーマウス事件**

図1　ミッキーシルエット
図2　東京ディズニーリゾート公式 YouTube チャンネル https://www.youtube.com/user/tdrofficialchannel
図3　筆者私物
図4　日本商標 6303837 号公報（株式会社青木松風庵）
図5　進士慶幹、加藤秀幸『日本の家紋』（人物往来社）1964 年 p.126
図6　日本商標 5402848 号公報（キャットブレッド・インコーポレイテッド）
図7　Spotify deadmou5　https://open.spotify.com/intl-ja/artist/2CIMQHirSU0MQqyYHq0eOx

**正露丸事件**

図1　「正露丸」（大幸薬品）／口絵 14 頁
図2　「イズミ正露丸（2005 年）」（和泉薬品工業）（大阪地裁平成 17 年（ワ）11663 号判決文別紙）／口絵 14 頁
図3　『判例タイムズ』No. 269（判例タイムズ社）p. 207（日本商標 455094 号）
図4　日本商標 545984 号公報（大幸薬品株式会社）
図5　「三和正露丸」（三和薬品工業）／口絵 14 頁
図6　「正露丸」（キョクトウ）／口絵 14 頁
図7　「正露丸」（松田薬品工業）／口絵 15 頁
図8　「松葉正露丸」（松本製薬工業）／口絵 15 頁
図9　「本草正露丸」（本草製薬）／口絵 15 頁
図10　「ダイイチ正露丸糖衣錠」（渡邊薬品）／口絵 15 頁

**0.02 コンドーム事件**

図1　「オカモトゼロワン」（オカモト）（東京地裁令和元年（ワ）21592 号事件判決文別紙）／口絵 16 頁
図2　「うすぴた久楽邦」（ジャパンメディカル）（東京地裁令和元年（ワ）21592 号事件判決文別紙）／口絵 16 頁

**ザ・ローリング・ストーンズ ベロマーク事件**

図1　ザ・ローリング・スローンズ ベロマーク（ジーユー 2019 年 2 月 5 日「『ザ・ローリング・ストーンズ』のモチーフを起用したアイテムが登場！」https://www.gu-japan.com/jp/corp/company/pressrelease/pdf/190205_TheRollingStonescollaboration_02.pdf）／口絵 8 頁

図2　日本商標 5116209 号公報（有限会社アップライズ・プロダクト）／口絵 8 頁

**クリスチャン・ルブタン事件**

図1　Harrods “Christian Louboutin So Kate Patent Leather Pumps” https://www.harrods.com/en-gb/shopping/christian-louboutin-so-kate-patent-leather-pumps-120-16621104 ／口絵 9 頁

図2　1st DIBS “Yves Saint Laurent Red Leather Tribtoo Platform Pumps” https://www.1stdibs.co.uk/fashion/clothing/shoes/yves-saint-laurent-red-leather-tribtoo-platform-pumps-size-37/id-v_5651821/ ／口絵 9 頁

図3　映画『オズの魔法使い』で使われた赤い靴（FBI YouTube “Smithsonian Assists FBI in Minnesota Ruby Slippers Case” https://www.youtube.com/watch?v=KqRQL4D5Cvo）／口絵 10 頁

図4　イアサント・リゴー「ルイ 14 世の肖像」（1701 年）／口絵 10 頁

**第二・クリスチャン・ルブタン事件**

図1　日本商標 2015-029921 号公報（クリスチャン・ルブタン）／口絵 11 頁

図2　EIZO「ポインテッドプレーンパンプス EJ19009」 https://eizo-collection.com/products/eizo- ポインテッドプレーンパンプス -ef19009 ／口絵 12 頁

図3　DIANA「シンプルパンプス U19207」https://www.dianashoes.com/shop/g/g184131900011/ ／口絵 12 頁

図4　SEVEN TWELVE THIRTY「エナメルパンプス（ブラックエナメル）SE548BW10304」https://seventwelvethirty.jp/commodity/SSTR0054D/SE548BW10304/ ／口絵 12 頁

図5　Metal Rouge「ジュエリーヒールパンプス 8115」https://www.comex.shop/view/item/000000000477 ／口絵 12 頁

図6　『GLAMOROUS』（講談社）2008 年 10 月号 p.204

図7　LA' VITA FELICE「CHANEL ハイヒールサンダル」http://lavitafelice.jp/?pid=77955446 ／口絵 13 頁

図8　LOCOLET「Salvatore Ferragamo TURSI（LIPSTICK）」https://www.locondo.jp/shop/commodity/SNAC0448D/S03469BW00250/ ／口絵 13 頁

図9　高田喜佐『Shoe, Shoe PARADISE』（リブロポート）1991 p. 40 ／口絵 13 頁

図10　〔撮影〕ギイ・ブルダン、アリソン・M. ジンジャラス『ギイ・ブルダン』（ファイドン）2006 p. 44（1979 年春シャルル・ジョルダンの広告）

**キューピー人形事件**

図1　Rose O'Neill “The Kwepies' Christmas Frolic” 1909

図1　「サラダのプロがつくった お酒によく合うポテトサラダ」（ケンコーマヨネーズ）（東京地裁平成27年（ワ）28027号判決文別紙）／口絵5頁

図2　「大人のポテサラ倶楽部 お酒に合うアンチョビポテト」（カネハツ食品）（東京地裁平成27年（ワ）28027号判決文別紙）／口絵5頁

**大羽いわし事件**

図1　「大羽いわし しょうゆ味」（信田缶詰）（信田缶詰「信田缶詰がいわしにこだわる理由」http://www.fis-net.co.jp/shida/shida6/shida6_2.html）

図2　「大羽いわし しょうゆ煮」（マルハ）（『月刊TIMES』2004年12月号、月刊タイムス社、舘澤貢次「大手水産マルハのあこぎな商法」p. 42）

**コラム⑥日本で最初のエセ商標権事件とは？**

図1　「ウィルキンソン タンサン 缶250ml」（アサヒ飲料）

## 第四章 エセ商標権に立ち向かう知恵と勇気！

**市松模様の数珠袋事件**

図1　LOUIS VUITTON「N63208 ポルトフォイユ・サラ ダミエ・アズール」https://jp.louisvuitton.com/jpn-jp/products/sarah-wallet-damier-azur-canvas-008385/N63208／口絵6頁

図2　Amazon.co.jp 滝田商店 数珠袋　https://www.amazon.co.jp/dp/B0058TCTH0／口絵6頁

図3　LOUIS VUITTON「M62234 ポルトフォイユ・サラ モノグラム」https://jp.louisvuitton.com/jpn-jp/products/sarah-wallet-monogram-007824/M62234／口絵7頁

図4　杉本一樹『正倉院宝物181点鑑賞ガイド』（新潮社）2016年p. 20／口絵7頁

**フランク三浦事件**

図1　フランク三浦 零号機（復刻改）FM00DC-CRWH レインボーホワイト https://tensaitokeishi.jp/shopdetail/000000000456/ct3/page1/order/

図2　FRANCK MULLER AETERNITAS1　https://franckmuller-japan.com/watch/detail/?id=371

図3　日本商標5517482号公報（株式会社ディンクス）

**メリー・ポピンズ事件**

図1　ティンカーベル広告（Bizloop「株式会社ティンカーベル 千葉店」https://www.bizloop.jp/h992521/s1/）

図2　ディズニー「ティンカー・ベル」https://www.disney.co.jp/fc/peterpan/character/tinker-bell

図3　Mary Poppins「メアリーポピンズについて メアリーポピンズの特徴」https://www.marypoppins.co.jp/corporate/trait/

図4　DVD「メリー・ポピンズ」（ブエナ・ビスタ・ホーム・エンターテイメント）

karadamainte.com/stretch.html

図3　国際ボディメンテナンス協会　https://ibma.asia/

**ボクササイズ事件**

図1　日本商標 3096779 号公報（有限会社ボクササイズ協会）

図2　『広報ふじさわ』2015 年 1 月 25 日号（藤沢市）p. 7

図3　『日経ヘルス』2018 年 2 月号（日経 BP 社）「お腹やせボクササイズダイエット」pp. 18-19

図4　『FLASH』2018 年 5 月 1 日号（光文社）「関水渚 趣味はボクササイズ」p. 9（撮影：唐木貴央）

**携帯電話マナーマーク事件**

図1　「FOMA SO703i 取扱説明書」（NTT ドコモ、ソニー・エリクソン・モバイルコミュニケーションズ）p. 324

図2　日本商標 4710768 号公報（株式会社ガブリエル）

図3　日本商標 3321420 号公報（徳田吉泰）

**受話器マーク事件**

図1　国際商標 1058208 号公報（Apple Inc.）

図2　カシムラ「非常電話案内板」https://www.kashimura.com/rd/pdf/TEL-LR.pdf

図3　能登「非常電話表示灯 S7」https://www.noto-co.jp/product/s/s7/

図4　フジテック「フジテック応答灯付きインターホン呼びボタン」https://www.fujitec.co.jp/products/new_construction/xior/feature_4

図5　日本商標 5827628 号公報（エヌ・ティ・ティ・コミュニケーションズ株式会社）

図6　日本商標 5827628 号公報（ワッツアップ エルエルシー）

図7　『週刊新潮』2011 年 11 月 3 日号「弱っている経済界が爆発する！『受話器マーク』に著作権ありで賠償金 1 兆円を払う企業」p. 51 で「登録された受話器マーク」として紹介された図柄

図8　登録番号 19532 号登録事項記載書類に基づき筆者作成

図9　「登録の手引き 著作権に関する登録をお考えの方へ」（文化庁著作権課）2019 年 7 月 p. 20

図10　笹川スポーツ財団『スポーツ歴史の検証（2017 年度版）』（笹川スポーツ財団）2018 年 p. 98

**天使の卵事件**

図1　〔原作〕村山由佳、〔作画〕池谷里香子『天使の卵―エンジェルズ・エッグ―』（集英社）2006 年 奥付

**Kurobo 事件**

図1　〔編〕週刊光源氏編集部『週刊光源氏』（小学館）2000 年

図2　〔編〕週刊光源氏編集部『週刊光源氏』（小学館）2000 年 p. 1

図3　日本商標 6739457 号公報（花王株式会社）

**お酒によく合うポテトサラダ事件**

**図表出典**

**バターはどこへ溶けた？事件**

図1　スペンサー・ジョンソン、〔訳〕門田美鈴『チーズはどこへ消えた？』（扶桑社）2000年／口絵5頁

図2　ディーン・リップルウッド『バターはどこへ溶けた？』（道出版）2001年／口絵5頁

## 第三章 騙されるな！ 商標権に万能の力はない

**阪神優勝事件**

図1　日本商標4543210号公報（田澤憲仁）

図2　『FRIDAY』2003年9月12日（講談社）「“大失速”の阪神！『タイガースはこんなにヘンだ!!』p. 21

図3　阪神タイガース優勝マーク（2003年）

**ゆっくり茶番劇事件**

図1　柚葉YouTube「※重要告示※「ゆっくり茶番劇」商標使用に関する要綱(ガイドライン)動画版」https://www.youtube.com/watch?v=q1Hp09MCI4I

図2　柚葉/Yuzuha X (Twitter)　https://twitter.com/Yuzuha_YouTube/status/1529009480767156225

**銃夢ハンドル事件**

図1　「銃夢～火星の記憶～」（バンプレスト）

**Bamily Mart 事件**

図1　『ビッグコミックオリジナル』2004年9月20日号（小学館）〔原作〕矢島正雄、〔作画〕中山昌亮「PS―羅生門―」p. 216

図2-1　『ビッグコミックオリジナル』2004年9月20日号（小学館）〔原作〕矢島正雄、〔作画〕中山昌亮「PS―羅生門―」p. 209

図2-2　『ビッグコミックオリジナル』2004年9月20日号（小学館）〔原作〕矢島正雄、〔作画〕中山昌亮「PS―羅生門―」p. 231

図3　〔原作〕矢島正雄、〔作画〕中山昌亮『PS―羅生門― 第8巻』（小学館）p. 5

**ANOWA 事件**

図1～3　東京地裁令和2年（ワ）19840号判決文別紙

図4　日本商標6599889号公報（株式会社アノワ）

**エノテカ事件**

図1　yn「I LOVE 麻生十番」2008年12月19日「麻布十番『エノテカ・キオラ』」http://blog.livedoor.jp/yunasy/archives/51299169.html

図2　東京地裁平成15年（ワ）1521号判決文別紙

**ストレッチトレーナー事件**

図1　日本商標5840729号公報（株式会社SSS）

図2　メイド・イン・ジャパン「カラダメンテ養成スクール」https://school.

図12　川上文代『レンチンおかず作りおき おいしい188レシピ』（新星出版社）2017年／口絵4頁

**アディダス三本線事件**

図1　adidas ONLINE SHOP　https://shop.adidas.jp/item/
図2　国際商標836756号公報（adidas AG）
図3　国際商標699437A号公報（adidas AG）
図4　日本商標4913996号公報（株式会社ニッセンホールディングス）
図5　日本商標6016240号公報（株式会社丸紅フットウェア）
図6　米国商標86960133号公報（TESLA, INC. CORPORATION）
図7　TESLAロゴマーク
図8　Tesla Model 3　https://www.tesla.com/model3
図9　EU商標012442166号公報（adidas AG）
図10　European Union General Court "Case T-307/17" Adidas AG, Marques v. Europe Union Intellectual Property Office, Shoe Branding Europe BVBA
図11　Thom Browne　https://www.thombrowne.com/us/shopping/classic-long-wingtip-brogue-with-grosgrain-strap-12000835
図12　Thom Browne　https://www.thombrowne.com/us/shopping/black-pebbled-4-bar-applique-brogue-14121756
図13　Black Lives Matter Global Network Foundation　https://blacklivesmatter.com/
図14　adidas Facebook 2013年2月7日　https://www.facebook.com/adidas/photos/a.340671052622487/535199979836259/

**ユンゲラー事件**

図1　ポケモンずかん「ユンゲラー」https://zukan.pokemon.co.jp/detail/064
図2　ポケモンずかん「サワムラー」https://zukan.pokemon.co.jp/detail/106
図3　ポケモンずかん「エビワラー」https://zukan.pokemon.co.jp/detail/107
図4　ポケモンカード「ユンゲラー」
図5　イエローバッジ
図6　ナチス親衛隊ロゴ
図7　アニメ『ポケットモンスター』第22話「ケーシィ！ちょうのうりょくたいけつ！」（監督：日高政光）
図8　ESPカード
図9　"1995 IKEA Catalogue" (IKEA) 1995 p. 261 (IKEA Museum　https://ikeamuseum.com/en/explore/ikea-catalogue/1995-ikea-catalogue/)
図10　Uri Geller X (Twitter)2020年12月21日　https://twitter.com/theurigeller/status/1340966798867525632

**ビジネスサポート事件**

図1　ビジネスサポート協同組合　https://www.bsknet.net/
図2　協同組合ビジネスサポート　http://www.k-b-s.or.jp/

図表出典

図 1　己抄呼～ Misako ～オフィシャルサイト Works（2016 年頃）http://www.misako-kaqila.com/works.html
図 2　〔監修〕古谷暢基『5 分で効く！効く！ルーシーダットン』（山海堂）2007 年 奥付
図 3　〔監修〕古谷暢基『乾貴美子のがんばらないで最短キレイ！ ルーシーダットン』（自由国民社）2006 年 p. 5

**ELLEGARDEN 事件**

図 1　『ELLE』2023 年 6 月号（ハースト婦人画報社）
図 2　ELLEGARDEN「Don't Trust Anyone But Us」（dynamord）帯
図 3　ELLEGARDEN「Don't Trust Anyone But Us」（dynamord）
図 4　ELLEGARDEN「Don't Trust Anyone But Us」（dynamord）再出荷版
図 5　ELLEGARDEN SPACE SONIC TOUR 2005-2006 ツアー T シャツ
図 6　日本商標 4053601 号公報（アシェット・フィリパキ・プレス・ソシエテ・アノニム）

**グッチ裕三事件**

図 1　『グッチなごはん』（『女性セブン』2000 年 11 月 29 日号別冊）（小学館）表紙

**ペンパイナッポーアッポーペン事件**

図 1　EU 商標 013115076 号公報（Pear Technologies Limited）
図 2　イタリア商標 502015000025073 号公報（Pineapple S.N.C. DI Matteo Lavaggi & C.）
図 3　米国商標 87484835 号公報（Banana Pay, LLC）
図 4　ピコ太郎「PPAP」（avex trax）
図 5　筆者私物

**やせるおかずの作りおき事件**

図 1　柳澤英子『やせるおかず 作りおき』（小学館）2015 年／口絵 4 頁
図 2　松尾みゆき『やせるおかずの作りおき かんたん 177 レシピ』（新星出版社）2017 年／口絵 4 頁
図 3　〔編〕色のスタジオ『組み合わせ自由自在作りおきレンチンおかず 353』（西東社）2018 年
図 4　矢作千春『春夏秋冬の野菜の作りおき』（そらふブックス）2017 年
図 5　市瀬悦子『ラクちんおかず作りおき 200』（主婦と生活社）2017 年
図 6　『やせるおかず BEST200』（椛出版社）2016 年
図 7　本田明子『野菜おかずの作りおき』（学研プラス）2017 年
図 8　夏梅美智子『作りおきの便利帳』（主婦の友社）2014 年
図 9　スガ『つくりおき副菜』（マイナビ出版）2022 年
図 10　岩崎啓子『野菜おかず作りおき かんたん 217 レシピ』（新星出版社）2016 年／口絵 4 頁
図 11　齋藤真紀『簡単おかず作りおき おいしい 230 レシピ』（新星出版社）2016 年／口絵 4 頁

図６　日本商標 226416 号公報（ディズニー・エンタープライゼズ・インク）

図７　日本商標 982917 号公報（ディズニー・エンタープライゼズ・インク）／口絵２頁

図８～10 カイカイキキ 2006 年４月 24 日「現代美術家 村上隆が訴訟提起した著作権侵害事件の和解による終了について」http://www.kaikaikiki.co.jp/news/list/murakamis_lawsuit/ ／口絵２頁

## 第二章 当惑！ あの人の意外な独占欲

**クリスタルキング事件事件**

図１　『読売新聞』2008 月８月７日「ザ・エターナル・ソングス・コンサート」広告

図２　田中昌之オフィシャルサイト スタッフブログ 2014 年４月 20 日「417 関内ホール元クリスタルキング同窓会ライブ」 http://www.tanakamasayuki.net/staff-blog/live/20140420132950.html

**ピンク・レディー de ダイエット事件**

図１　『女性自身』2007 年２月 27 日号（光文社）「ピンク・レディー de ダイエット」

図２　『ピンク・レディーフリツケ完全マスター DVD 2』（講談社）2004 年

**ねこねこ日本史事件**

図１　『ねこねこ日本史』第 64 話「破天荒シンガー、高杉晋作！～破天荒度ＭＡＸ編～」（監督：河村友宏）

図２　『ねこねこ日本史』各話紹介：第 64 話 https://neco-neco.jp/story.html?63#s64

図３　日本商標 6231686 号公報（株式会社パワープレイミュージック）

図４　バーバラ寺岡『健康法地獄の害度ブック』（角川書店）1988 年

**さかなクンの帽子事件**

図１　さかなクンオフィシャルサイト プロフィール　http://www.sakanakun.com/profile/

図２　ふぐキャップ（筆者私物）／口絵３頁

図３　日本商標 5169970 号公報（株式会社アナン・インターナショナル）／口絵３頁

**MISIA 事件**

図１　『週刊 SPA!』2000 年３月 29 日号（扶桑社）「今週の所有権 ミーシャ」（撮影：大倉裕一）

**カルピス・アルプス事件**

図１　嶽本野ばら『カルプス・アルピス』（小学館）2003 年

図２　『IKKI』2003 年４月号（小学館）嶽本野ばら「カルピス・アルプス」（絵・田仲容子）

**ルーシーダットン事件**

図１　The Nation 2006. 5. 27 "Govt twists and shouts with Tokyo over trademark move"

**第二・ルーシーダットン事件**

## 図表出典

**朝バナナダイエット事件**

図1　はまち。『朝バナナダイエット』（ぶんか社）2008年

図2　ぽっちゃり熟女ゆっきーな『朝バナナダイエット成功のコツ40』（データハウス）2008年

**目玉アートの世界観事件**

図1　村上隆「そして、そしてそしてそしてそして（レッド）」1995年（『村上隆完全読本』p. 75）

図2　イッセイミヤケのジャケットに採用された村上隆の目玉アートワーク（カイカイキキウェブサイト）https://www.kaikaikiki.co.jp/importantnotification/45/

図3　村上隆「メメクラゲ」（部分）2001年（『村上隆完全読本』pp. 188-189）

図4　きゃりーぱみゅぱみゅ「PON PON PON」ミュージックビデオ（監督：田向潤）

図5　『第63回紅白歌合戦』（NHK）2012年12月31日放送

図6　「豆しぱみゅぱみゅ」リールパスケース（キューブ）http://www.cube-works.co.jp/works/index_sub.html?/works/mamepamyu/index.html

図7　サンスター「Ora2」CM（2013年）

図8　「神戸アニメストリート」ロゴマーク（コードギアス 亡国のアキト「『コードギアス 亡国のアキト』と『神戸アニメストリート アニソンカフェ SIDE28』がコラボ決定！」https://geass.jp/akito/special6.html）

図9　日本商標2572607号公報（株式会社タミヤ）

図10　村上隆「サインボード TAKASHI」1991年（『村上隆完全読本』p. 461）

図11　『ヤッターマン』「第4話 北極海のアザラシだコロン」（演出：奥田誠治、長谷川康雄）

図12　村上隆「タイムボカン」1993年（『村上隆完全読本』p. 36）

図13　『劇場版 銀河鉄道999』1979年（監督：りんたろう）

図14　村上隆「ズザザザザザ」1994年（『村上隆完全読本』p. 269）

図15　『シックスハートプリンセス』Kaikai Kiki “6HP (Six Hearts Princess) PV” https://www.youtube.com/watch?v=Fcn0tj_6sbl

図16　『ハートキャッチプリキュア』Blu-ray BOX Vol. 1（マーベラス）

図17　村上隆「お花」（『村上隆完全読本』表紙）

図18　清原「プレーンスマイリー ホワイト」https://www.kiyohara.co.jp/store/product/brand/smiley-face/smileyface-smif-07

**マウスくん事件**

図1　PR TIMES 株式会社ナルミヤ・インターナショナル 2021年9月10日 https://prtimes.jp/main/html/rd/p/000000025.000066361.html

図2　マウスくんが使用された子供服（筆者私物）／口絵2ページ

図3　日本商標4624750号公報（株式会社ナルミヤインターナショナル）

図4　日本商標4636138号公報（株式会社ナルミヤインターナショナル）

図5　日本商標4636139号公報（株式会社ナルミヤインターナショナル）

図 1　日本商標公告 2349 号公報（夏目純一）

**断捨離事件**

図 1　『ナカイの窓』（日本テレビ）2018 年 8 月 15 日放送

図 2　ミニマリストラボ／ハンド「断捨離『謝罪』商標権のある 3 文字使用」 https://www.youtube.com/watch?v=h5YhNj4rECI

図 3　『婦人公論』2023 年 1 月号（中央公論新社）p. 25

図 4　『ENTAME』2022 年 9・10 月号（徳間書店）「菊池姫奈 空に舞う金魚」p.45（撮影：桑島智輝）

**第二・断捨離事件**

図 1-1　Dan・Sha・Ri 銀座　https://dan-sha-ri.com/

図 1-2　Dan・Sha・Ri 銀座「ダンシャリギンザ流 断捨離のススメ！」 https://dan-sha-ri.com/blog/danshari-susume/

図 2　銀座急送「暮らしのネットワーク」 https://www.kurasi-net.jp/members/chuou/

図 3　やましたひでこオフィシャルブログ「断捨離 断捨離で日々是ごきげんに生きる知恵」2016 年 6 月 16 日「パワーヨガと沖ヨガと太陽礼拝体操と。」 https://ameblo.jp/danshariblog/entry-12171381927.html

**ターニャ・グロッターと魔法のコントラバス事件**

図 1　J.K. ローリング、〔訳〕松岡佑子『ハリー・ポッターと賢者の石』（静山社）1999 年

図 2　マイケル・ガーバー、〔訳〕浅尾敦則『バリー・トロッターと愚者のパロディ』（アップリンク）2002 年

図 3　K.C. エリス、〔訳〕斎藤元彦『パリー・ホッター おちこぼれ少年魔法使い危機一髪！』（バジリコ）2005 年

図 4　H.P. SECRET FRIENDS『ハニー・タッカーと魔法の対決』（アートブック本の森）2003 年

図 5　アンドレイ・ズヴァレフスキー、イゴール・ミトコ『ポリー・ハッターと石の賢者』（Time）

図 6　ティモシー・オドネル『ハリー・プッターとチーズケーキの間』（TOSH Publishing LLC）

図 7　ヨキ・アディティオ『ハッピー・ポーターと魔法学校の侵入者』（C Publishing）

図 8　ヴァレリー・エステル・フランケル『ヘンリー・ポッティとペットロック』（Northbound Press）

図 9　ダナ・ラーセン『ヘアリー・ポットヘッドとマリファナ漬け』（Cannabis Culture Magazine）

図 10　ドミトリ・イエメッツ『ターニャ・グロッターと魔法のコントラバス』（Eksmo）

**面白い恋人事件**

図 1　「白い恋人」（筆者私物）／口絵 1 頁

図 2　「面白い恋人」（筆者私物）／口絵 1 頁

# 《図表出典》

## 第一章 困惑！ 商標モンスターの大暴走

**モンスターエナジー事件**

図 1　モンスターエナジー https://www.monsterenergy.com/ja-jp/

図 2　日本商標 5630250 号公報（任天堂株式会社、株式会社クリーチャーズ、株式会社ゲームフリーク）

図 3　国際商標 1298750 号公報（MONCLER S.P.A.）

図 4　MIXI 2019 年 5 月 8 日「モンスターストライク、世界累計利用者数 5,000 万人突破のお知らせ」https://mixi.co.jp/press/2019/0508/3804/index.html

図 5　ROCK ART BREWERY　https://rockartbrewery.com/

図 6　STEAM Dark Deception: Monsters & Mortals　https://store.steampowered.com/app/1266690/Dark_Deception_Monsters__Mortals/

**インテル・インサイド事件**

図 1　インテル「intel newsroom」2022 年 9 月 16 日「インテル、PC の重要セグメント向けブランドとして新たにインテルプロセッサーを発表」 https://www.intel.co.jp/content/www/jp/ja/newsroom/news/welcome-the-new-intel-processor.html

図 2　日本商標 4891354 号公報（KDDI 株式会社）

図 3　日本商標 5697266 号公報（株式会社安川電機）

図 4　日本商標 6083257 号公報（株式会社 Mujin）

**東京スカイツリー事件**

図 1　筆者撮影

図 2　日本商標 5309215 号公報（合資会社ヘッドライトファクトリー、有限会社ミヤココーポレーション）

図 3　日本商標 5356474 号公報（株式会社バンガード）

図 4　日本商標 5481624 号公報（株式会社ケイ・シー・エス）

図 5　日本商標 5493658 号公報（株式会社森八本舗）

図 6　日本商標 5533481 号公報（株式会社東京玉子本舗）

図 7　日本商標 5565259 号公報（株式会社 JVC ケンウッド）

図 8　日本商標 5786875 号公報（株式会社風雅プロモーション）

図 9　日本商標 5793775 号公報（株式会社ケイ・シー・エス）

図 10　日本商標 6341442 号公報（株式会社表屋商店）

図 11　Tokyo Hub　https://tokyo-hub.com/

**矢沢永吉パチンコ事件**

図 1 〜 2　『パチンコ大攻略』Vol. 32 2004 年 9 月号（笠倉出版社）p. 51

**夏目漱石事件**

（注１２）売れるネット広告社 2017 年５月８日「売れるネット広告社、『侍カート』を運営する FID に対して、不正競争の差し止め、商標権侵害の差し止め、著作権侵害の差し止めを求める訴訟を提起！」 http://pr.ureru.co.jp/news/20170508/20170508.html

**小僧寿し事件**

（注１）大阪地裁昭和 56 年（ワ）678 号、大阪高裁平成２年（ネ）669 号、最高裁第三小法廷平成５年（ネ）204 号

（注２）高知地裁昭和 58 年（ワ）44 号、高松高裁平成４年（ネ）120 号、最高裁第三小法廷平成６年（オ）1102 号

（注３）大阪地裁昭和 56 年（ワ）678 号判決文における小僧寿し本部の主張

（注４）平成４年審判第 437 号審決書

（注５）同前

**函館新聞事件**

（注１）同意審決平成 10 年（判）２号、東京地裁平成 14 年（ワ）8915 号

（注２）田村善之、吉田広志「知的財産法」講義録（2007 年）（北海道大学大学院法学研究科）吉田広志「第９回 商標法 (2)」p. 108 https://lex.juris.hokudai.ac.jp/coe/lecture/transcript/2007/2007_all.pdf

（注３）『諸君！』1998 年４月号（文藝春秋）浅井厚史「北海道新聞、『函新』イジメの陰湿」p. 173

（注４）『ダカーポ』1998 年４月 15 日号（マガジンハウス）「どうなる『北海道新聞』VS『函館新聞』」p. 17

（注１）大阪地裁平成 17 年（ワ）11663 号、大阪高裁平成 18 年（ネ）2387 号
（注２）東京高裁昭和 35 年（行ナ）32 号
（注３）データインデックス「OTC 医薬品検索」による https://www.data-index.co.jp/search/otc

**0.02 コンドーム事件**

（注１）東京地裁令和元年（ワ）21592 号

**コラム⑧エセ商標権被害を開陳して逆に訴えられた人々**

（注１）東京地裁令和３年（ワ）7624 号
（注２）東京地裁令和３年（ワ）1852 号・令和３年（ワ）5848 号 判決文別紙
（注３）東京地裁令和３年（ワ）1852 号・令和３年（ワ）5848 号
（注４）東京地裁令和３年（ワ）1852 号・令和３年（ワ）5848 号 判決文別紙
（注５）東京地裁平成 30 年（ワ）22428 号

**売れるネット広告事件**

（注１）福岡地裁令和元年（ワ）2345 号
（注２）福岡地裁平成 29 年（ワ）1423 号
（注３）売れるネット広告社 2021 年 1 月 8 日「『売れるネット広告社』の訴えにより、『株式会社 ureru』が『社名』を変更『株式会社 ureru』に対する訴訟は解決へ！」https://www.ureru.co.jp/files/uploads/20210108.pdf
（注４）WORLD HUNT 2021 年 1 月 12 日「【棄却】売れるネット広告社が起こした訴訟について」https://bariureru.com/2021/01/12/【棄却】売れるネット広告社が起こした訴訟につ /
（注５）福岡地裁令和元年 ( ワ )2345 号判決文
（注６）加藤公一レオ Facebook 2020 年 12 月 31 日 https://www.facebook.com/leokato/posts/10226881307645019
（注７）FID 2018 年 4 月 24 日「【和解】株式会社 FID が販売する商品「侍カート」の商標権侵害について」、平成 29 年（ワ）第 1423 号事件に係る「第 9 回弁論準備手続調書（和解）」 https://f-i-d.jp/page/20180424news
（注８）売れるネット広告社 2017 年 5 月 8 日 http://pr.ureru.co.jp/news/20170508/20170508.html
（注９）アパレルウェブ 2018 年 5 月 17 日「【売れるネット広告会社と FID『コンバージョン』なき論争 上】和解も法廷外論争、売れるネット『完全勝利』と喧伝」https://apparel-web.com/news/tsuhanshinbun/42451
（注１０）アパレルウェブ 2018 年 5 月 31 日「【売れるネット広告会社と FID『コンバージョン』なき論争 下】『オリジナル』か『知財』か、見解相違に冷めた声も」https://apparel-web.com/news/tsuhanshinbun/45030
（注１１）売れるネット広告社 2019 年 7 月 29 日「『売れるネット広告社』が「株式会社 ureru」、「株式会社ウレル」に対し商号使用禁止等を求める訴訟を提起！」https://www.ureru.co.jp/news/archives/91

高裁令和4年（行ケ）10089号

（注2）東京地裁平成31年（ワ）11108号事件判決文におけるルブタンの主張

（注3）日本皮革産業連合会2015年6月30日「刊行物等提出書」（商願2015-029921）

（注4）日本皮革産業連合会2019年6月3日「上申書」（商願2015-029921）

（注5）クリスチャン・ルブタン2005年4月1日「手続補足書」（商願2015-029921）

**コラム⑦ エセ著作権者に今日も反省の色無し〜スザンナホビーズ事件〜**

（注1）京都地裁令和2年（ワ）1874号、大阪高裁令和4年（ネ）265号・599号

**キューピー人形事件**

（注1）東京地裁平成10年（ワ）13236号、東京高裁平成11年（ネ）6345号、大阪地裁平成15年（ワ）6255号、大阪高裁平成16年（ネ）1797号

（注2）1944年当時の著作権法では、著作権保護期間は著作者の死後30年だったが、1971年施行の改正著作権法により50年に延長。さらに、米国人であるオニールの著作権は、サンフランシスコ平和条約に基づく戦時加算特例法により3794日延長されるため、この日となる（なお2005年で著作権が消滅したため、2018年施行の改正著作権法による著作権保護期間延長の影響は受けない）。

（注3）『財界』1998年4月14日号（財界研究所）鈴木啓代「興銀、キユーピーを著作権侵害で訴える男」p. 73

（注4）『Japan Kewpie Club News』Vol. 9（日本キューピークラブ）pp. 1, 3

（注5）『ダカーポ』1998年10月7日号（マガジンハウス）「新ビジネスアンテナ」p. 106

（注6）『財界』1998年4月14日号（財界研究所）鈴木啓代「興銀、キユーピーを著作権侵害で訴える男」p. 72

（注7）『産経新聞』1998年6月17日「『キューピーキャラクター無断使用は著作権侵害！』日本キューピークラブ会長」

（注8）『日本食糧新聞』1998年6月22日「キユーピー人形提訴 毅然として臨む」

（注9）コスモマーチャンダイズィング「The Kewpies」 http://www.cosmomerchan.co.jp/property/ザ・キューピーズ/

**逆さミッキーマウス事件**

（注1）異議2021-900006号事件

（注2）異議2011-900249号事件

（注3）ただし、徐々にミッキーマウスモチーフのロゴは使われなくなってきており、近年はDisneyロゴの「D」をモチーフにしたロゴの活用が主流になっている。

（注4）天平庵（※青木松風庵の子会社）「CONCEPT 天平庵の考え」 https://www.tenpyoan.com/concept/idea.php

（注5）進士慶幹、加藤秀幸『日本の家紋』（人物往来社）1964年 p. 127

**正露丸事件**

**フランク三浦事件**

（注１）知財高裁平成 27 年（行ケ）10219 号

（注２）「フランク三浦」オンラインショップ　https://tensaitokeishi.jp/html/page12.html

（注３）「日経ビジネス」2018. 3. 23 鈴木信行「世紀のパロディ『フランク三浦』の末路」https://business.nikkei.com/atcl/interview/15/238739/032000282/

（注４）『FRIDAY』2014 年 8 月 15 日号（講談社）「ギャグ腕時計『フランク三浦』にハマる有名人たち」p. 33

（注５）「日経ビジネス」2018. 3. 23 鈴木信行「世紀のパロディ『フランク三浦』の末路」https://business.nikkei.com/atcl/interview/15/238739/032000282/

（注６）「Yahoo! 知恵袋」2015 年 11 月 1 日　https://detail.chiebukuro.yahoo.co.jp/qa/question_detail/q10152063685

（注７）『夕刊フジ』2016 年 6 月 20 日「商標登録無効の審決『取り消し』で『フランク三浦』腕時計 思わぬ特需」

**メリー・ポピンズ事件**

（注１）異議 2004-090343 号事件

（注２）無効 2019-890040 号事件

（注３）なお、この著作権寄付の公益性を考慮して、イギリスの著作権法は、『ピーターパン』の著作権が失効した後も、この子供病院が『ピーターパン』の著作権利用料をもらい受ける権利を特別に認めている。あくまでイギリス国内で『ピーターパン』が利用される場合のみ適用されるものだが、事実上の「永久著作権」とも言われている。Great Ormond Street Hospital Charity Site "Peter Pan Copyright"、1988 年イギリス著作権・意匠・特許法（Copyright, Designs and Patents Act 1988）第 6 章第 301 条 https://www.gosh.org/about-us/peter-pan/copyright/　https://www.legislation.gov.uk/ukpga/1988/48/part/VII/crossheading/provisions-for-the-benefit-of-the-hospital-for-sick-children

**ザ・ローリング・ストーンズ ベロマーク事件**

（注１）知財高裁平成 21 年（行ケ）10274 号

（注２）Janne Da Arc は 1999 年メジャーデビュー、2019 年解散。Acid Black Cherry としては 2007 年デビュー、2017 年から活動休止している。バンドでヒットチャート最高 2 位、ABC 名義 1 位を獲得。

**クリスチャン・ルブタン事件**

（注１）Christian Louboutin S.A. v. Yves Saint Laurent America Inc., United States District Court, S.D. New York.778 F.Supp.2d 445 (2011) / Christian Louboutin S.A. v. Yves Saint Laurent America Inc., United States Court of Appeals for the Second Circuit 696 F.3d 206 (2012)

**第二・クリスチャン・ルブタン事件**

（注１）東京地裁平成 31 年（ワ）11108 号、知財高裁令和 4 年（ネ）10051 号、知財

にはどうでもいいと思ったのか、はたまた商標権の維持費用の方が重荷になったのか……。

**Kurobo 事件**

（注１）堀田貢得、大亀哲郎『編集者の危機管理術』（青弓社）2011 年 pp. 122-124

**お酒によく合うポテトサラダ事件**

（注１）東京地裁平成 27 年（ワ）28027 号、知財高裁平成 28 年（ネ）10058 号

**大羽いわし事件**

（注１）信田缶詰 2005 年２月６日「大羽いわし開発秘話 いわし缶市場の混乱」http://www.fis-net.co.jp/shida/shida6/shida6_3.html

（注２）『月刊 TIMES』2004 年 12 月号（月刊タイムス社）舘澤貢次「大手水産マルハのあこぎな商法」p. 43

（注３）『財界展望』2004 年９月号（財界展望新社）舘澤貢次「老舗缶詰会社を激怒させたマルハの“商品パクリ”騒動」p. 129

（注４）なお、内部調査により発覚し、出荷先に謝罪と金銭補償を行い、社内での関係者の処分等も行ったことから、立件や裁判沙汰には至っていない模様。

（注５）『朝日新聞』2016 年３月３日「サバ缶 サンマ混ぜ輸出 銚子の会社『原料不足し代用』」

**コラム⑥日本で最初のエセ商標権事件とは？**

（注１）例えば「現在の日本では炭酸飲料のことを一般に“タンサン”と呼ぶ。これはウィルキンソン氏が自社商品に“タンサン”と名付けたことが起源であり、当時はウィルキンソンの商標だった」（「食品産業新聞ニュース WEB」2020 年 11 月 13 日「炭酸水 No.1 ブランド『ウィルキンソン』、実は日本生まれで“タンサン”の起源」）など。アサヒ飲料は、ウィルキンソンは 1893 年に「TANSAN」を商標に制定したと説明したうえで、後に「周りに『タンサン』という商品が増えてきたこともあり、混同を防ぐために商標を付けた商品名を『ウヰルキンソン タンサン』に変更しました」とする（アサヒ飲料「炭酸の歴史」 https://www.asahiinryo.co.jp/rd/tansan/history/）。

（注２）J.C. Hepburn “A Japanese and English dictionary” Trubner & Co., 1867 p. 457

（注３）蕉雨堂主人『内外各種新聞要録 第二号』（萬巻樓）1872 年 p. 16

（注４）石井研堂『明治事物起源 増訂版』（春陽堂）1926 年 p. 717

（注５）商標登録第 8574 号公報（ジョン・クリフォード・ウヰルキンソン）

（注６）〔編〕特許庁『工業所有権制度百年史 上巻』（発明協会）1984 年 pp. 272-276（引用者において現代語訳を施した）

## 第四章 エセ商標権に立ち向かう知恵と勇気！

**市松模様の数珠袋事件**

（注１）判定 2020-695001 号事件

（注２）杉本一樹『正倉院宝物 181 点鑑賞ガイド』（新潮社）2016 年 p. 20

（注３）2020 年に、三迫から、三迫が会長を務める調布三迫ボクシングジムを運営する有限会社ボクササイズ協会に名義を変更し、本書刊行時現在は同社の登録商標。
（注４）調布三迫ボクシングジム「『ボクササイズ』誕生秘話」※なお、正確には 1987 年は三迫が最初に商標出願した年であり、商標登録されたのは 1990 年である。
https://www.misako-boxing.com/boxercise/

**コラム⑤ 商標ライセンスで一攫千金は可能なのか？**

（注１）『特許行政年次報告書 2023 年版』（特許庁）p. 75

**携帯電話マナーマーク事件**

（注１）異議 2003-90830 号事件
（注２）『電気通信普及財団 研究調査報告書』No.23（2008 年）（電気通信普及財団）渡邊直樹、中島亮、依田高典「日本の携帯電話端末価格についてのヘドニック回帰分析：QAP 指数と動学的企業戦略」p. 1
（注３）ITmedia Mobile 2004 年 5 月 12 日 杉浦正武、ITmedia「2003 年度、どのキャリアの 3G 端末が売れた？」 https://www.itmedia.co.jp/mobile/articles/0405/12/news027.html
（注４）高塚光『誰でも簡単にできるセルフヒーリング入門』（飛鳥新社）2010 年 p. 61

**受話器マーク事件**

（注１）東京地裁平成 23 年（ワ）40129 号、知財高裁平成 25 年（ネ）10015 号
（注２）図 7 は、徳川に取材した『週刊新潮』に掲載された図柄を出典とするもので、徳川が新潮社に示した「受話器の象徴」がこれらであることは推認される。しかし、それが本当に「受話器の象徴」なのかすら、確かではない。
（注３）当時の報道によれば（『週刊新潮』2011 年 11 月 3 日号）、一部、徳川の受話器マークに著作権が生じることは認めたうえで、細部が異なる被告会社の受話器マークは著作権侵害にあたらないと判断した裁判もあったようである。結論としては著作権侵害を否定したので妥当だが、このような単純な受話器マークに著作権を認めたことには疑問がある。

**天使の卵事件**

（注１）当時日本テレビが所有していた「オズの魔法使い」の登録商標は、その後、映画の『オズの魔法使い』の著作権を管理する米国ターナー・エンタテインメントに商標権が移転されている（第 2723870 号）。
（注２）『日経流通新聞』1994 年 3 月 8 日「集英社の小説の題名 ヤリ玉に『商標権を侵害』」
（注３）商標法第 26 条 1 項 6 号。なお作品の題号が商標権侵害にならないことを端的に示した裁判例として、井上陽水のアルバム『UNDER THE SUN』に対し、同名の商標権を保有する山中博治なる個人が商標権侵害を主張し敗訴した事案が知られる（東京地裁平成 6 年（ワ）6280 号）。
（注４）なお、スペース社が保有していた、印刷物分野の登録商標「天使の卵」（第 2558479 号）は、2013 年に更新料を支払わずに権利満了している。さすがにこの頃

（注２）同前

（注３）2000 年代前半頃まで、漫画などのタイトルや主人公名は、原作サイドではなく、キャラクターライセンスを受けて商品化する玩具メーカーやゲームメーカーが商標登録することが多かった。その後、自身が著作権を持たない作品名やキャラクター名の商標登録が多いコナミなどに対する違和感の声が上がり、また原作元の権利意識の高まりによって、出版社や原作者の会社が商標登録することが増えていった。なおバンプレスト名義で商標登録された「銃夢」は、2008 年にバンプレストが親会社のバンダイナムコゲームス（現・バンダイナムコエンターテインメント）に吸収合併されたことにより、権利名義もバンダイナムコゲームスに承継された後、2009 年に失効した。

（注４）木城ゆきと「ゆきとぴあ」ゆきとぴあ権利保護のコーナー ほごのま ケーススタディ (1)（本件事件を検証した「ネットワーカー研究所 銃夢のハンドル使用を認めない？」による複製ページによる。改行は引用者が適宜省略） http://www.nurs.or.jp/~nspixp/kishiro/old/hogonoma/hogonoma-case01.html

（注５）日本リフト・サービスの登録商標「ゆきとぴあ」（第 3110238 号）。2005 年に失効。

（注６）木城ゆきと「ゆきとぴあ」お詫び（改行は引用者が省略） http://jajatom.moo.jp/owabi.html

**Bamily Mart 事件**

（注１）一方、敢えてその商品や会社について虚偽のネガティブな評判を立てる記事であれば、商標権侵害にはならないが信用毀損にはなり得る。この場合、たとえ伏せ字やぼかした表現を採用したとしても、対象を特定するのに十分であれば、信用毀損であることには変わりない。

（注２）堀田貢得、大亀哲郎『編集者の危機管理術』（青弓社）2011 年 pp. 225-226

**ANOWA 事件**

（注１）東京地裁令和２年（ワ）19840 号、知財高裁令和４年（ネ）10011 号

**エノテカ事件**

（注１）東京地裁平成 15 年（ワ）1521 号、東京高裁平成 15 年（ネ）4925 号

（注２）『週刊新潮』2003 年 12 月 11 日号（新潮社）「エノテカを攻撃する『エノテカ』商標騒動」p. 144

（注３）同前

**ストレッチトレーナー事件**

（注１）東京地裁平成 30 年（ワ）5002 号

（注２）兼子ただし「アメーバブログ The Kaneko Stretch by SSS」2017 年 10 月 5 日「ストレッチトレーナーとは」 https://ameblo.jp/ssskaneko/entry-12316806478.html

**ボクササイズ事件**

（注１）富士通ゼネラル 1999 年 4 月 20 日「登録商標『ホームシアター』を無償開放」 https://www.fujitsu-general.com/jp/news/1999/04/99-Y01-12/index.html

（注２）藤沢市教育委員会平成 28 年 6 月定例会 http://www.city.fujisawa.kanagawa.jp/kyouiku/kyoiku/kyoiku/inkai/terekai/kaigi/h26/h2806tere.html

**注釈**

## 第三章 騙されるな！ 商標権に万能の力はない

**阪神優勝事件**

（注１）無効 2003-35360 号事件
（注２）『デイリースポーツ』2003 年 7 月 21 日「『阪神優勝』商標登録されていた」
（注３）無効 2003-35360 号事件における阪神タイガース社の主張
（注４）『FRIDAY』2003 年 9 月 12 日号（講談社）「“大失速”の阪神！『タイガース』はこんなにヘンだ !!」p. 21
（注５）『FLASH』2003 年 8 月 5 日号（光文社）「仰天スクープ！球団も大困惑…これには闘将も思わず渋面 !?『阪神優勝』の文字がアカの他人に商標登録されていたッ！」p. 7
（注６）例えば古関宏は、「阪神球団あるいは第三者が〔…〕優勝記念グッズの T シャツの胸部に大きく『阪神優勝』と表示することや、帽子の前面に『阪神優勝』と表示すること等は原則として問題がない」（『パテント』2004 年 6 月号、日本弁理士会、平成 15 年度商標委員会「再考『阪神優勝』」p. 18）、峯唯夫は「商標登録イコール〔…〕『阪神優勝』がまったく使えなくなるかのような議論が目立ったが、〔…〕『阪神優勝』を T シャツのタグやロゴにそのまま使わなければいいというだけの話」（『財界展望』2006 年 7 月号、財界展望新社「『早い者勝ち』あの手この手の商標登録事情」p. 143）と喝破している。

**ゆっくり茶番劇事件**

（注１）無効 2022-890065 号事件
（注２）柚葉 /Yuzuha X (Twitter)2022 年 5 月 15 日　https://twitter.com/Yuzuha_YouTube/status/1525607600250712064
（注３）ドワンゴ「ニコニコインフォ」2022 年 5 月 20 日「文字商標『ゆっくり茶番劇』に関するドワンゴの見解と対応について」 https://blog.nicovideo.jp/niconews/170666.html
（注４）東方よもやまニュース 2022 年 5 月 24 日「ゆっくり茶番劇に対する上海アリス幻樂団の見解について」 https://touhou-project.news/news/7096/
（注５）無効 2022-890065 号事件における柚葉の主張
（注６）柚葉企画 Official Web Site　https://yuzuha-official.crayonsite.info/
（注７）柚葉 /Yuzuha X (Twitter) 2022 年 4 月 23 日　https://twitter.com/Yuzuha_YouTube/status/1517801673347207168

**銃夢ハンドル事件**

（注１）木城ゆきと「ゆきとぴあ」ゆきとぴあ権利保護のコーナー ほごのま ケーススタディ (1)（本件事件を検証した「ネットワーカー研究所 銃夢のハンドル使用を認めない？」による複製ページによる。改行は引用者が適宜省略） http://www.nurs.or.jp/~nspixp/kishiro/old/hogonoma/hogonoma-case01.html

（注５）『読売新聞』2014 年 10 月 19 日 田中誠「オンリーワン ユリ・ゲラーのスプーン曲げ」

（注６）Uri Geller X (Twitter)2020 年 12 月 21 日　https://twitter.com/theurigeller/status/1340966798867525632

**ビジネスサポート事件**

（注１）東京地裁令和元年（ワ）14030 号、知財高裁令和２年（ネ）10034 号

**バターはどこへ溶けた？事件**

（注１）東京地裁平成 13 年（ヨ）22090 号、東京地裁平成 13 年（ヨ）22103 号

（注２）例を挙げてもすぐに古びるので注釈に書くが、今泉忠明、丸山貴史『ざんねんないきもの事典』（高橋書店）に対するブルック・バーカー、服部京子『せつない動物図鑑』（ダイヤモンド社）、『うんこ漢字ドリル』（文響社）に対する『まいにちおならで漢字ドリル』（水王舎）、堀江貴文、西野亮廣『バカとつき合うな』（徳間書店）に対する西田二郎、マキタスポーツ『バカともつき合って』（主婦の友社）など。この他、映画やテレビ業界など、コンテンツ業界では一般的に多い。

（注３）『月刊百科』2001 年９月号（平凡社）斎藤美奈子「百万人の読書」p. 15

（注４）『朝日新聞』2001 年５月 20 日 岡崎武志「ベストセラー快読」

（注５）『読売ウィークリー』2001 年７月１日号（読売新聞社）林真奈美「『チーズ vs バター』モノマネ・ニッポン大戦争」p. 94

（注６）『週刊文春』2001 年６月７日号（文藝春秋社）「『チーズ』対『バター』戦争はどこへ消える？」p. 38

（注７）ましてや、ここで申立をしている著作権者は翻訳者であり、原文（"It certainly has", Nathan echoed.）をなぞるという制約のもとで書かれた翻訳文の創作性はさらに限定される。

（注８）例えば、山本隆司による「この決定は、翻案権侵害を認定する具体的表現がそもそも原著作物に由来する翻訳部分であることを失念していたか、そうでなくとも創作性・類似性・翻案該当性の慎重な検討を欠いた、かなりずさんな判示と批判されてもやむを得ない」（『コピライト』2002 年４月号、著作権情報センター「判例紹介『チーズはどこへ消えた？』事件」p. 18）、飯野守による「東京地裁の決定には〔…〕大きな問題が潜んでいるように思える。〔…〕表現行為としてのパロディについての配慮を読み取ることができない」（『湘南フォーラム 文教大学湘南総合研究所紀要』No. 12、文教大学出版事業部「パロディにみる表現の自由と著作権の相克」pp. 181-182）、中山代志子による「翻案権侵害というのは無理がある」「そこ〔本決定〕には、原著作物を批判する目的でなされた表現活動の自由に対する配慮も、原著作物に触発されて生まれた新しい創造行為に対する理解も感じられない」（『明治学院大学法科大学院ローレビュー』2004 年７月号、明治学院大学法科大学院「著作物の権利制限規定を巡る著作権と言論の自由の衝突」pp. 4-6）といった痛烈な批判がある。

**コラム④ 一流ブランドは何をきっかけに「商標いじめ」を開始する？**

（注１）『特許行政年次報告書 2023 年版』（特許庁）p. 77

酷似する書籍に対する販売中止の申し入れについて https://www.shogakukan.co.jp/news/158338

（注 2）新星出版社 2017 年 6 月 12 日「当社発行料理書に関する、株式会社小学館のコメントに対する見解」http://www.shin-sei.co.jp/np/news/44/

（注 3）新星出版社 2017 年 6 月 14 日「当社発行料理書に関する、株式会社小学館の申し入れについて 合意成立のお知らせ」http://www.shin-sei.co.jp/np/news/46/

（注 4）東京地裁平成 25 年（ワ）28860 号、知財高裁平成 26 年（ネ）10095 号事件

（注 5）なお、新星出版社のプレスリリースには、「デザイン担当社の責に帰すもので無い」との記載があり、編集部に全責任があることが説明されている。

**アディダス三本線事件**

（注１）Adidas America, Inc., Adidas AG v. Thom Browne Inc. (United States District Court, S.D. New York. No. 21-cv-5615)

（注２）知財高裁平成 23 年（行ケ）10326 号

（注３）異議 2018-900100 号事件

（注４）Trademark Trial and Appeal Board Opposition 91232672

（注５）European Union General Court “Case T-307/17” Adidas AG, Marques v. Europe Union Intellectual Property Office, Shoe Branding Europe BVBA

（注６）Adidas America, Inc., Adidas AG v. Thom Browne Inc. (United States District Court, S.D. New York. No. 21-cv-5615)

（注７）本書刊行時現在、アディダスは本判決に納得せず、再審を請求している。

（注８）The Gurdian 2023.10.13 Edward Helmore "Fashion designer Thom Browne: ‘Men should be able to wear anything” https://www.theguardian.com/fashion/2023/oct/13/fashion-designer-thom-browne-men-should-be-able-to-wear-anything

（注９）Trademark Trial and Appeal Board Opposition 91284161

（注１０）コンラッド・プランナー、〔訳〕山下清彦、〔訳〕黒川敬子『アディダス 進化するスリーストライプ』（ソフトバンク・クリエイティブ）2006 年 p. 29、バーバラ・スミット、〔訳〕宮本俊夫『アディダス VS プーマ もうひとつの代理戦争』（ランダムハウス講談社）2006 年 pp. 46-47

**ユンゲラー事件**

（注１）The Guardian 1999. 12. 29 Jonathan Margolis “Nintendo faces £60m writ from Uri Geller” https://www.theguardian.com/uk/1999/dec/29/2

（注２）『読売新聞（大阪版）』2000 年 11 月 2 日（夕刊）「ユリ・ゲラーさん 任天堂に賠償提訴」

（注３）The Guardian 1999. 12. 29 Jonathan Margolis “Nintendo faces £60m writ from Uri Geller” https://www.theguardian.com/uk/1999/dec/29/2

（注４）VICE 2018. 10. 19 Dennis Kogel “Uri Geller vs. Kadabra: Die bizarre Geschichte hinter der verschwundenen Pokémon-Karte” https://www.vice.com/de/article/pa947m/uri-gellers-kampf-gegen-pokemon-kadabra-nintendo

させる形で使用した場合は、ペナルティとしてその登録商標は取り消されることになっている（商標法第 51 条)。アシェット社は、本文で解説した差止請求訴訟において、アルバム『Don't Trust Anyone But Us』における「ELLE ／ GARDEN」の二段ロゴだけは「ELLE」と混同され得ると認定されたことを受け、「ELLEGARDEN」の登録商標の取消を目論んだのだ。腹いせのような訴訟である。差止請求訴訟ではこのアルバムについて争わなかったグローイングアップだが、商標登録を取り消されては困るので、こちらは積極的に反論した。その結果、「ELLE ／ GARDEN」の二段ロゴは、バンドを知っている需要者にとっては、収録されている楽曲の演奏者名を表す表示であり、バンドを知らない需要者にとっても、演奏者名かアルバムタイトルのどちらか認識されるものであって、いずれにしても、CD の発売元やレーベルブランドなどの商標としては認識されないから、商標としての使用ではなく、「ELLE」と出所混同されるおそれはないとの判決に至った。このロジックはそのまま商標権侵害や不正競争防止法違反を否定する根拠として援用可能である。

**グッチ裕三事件**

（注 1）堀田貢得、大亀哲郎『編集者の危機管理術』（青弓社）2011 年 pp. 129-130

（注 2）堀田貢得、大亀哲郎『編集者の危機管理術』（青弓社）2011 年 p. 130

（注 3）なお参考になる裁判例として、現在は高知東生《たかちのぼる》の芸名で活動する俳優が、デビュー時に名乗っていた「高知東急《たかちのぼる》」の芸名について、「東急《とうきゅう》グループ」のブランドで知られる鉄道会社の東京急行電鉄から、不正競争防止法違反であるとして使用差止を求められた裁判がある（東京地裁平成 9(ワ)3024 号)。この裁判（東京地裁）では東急電鉄が勝訴し、高知は芸名の変更を余儀なくされたが、本書はこの判決を評価しない。高知側は、「高知東急」と「東急」の類似性について、積極的にこれを否定する主張をしていなかった。その結果、裁判所は「高知」は四国の地名であり、「東急」は東急電鉄の営業表示であるなどいうよく分からない理由付けで、敢えて「高知」と「東急」を分解したうえで、名部分の「東急」と東急ブランドと比較し、両者を類似すると認定したのである。だが、俳優がテレビや映画に出て、ポスターやエンドロールに名前が表示される時に、姓か名のどちらか一方だけ表示されることなどまずあり得ないし、「高知東急」という姓名を見て、前半を高知県のことだと思うヤツはいない。「高知東急」全体と「東急」を比較すべきだっただろう。なお、後に東急電鉄が原告となった別の不正競争防止法に基づく裁判で、「東急」と「TOKYU」が類似しないという判決が出たこともある（藤久建設という建設会社のウェブサイトの「TOKYU」表示を巡って争ったもの。東京地裁平成 19(ワ)35028 号)。

**ペンパイナッポーアッポーペン事件**

（注 1）異議 2018-900165 号事件

（注 2）Trademarkia “Find a Trademark Bully” (by LegalForce RAPC)　https://register.trademarkia.com/opposition/opposition-brand.aspx

**やせるおかずの作りおき事件**

（注 1）小学館 2017 年 6 月 12 日「読者の皆様へ 弊社刊『やせるおかず 作りおき』に

（注２）日本ルーシーダットン普及連盟 2007 年３月 古谷暢基「ルーシーダットン商標のコンセプト」 http://www.rusiedutton.com/7_2_trademarkconcept.html

（注３）The Nation 2006. 5. 27 "Govt twists and shouts with Tokyo over trademark move"

（注４）日本ルーシーダットン普及連盟 2007 年３月 古谷暢基「ルーシーダットン商標のコンセプト」 http://www.rusiedutton.com/7_2_trademarkconcept.html

（注５）本事件についてのタイ王国政府の反応とその背景事情については、小木曽航平『現代タイ王国における伝統医学知識の位置づけ―タイ式体操ルーシーダットンの商標登録事件を手がかりとして―』（『スポーツ人類學研究』第 13 号、日本スポーツ人類学会、2011 年）に詳しい。

**第二・ルーシーダットン事件**

（注１）東京地裁平成 30 年（ワ）8291 号、知財高裁平成 30 年（ネ）10066 号

**コラム③ エセ商標権ならぬ珍商標大集合！**

（注１）商標登録第 6690116 号（株式会社ライズグループ）

（注２）商標登録第 5863127 号（パナソニック株式会社）

（注３）商標登録第 4914020 号（パナソニック株式会社）

（注４）商標登録第 5069309 号（江崎グリコ株式会社）

（注５）商標登録第 5766451 号（小林製薬株式会社）

（注６）商標登録第 5763723 号（小林製薬株式会社）

（注７）商標登録第 6110619 号（小林製薬株式会社）

（注８）商標登録第 6644602 号（治部少輔株式会社）

（注９）一般社団法人日本記念日協会「球根で求婚記念日」 https://www.kinenbi.gr.jp/yurai.php?TYPE=ofi&MD=3&NM=2865

（注１０）商標登録第 4460889 号（ユニメックス株式会社）※権利満了

（注１１）商標出願第 2013-34469 号（個人）※登録査定後の登録料不能により消滅

（注１２）商標登録第 4741718 号（有限会社黒猫堂）

（注１３）珍商標に興味のむきは、拙著『へんな商標？』『へんな商標？２』（発明推進協会）、『それどんな商品だよ！―本当にあったへんな商標』（イースト・プレス）も参照されたい。

**ELLEGARDEN 事件**

（注 1）東京地裁平成 18 年（ワ）4029 号、知財高裁平成 19 年（ネ）10057 号・10069 号

（注 2）取消審判 2006-30961 号事件における、ELLEGARDEN 所属事務所のグローイングアップ社答弁。

（注 3）同前

（注 4）知財高裁平成 20 年（行ケ）10347 号。ELLEGARDEN の所属事務所であるグローイングアップ社が所有する「ELLEGARDEN」の登録商標に対して、アシェット社が取消を求めた訴訟である。自らの登録商標と類似する商標を、故意に他人の商品と混同

D.C.20: 無断使用」　https://blogs.yahoo.co.jp/demon_kakka_blog/15423077.html

（注２）聖飢魔Ⅱのヒット曲「蝋人形の館」の語りの一節「お前も蝋人形にしてやろうか」のパロディになっている。

（注３）なお、漫画『こちら葛飾区亀有公園前派出所』には、暴走族「御粗魔Ⅱ」のリーダー「デーモン山田」が登場したことがある（第51巻「撃滅!! 現代の化石の巻」）。アニメ『銀魂』第131話「旅行先ではだいたいケンカする」では、登場人物が悪霊に憑りつかれてデーモン閣下風の顔になっている。映画『妖怪ウォッチ エンマ大王と５つの物語だニャン！』には、「デーモンオクレ」という妖怪が登場する。

（注４）デーモン閣下「デーモン閣下の地獄のWEB ROCK」2018年3月28日「Mar.28. D.C.20:『ねこねこ日本史』のweb頁に制作側のコメントが掲載された。」 https://blogs.yahoo.co.jp/demon_kakka_blog/15440757.html

（注５）同前

（注６）『週刊宝石』1988年11月18日号（光文社）「あのデーモン小暮が『悪魔を盗まれた』と激怒した！」p. 68

（注７）同前

**さかなクンの帽子事件**

（注１）判定2009-600021号事件

（注２）さかなクン『さかなクンの一魚一会～まいにち夢中な人生！～』（講談社）2016年pp. 229-233

（注３）「NHK政治マガジン」2020年2月12日「『帽子は皮膚の一部』さかなクンが帽子着用で出席」 https://www.nhk.or.jp/politics/articles/statement/30150.html

（注４）「朝日新聞デジタル」2017年6月9日「『天皇陛下、少しでもご休息を』さかなクンが語る思い」 https://www.asahi.com/articles/ASK627RDNK62UTIL05F.html

**カルピス・アルプス事件**

（注１）嶽本野ばら『カルプス・アルピス』（小学館）2003年「あとがき もう一つの『カルプス・アルピス』、或いは『Perfect Romance Vision』」p. 107

（注２）2016年にアサヒ飲料に吸収合併され、本書刊行時現在は「カルピス」の商標権もアサヒ飲料が所有している。

（注３）『週刊エコノミスト』2003年11月4日（毎日新聞社）永江朗「永江朗の出版業界事情」

（注４）堀田貢得、大亀哲郎『編集者の危機管理術』（青弓社）2011年p. 121

（注５）ヤマトグループX (Twitter) 2020年3月27日　https://twitter.com/yamato_19191129/status/1243517827044331520

（注６）嶽本野ばら『カルプス・アルピス』（小学館）2003年「あとがき もう一つの『カルプス・アルピス』、或いは『Perfect Romance Vision』」pp. 106-107

**ルーシーダットン事件**

（注１）異議2006-090250号事件

ことは『パクリ』を擁護することでもある」pp. 100-101

**コラム②「みんなのもの」を商標登録しようとする困った人々 その2**

（注1）「ねとらぼ」2020年7月7日「電通、『アマビエ』の商標出願を取り下げ『独占的かつ排他的な使用は全く想定しておりませんでした』」 https://nlab.itmedia.co.jp/nl/articles/2007/07/news115.html

（注2）「ITmedia NEWS」2010年12月24日「ミクシィ、『チェック』『イイネ』『つぶやき』を商標出願『独占利用が目的ではない』」 https://www.itmedia.co.jp/news/articles/1012/24/news091.html

（注3）『朝日新聞』2013年11月29日夕刊「流行語 次々と商標出願」

（注4）不服2011-000928号審決書

（注5）『読売新聞』2003年6月5日「ボランティア NPO 無断使用禁止 !? 角川書店が商標登録」

（注6）未来少年 2010年7月30日「商標出願『男の娘』について」 http://miraishonen.co.jp/company/info_license.html

（注7）大分県 2012年11月15日「大分県による『おんせん県』商標登録申請について」 https://www.pref.oita.jp/soshiki/10820/onsenken.html

## 第二章 当惑！ あの人の意外な独占欲

**クリスタルキング事件**

（注1）東京地裁平成21年（ワ）1992号

（注2）2022年に吉崎個人に権利が移転されている。

（注3）当時の田中昌之の芸名表記。

（注4）「NEWS ポストセブン」2022年6月17日 中野裕子「『大都会』の元『クリスタルキング』田中昌之さんは70歳、シルバーヘアで現役続行『今のほうが歌うまい』」 https://www.news-postseven.com/archives/20220617_1763235.html

（注5）正確には『ルックルックこんにちは』の方は日本テレビが作成したテロップだが、直前の『おはよう！ナイスデイ』で田中本人が「クリスタルキングは解散した」と発言していることから、日本テレビに対しても田中が同様の趣旨の発言をしたことで、テロップが制作されたと推認されている。

（注6）不法行為に関する損害賠償請求権は、被害者が損害および加害者を知った時から三年間行使しなければ時効により消滅する。

**ピンク・レディー de ダイエット事件**

（注1）東京地裁平成19年（ワ）20986号、知財高裁平成20年（ネ）10063号、最高裁第一小法廷平成21年（受）2056号

（注2）『週刊新潮』2009年9月10日号（新潮社）p. 69

**ねこねこ日本史事件**

（注1）デーモン閣下「デーモン閣下の地獄のWEB ROCK」2018年3月15日「Mar.15.

のブランド戦略〜『白い恋人というスター』とその他大勢のチーム?!〜」p. 132
（注5）『毎日新聞』（大阪版）2011年8月5日夕刊「関西こってり どっさりパロディー『面白すぎる』なにわ土産」
（注6）例えば事件後に吉本興業が発売した「半尻《はんけつ》ポン」は、「満月ポン」を販売する松岡製菓の公認であることが大きく謳われていた。

**朝バナナダイエット事件**

（注1）東京地裁平成21年（ワ）657号
（注2）ぽっちゃり熟女ゆっきーな『朝バナナダイエット成功のコツ40』（データハウス）2008年 p. 22

**目玉アートの世界観事件**

（注1）カイカイキキ2013年11月18日「きゃりーぱみゅぱみゅ氏の目玉等と村上隆作品との関係についてのお知らせ」 https://www.kaikaikiki.co.jp/importantnotification/45/
（注2）カイカイキキ2015年12月3日「目玉形状ロゴの使用中止に係る合意締結のお知らせ」 https://www.kaikaikiki.co.jp/importantnotification/42/
（注3）「神戸新聞NEXT」2015年12月8日「村上隆さんが類似指摘 目玉ロゴ使用を中止」 https://www.kobe-np.co.jp/news/shakai/201512/0008629297.shtml
（注4）「産経ニュース」2015年12月9日「『神戸アニメストリート』が目玉ロゴ使用中止　村上隆さん申し入れ受け」 https://www.sankei.com/region/news/151209/rgn1512090036-n1.html
（注5）「J-CASTニュース」2015年12月8日「今度は神戸『目玉ロゴ』が村上隆作品の『パクリ』？ ネットで『似ている』『言いがかり』と議論噴出の騒ぎ」 https://www.j-cast.com/2015/12/08252661.html
（注6）『美術手帖』1999年5月号（美術出版社）「村上隆スペシャル」p. 135

**マウスくん事件**

（注1）異議2003-90204号事件
（注2）『美術手帖』1994年11月号（美術出版社）「Artist Interview 村上隆」p. 180
（注3）ナルミヤ・インターナショナル2006年4月26日「和解による訴訟の解決に関するお知らせ」
（注4）カイカイキキ2006年4月24日「現代美術家 村上隆が訴訟提起した著作権侵害事件の和解による終了について」 http://www.kaikaikiki.co.jp/news/list/murakamis_lawsuit/
（注5）東浩紀「kajougenron 渦状言論」2006年4月25日「村上隆と知的財産権」 http://www.hirokiazuma.com/archives/000214.html
（注6）町山智弘「映画評論家町山智弘アメリカ日記」2006年4月25日「村上隆のDOBのモデルってミッキーマウスじゃないの？」 https://tomomachi.hatenadiary.org/entry/20060425
（注7）『Quick Japan』2008年12月号（太田出版）大塚英志「近代を擁護するという

1936年、高橋是清「特許局の思出」p. 95)。つまり、山邑家はもともと公有財産語だったものを登録しようとしたわけではなく、もともと独自の商標だったものが公有財産語に転じて、それを登録しようとしたが時すでに遅しだったというわけである。

(注2)『読売ウィークリー』2006年11月19日（読売新聞東京本社）尾崎浩一「これじゃヤクザ!?『ロングステイ財団』が集める“みかじめ料”」pp. 74-76

(注3)「FNNニュース」2017年1月26日「無関係の第三者がピコ太郎さんの『PPAP』を商標出願」 http://www.fnn-news.com/news/headlines/articles/CONN00348050.html

(注4) ベストライセンス「ライセンスの申込」 http://www.bestlicense.qcweb.jp/offer.html

**ターニャ・グロッターと魔法のコントラバス事件**

(注1) Amsterdam Court of Appeal 844/03 SKG J. K. Rowling, Harmonie BV, Time Warner Entertainment Company LP v. Byblos

(注2)『女性自身』2002年12月3日号（光文社）「公開直前！ハリー・ポッターと秘密の部屋が10倍楽しくなるワイド」p. 53

(注3) WIRED 2002. 11. 6 “Potter 'Twin' Causes Controversy” https://www.wired.com/2002/11/potter-twin-causes-controversy/

(注4) オランダの裁判では、『ハリー・ポッター』は、書籍や映画シリーズなど多メディア展開されていることで、内容が異なるそれらシリーズの総称を表すブランド化されており、商標権による保護に値すると判断している。作品名が多メディア展開やシリーズ化によってブランド化することはあり得、この判断は妥当である。

(注5) 例えば、両作品に登場する魔法学校の校長先生についての描写について、「銀灰色の髪と、ズボンにたやすく入るくらいの長い髭を持ち、ちょっと頭のおかしな実にトボけた人物だが、世界で最も偉大な魔法使い」(『ハリー・ポッター』) と、「白魔術の教授で、実に長い髭を胴体に何度も巻き付けて、先っぽはポケットに入れている。風変わりだが、『オールド』以来の偉大な魔法使い」(『ターニャ・グロッター』) との表現（しかも複数のページからの断片的な記述の組み合わせ）の例を挙げ、両者の類似性を認容している。しかしこれは、創作性のある表現の類似点ではなく、キャラクター設定（アイデア）の類似性からくるありふれた表現の類似点に過ぎないとも考えられる。

(注6) ビブロスの主な反論は、登録商標『ハリー・ポッター』(HARRY POTTER) と、自社の書籍のタイトル『ターニャ・グロッターと魔法のコントラバス』の全体を比較すれば似ていない、というものだった。

(注7) Scholastic, Inc. v. Stouffer, 221 F. Supp. 2d 425 - Dist. Court, SD New York 2002

**面白い恋人事件**

(注1) 吉本興業2011年11月29日「『面白い恋人』について」

(注2)『日刊スポーツ』2013年2月14日「『面白い』方がパッケージ変更 恋人和解」

(注3) 石屋製菓2011年11月28日「お知らせ」

(注4)『日本商標協会誌』第95号（2023年）（日本商標協会）近藤亜実「『ISHIYA』

ものについて」 https://blogs.itmedia.co.jp/natsume/2009/07/post-25af.html

（注４）『週刊 SPA!』2009 年 8 月 18 日号（扶桑社）坪内祐三、福田和也「文壇アウトローズの世相放談 これでいいのだ！」p. 132

（注５）『週刊 SPA!』2010 年 4 月 6 日号（扶桑社）西村博之「ヘタレネット炎上観察日記」p. 56

（注６）実際には、それ以前から歴史上の偉人名の商標登録について、特許庁へ安易な登録を認めぬよう、制度改正を求める声があがっていた。直接的な契機は、貸金業などを営む東京の企業が「吉田松陰」「高杉晋作」「桂小五郎」を商標登録した事に対し、2008 年に同人らの出身地である山口県萩市が異議申立を行った事件だったとされる。「夏目漱石」の騒動はダメ押しの一手だったといえよう。

（注７）「リアルライブ」2010 年 3 月 22 日「夏目漱石の曾孫、twitter で大暴れ !! 夏目一人と夏目一族の『明暗』」 https://npn.co.jp/article/detail/13303969/

（注８）夏目房之介『孫が読む漱石』（実業之日本社）2006 年 pp. 41-42

**断捨離事件**

（注１）断捨離 やましたひでこ公式サイト「やましたひでこからのご挨拶」（本文の通り、本書刊行時現在は表現が変更されている） https://yamashitahideko.com/profile/

（注２）『女性セブン』（小学館）2019 年 6 月 6 日号「中居正広『知らされなかった』断捨離で調停トラブル」p.28-29

（注３）YouTube Minimalist Takeru「【ミニマリスト要注意】「商標権の侵害」は 10 年以下の懲役、1000 万円以下の罰金。」 https://www.youtube.com/watch?v=zVYxYptbqJk

（注４）同前

**第二・断捨離事件**

（注１）取消 2016-300860 号事件

（注２）無効 2018-890058 号事件

（注３）やましたひでこ『新・片付け術 断捨離』（マガジンハウス）2009 年 p. 6

（注４）やましたひでこ『新・片付け術 断捨離』（マガジンハウス）2009 年 p. 184

**コラム①「みんなのもの」を商標登録しようとする困った人々 その１**

（注１）もともと「正宗」は江戸時代後期に現在の櫻正宗にあたる山邑《やまむら》家が採用した商標だったが、江戸時代末期には多くの業者に、「最上級の酒」「清酒の代名詞」程度の意味で使われるようになっていた。明治時代に入り 1884 年に商標制度ができて、山邑家が商標登録を試みたが、すでに世間ではどの業者も一般名称として受け入れていたため、独占に適する商標ではなくなっていたという経緯がある。初代特許庁長官で、後に総理大臣も務めた高橋是清は、「〔山邑家が〕酒の正宗も本家だと云って出願して来たが〔…〕方々の酒屋に就《つい》て実際に調べて見ると、何処の小売屋にも正宗と云う酒がある。〔…〕其の酒屋で再上等の酒を『正宗』と称して売って居るのである。即ち正宗とは商標の性質は失われて再上等酒と云う意味のものになったのであるから、『正宗』は登録が出来なかった」という証言を残している（〔編〕帝国発明協会特許法施行五十年記念会『特許法施行五十年記念会報告』、帝国発明協会特許法施行五十年記念会、

# 《注釈》

※引用元がウェブサイト文献の場合、執筆時に現存しないURLは、ウェブアーカイブサービスによって参照した。

## 第一章 困惑！ 商標モンスターの大暴走

**モンスターエナジー事件**
（注1）知財高裁令和2（行ケ）第10065号ほか
**インテル・インサイド事件**
（注1）無効2010-890071号事件ほか
**東京スカイツリー事件**
（注1）異議2013-900327事件ほか
（注2）東京スカイツリー「東京スカイツリー 知的財産使用に関するお問い合わせ」 https://www.tokyo-skytree.jp/property/
（注3）『フジサンケイビジネスアイ』2012年5月15日 鈴木正行「東武『商標ビジネスも収益の柱に』」
（注4）同前
（注5）東京スカイツリー「東京スカイツリーを知る 基本理念」 https://www.tokyo-skytree.jp/about/outline/
**矢沢永吉パチンコ事件**
（注1）東京地裁平成16年（ワ）23950号
（注2）『朝日新聞』2005年6月15日「パチンコ画像が矢沢さんに酷似『ステージイメージ、特有ではない』と請求棄却」
**夏目漱石事件**
（注1）『朝日新聞』1947年8月23日「夏目家で商標登録 漱石の全著作に」
（注2）『朝日新聞』1947年8月24日「漱石商標 各方面に非難の聲あがる」
（注3）『朝日新聞』1947年9月2日「すでに大半登録ずみ 突如夏目純一氏が聲明」
（注4）矢口進也『漱石全集物語』（岩波書店）2016年 p. 107
（注5）本事件の顛末や背景事情については、矢口進也『漱石全集物語』（青英舎、1985年。後に岩波現代文庫、2016年）に詳しい。
**第二・夏目漱石事件**
（注1）夏目房之介「夏目房之介の『で？』」2009年7月10日「『夏目漱石財団』なるものについて」 https://blogs.itmedia.co.jp/natsume/2009/07/post-25af.html
（注2）東京都新宿区「夏目漱石関連事業」2009年7月7日「お知らせ」 http://www.city.shinjuku.tokyo.jp/division/261000bunka/soseki/sosekitoppage.htm
（注3）夏目房之介「夏目房之介の『で？』」2009年7月10日「『夏目漱石財団』なる

# エセ著作権事件簿

**著作権ヤクザ・パクられ妄想・著作権厨・トレパク冤罪**

ISBN978-4-908468-60-5
C0076 四六判 544 頁
価格本体 2,500 円 + 税

**濡れ衣を着せられた作家・漫画家・クリエイター
編集者から共感と絶賛で迎えられたシリーズ第一弾！**

「著作権侵害をしないように」という立場から書かれることの多かった従来の著作権の解説書とは一線を画し、豊富な実例と実証によって、「著作権を主張する者は常に正しい」という世間のバイアスを取り払う本書の在り方が評価されています。「それって本当にダメなんだろうか？」という不安を解消し、「万が一著作権侵害の濡れ衣を着せられたときにどう戦うか」を実例から学べる本書は、これまでの著作権本では得られなかった知恵を読者に授け、自信を持って創作活動に打ち込むための勇気を表現者に与える本として、多くの批評家からも以下のように賛同を得ています。

「エセ著作権に負けずに自由な表現や創作活動を行う方法を学べる」
『ダ・ヴィンチ』2022 年 10 月号

「著作権について知識を持つべき多くの若い創作者に伝えるには、
この方法が一番」
（林雅彦）
『週刊東洋経済』2022 年 10 月 29 日号

「表現することに委縮しそうになった時に読みたい」
（オオスキトモコ）
『イラストレーション』2022 年 12 月号

「有名事案にも、偏見を排した解説が付されていてバランスがいい」
（栗原裕一郎）
『中日新聞』2022 年 11 月 20 日

**パブリブ「エセ著作権通報窓口」担当：濱崎**

電子メール：office@publibjp.com

郵送：〒 103-0004　東京都中央区東日本橋 2 丁目 28 番 4 号
　日本橋 CET ビル 2 階　合同会社パブリブ

ご報告頂く場合は、掲載内容を明確化するため、

・お名前（アカウント名、匿名も可）
・発生時年月日
・エセ著作権と見られる主張内容
・エセ著作権主張者

を具体的に記入の上、ご連絡ください。

・提供頂いた内容について、直接取材のご連絡をさせて頂く場合があります。
・法的相談には応じておりません。
・書籍への掲載を確約するものではありません。

「著作権は大切に」。これは日本人の常識です。しかし、そんな常識的な遵法意識に付け込むかのように、他人の合法で正当な創作行為に対し、法的根拠に基づかないクレームをふっかける「エセ著作権」の問題が、近年、顕在化しています。友利昴『エセ著作権事件簿』は、そのような事例を集め、そのクレームに妥当性が果たしてあるのかどうかについて検証、解説した書籍です。

本書で論じた対象は、裁判例となったり、新聞記事等を賑わせた大規模な事例が中心でした。しかし、世の中には、表面化はしていなくとも、エセ著作権者の不当な要求に困っていたり、過剰に自粛してしまっているクリエーターやメディア関係者は数多く存在するようで、実際に、著者にも時折そうした事例の報告が寄せられています。

こういったエセ著作権による「被害」を把握し、アーカイブ化するために、「エセ著作権通報窓口」を設置しています。お寄せいただいた情報は、『エセ著作権事件簿』の続編、あるいはシリーズの『過剰権利主張ケーススタディーズ』などで紹介させていただく可能性があります。

エセ著作権で悩んでおられる方や、そうした事案に気が付かれた方は、情報をお寄せください。

**友利 昴**

作家。慶應義塾大学環境情報学部卒業。企業で法務・知財実務に長く携わる傍ら、著述・講演活動を行っている。大手企業の知財人材の取材等も多く手掛け、企業の知財活動に明るい。著書に『エセ著作権事件簿—著作権ヤクザ・パクられ妄想・著作権厨・トレパク冤罪』（パブリブ）、『職場の著作権対応 100 の法則』（日本能率協会マネジメントセンター）、『オリンピック VS 便乗商法—まやかしの知的財産に忖度する社会への警鐘』（作品社）、『知財部という仕事』『へんな商標？』（発明推進協会）などがある。一級知的財産管理技能士。

過剰権利主張ケーススタディーズ Vol.2

**エセ商標権事件簿**

**商標ヤクザ・過剰ブランド保護・言葉の独占・商標ゴロ**

2024 年 1 月 10 日　初版第 1 刷発行

著者：友利昴
本文イラスト：ずるのバレンティノ（自己肯定感の高いひよこ）
装幀 & デザイン：合同会社パブリブ
発行人：濱崎誉史朗
発行所：合同会社パブリブ
東京都中央区東日本橋 2 丁目 28 番 4 号
日本橋 CET ビル 2 階
Tel 03-6383-1810
https://publibjp.com/
office@publibjp.com
印刷 & 製本：シナノ印刷株式会社